A Thig Ná Tit Orm

*Saolaíodh Maidhc Dainín Ó Sé
i gCarrachán, i bParóiste Múrach,
i nGaeltacht Chiarraí i 1942.
Chuaigh sé ar imirce in aois a
cúig bliana déag go leith,
i ngan fhios dá mhuintir!
Thug sé seal i Sasana agus
i Meiriceá, agus tháinig sé abhaile
chun cónaithe in Éirinn i 1969.
Tiomáineann sé leoraí de
chomhlacht bainne Kerry Co-Op.*

*Chomh maith le bheith ina
cheoltóir, is file agus fear sult é
Maidhc Dainín. Thóg sé ceann
i gcónaí do chaint na ndaoine agus
go háirithe do fhéith an ghrinn
sa chaint sin, rud a thagann
amach go láidir sa leabhar seo.*

Buíochas

Gabhann na foilsitheoirí a mbuíochas le Pádraig Ó Snodaigh ó *Coiscéim* a d'fhoilsidh an chéad eagrán den leabhar seo i 1987 agus a thug cead dóibh an t-eagrán nua seo a fhoilsiú. Gabhann siad buíochas freisin le Mícheál de Mórdha a chuir an lámhscríbhinn in eagar agus le Seán Ó Lúing as a chomhairle.

Leabhair eile leis an údar céanna a d'fhoilsidh *Coiscéim*:

Citeal na Stoirme (Filíocht)
Tae le Tae (Úrscéal)
Dochtúir na bPiast (Úrscéal)
Corcán na dTrí gCos (Gearrscéalta)
Chicago Driver (Dírbheathaisnéis!)

A Thig Ná Tit Orm

Maidhc Dainín Ó Sé

CJFallon

Foilsithe ag
C J Fallon
Bóthar Leamhcáin Baile Phámar
Baile Átha Cliath 20

An Chéad Eagrán Márta 1995

An tEagrán seo Meán Fómhair 2003

Clóchur: Peanntrónaic Teoranta
Forchlúdach: identikit design consultants
Maisiúcháin: John Skelton
Grianghraif: Maidhc Dainín Ó Sé

Clóbhuailte i bPoblacht na hÉireann ag
Leinster Leader Teoranta

Clár

Is do mo bhean chéile Caitlín
agus mo chlann Caoimhín,
Deirdre, Dónall, Daithí
agus Máire Áine
a thiomnaím an leabhar seo.

1

An Scriosadh ar an Luan

An chéad Luan de Mheán Fómhair 1947. Ghaibh mo mháthair mé i mbríste glan is léine. Nigh sí m'aghaidh le tuáille garbh agus gallúnach chomónta. Sháigh sí cúinne an tuáille isteach i mo chluasa agus bhain sí cúpla casadh maith as d'fhonn aon chéir a bheadh bailithe i log mo chluaise a ghlanadh amach.

'Cad chuige é seo?' arsa mise i m'aigne féin. 'Ba é inné an Domhnach. Cad chuige an scriosadh ar fad ar an Luan?' Tháinig an freagra chugam gan rómhoill.

'Téanam ort,' ar sí, ag breith ar láimh orm agus ag siúl an doras amach, 'táimid ag dul in áit éigin.'

'Ó, go dtí an siopa,' arsa mise go sceitimíneach. Níor thug sí aon fhreagra orm.

Siúd linn an bóthar siar i dtreo an tsiopa. Rud nár smaoiníos in aon chor air ná go raibh scoil Bhaile an Mhúraigh trasna an bhóthair ón siopa. Nuair a thánamair chomh fada leis an gCaol Dubh a labhair sí an chéad fhocal eile.

'Tánn tú mór do dhóthain anois chun dul ar scoil. Ní fearra dhuit bheith ag dul faoim chosa timpeall an tí.'

'Ach a Mham, táim róbheag chun dul ar scoil.'

D'fhéach sí anuas orm.

'Dhera, déanfair a lán cairde nua ar scoil, leanaí ded chomhaois féin.'

'An mbeidh tusa i mo theannta ar scoil?' arsa mise go scáfar.

D'fhéach sí go truamhéileach orm.

'Á, a chuid, ní ligtear do aon Mhamaí fanacht ar scoil. Ach beidh múinteoir an-mhacánta ann agus beidh sí mar Mhamaí agat ar feadh tamaill den lá.'

Gach lá a thugas ar scoil bhíos ag foghlaim rud éigin nua. B'fhéidir nach ceachtanna i gcónaí a théadh isteach i mo phlaosc. Chun na fírinne a insint ní raibh aon luí rómhór agam leis na ceachtanna in aon chor, ach mo léan, bhí orm rud éigin a dhéanamh nó bheinn in uisce fiuchaigh leis an máistreás. Faoi cheann cúpla mí bhí aithne curtha agam ar fhormhór na ndaltaí i mo rang féin agus sna ranganna eile chomh maith.

Ní fada a bheadh duine ag dul ar scoil an uair sin ná go mbeadh sé athbhaistithe, is é sin go dtabharfaí leasainm éigin air, mura mbíodh leasainm cheana féin ar a mhuintir. Garsún sa chéad rang baisteadh an 'Ceilteach' air. 'An Snig' ar bhuachaill eile. Baisteadh 'Siúit' orm féin! Lean sé sin mé ó m'athair Dainín ach scéal fada is ea é conas mar a fuair m'athair an ainm agus ní raghad isteach ann anois díreach.

Bhí gaiscíoch nó dhó ins gach rang. Is dócha gur fíor a rá nárbh aon aingeal éinne againn. Ní bhíodh lá sa tseachtain ná go mbíodh babhta bruíne ar siúl. Mura mbíodh bruíon laistiar den Áras bhíodh ceann i mBóithrín na Bruach tráthnóna. Fan go n-inseod duit mar gheall ar an gcéad bhabhta bruíne a bhí agam féin.

Is minic a chuir duine des na buachaillí sa rang comhartha catha orm mar gheall ar rud amháin nó rud eile. Ach níor lean aon chrústáil an chéad bhabhta. Bhí buachaill amháin ann ó Chathair Scoilbín, leaid lom cruaidh ná raibh chomh hard liomsa ach ná raibh aon easpa misnigh air. Thugamair seachtain fhada dhíreach ag tabhairt íde béil ar a chéile, ach ní raibh puinn misnigh ormsa aon bhuille dhoirn a tharraingt air mar ná feadar an mise nó é siúd a bheadh thíos leis, mar chúram. Ambaiste go raibh caint ana-mhallaithe bhagarthach aige. Lá amháin agus sinn amuigh chun lóin thosnaíomair ag áiteamh ar a chéile. Mo dhuine ansiúd agus a dhá ghéag leata amach óna chéile aige agus na doirne iata. Ní hamháin sin ach bhí a phus siúd sáite aige isteach i mo phus-sa agus é ag cur prioslaí siar i mo bhéal le racht feirge agus áitimh.

'Sea anois, a Mhaidhc Dainín,' arsa mise liom féin, 'tá sé in am anois an fód do sheasamh.'

Bhíomair ag sá go dtína chéile le fada agus chaitheadh an cúram stad uair éigin. Bhí deireadh na foighne caite agam. Faoin dtráth seo bhí formhór na mbuachaillí sa tseomra bailithe timpeall orainn, cuid acu am spreagadhsa chun catha agus cuid eile acu á spreagadh siúd. Bhí duine amháin des na garsúin ag fáil ana-mhífhoighneach agus b'fhada leis siúd go dtosnódh an cath. Cad a dhein sé siúd chun an cath a thosnú ach pléasc a tharraingt isteach sa phus ar an mbeirt againn in éineacht! 'Seo libh anois!' Baineadh oiread geite asam féin gur cheapas gurb é an garsún eile a d'aimsigh mé. Thógas leis le buille dhoirne faoi bhonn na cluaise agus chuireas ag cúlú siar cúpla troigh é. Ach, ar nós an bhroic, léim sé chugam thar n-ais agus d'aimsigh le pléasc mhaith

8

mé os cionn na súl. Bhí gach aon liú agus béic ag an gcuid eile acu timpeall orainn.

'Mo sheasamh ort, a Shiúit!' á rá ag duine amháin.

'Liocaigh an leathcheann aige, a Thomáis!' a deireadh fear eile.

Bhí díog síos ó bhinn an Árais agus bhí sé sa cheann agam dá bhféadfainn é a chúlú isteach ann go mbeadh agam. Thug sé ana-chúpla buille isteach san aghaidh dhom ach má thug fuair sé an oiread céanna thar n-ais. Cheapas ar an méid buillí a thugas dó go mbeadh bogadh éigin déanta agam air. Ach mo thrua do cheann, is i mbuaine a bhí sé ag dul! Bheadh sé chomh maith agam a bheith ag gabháil ar fhalla stroighne le mo dhoirne ná bheith ag gabháil isteach sa cheann air. De gheit thug sé fogha fíochmhar chugam ach má dhein do luíos ón mbuille. D'imigh a chosa uaidh, baineadh barrthuisle as agus ansin síneadh é. Bhíos chun preabadh anuas air ach níor dheineas. B'in é mo dhearmad! Mar ar éirí ón dtalamh dhó tharraing sé poc lena cheann isteach sa ghoile orm agus chuir sínte ar fhleasc mo dhroma síos sa díog mé. Ar nós aon mhadra rua ar thóir circe bhí sé léimte anuas orm. A dhá ghlúin ag preabadh ar bhun mo bhoilg agus greim ar stuaic ghruaige aige orm. Stothadh sé mo cheann chuige agus bhuaileadh buille air mar ba mhaith leis.

'Isteach libh!' An múinteoir a bhí tagaithe go ráil na scoile chun glaoch isteach orainn. Is olc an ghaoth ná fóireann ar dhuine éigin. Rug beirt des na buachaillí ar Thomás agus scoireadar sinn.

'Dhera,' a dúirt garsún éigin, 'caithfear í a throid lá éigin eile.'

Ní raibh aon oidhre ar lán na beirte againn tar éis na bruíne ach dhá lipín mhaol bháite a bheadh tarraingthe aníos as poll portaigh. Nuair a chonaic an mháistreás an íde a bhí orainn chaill sí an ceann ar fad.

'A dhá thincéir gan náire ag bruíon agus ag achrann, nó cad déarfaidh bhur muintir? Féach an íde atá oraibh is sibh fliuch salach.'

Trí stiall den bhfuinseoig a fuaireamair de bharr na bruíne.

'Tuilleadh an diabhail chugainn,' arsa Tomás faoina anáil ag siúl anuas ón mbord dó agus a dhá láimh fáiscithe faoina ascaill aige chun faoiseamh a fháil ón bpian a bhí i mbarr a mhéireanta, 'dá gceapfaimis ár suaimhneas ní tharlódh seo in aon chor.'

Ach cúpla lá ina dhiaidh sin bhí gach rud dearmadtha mar bhí beirt eile ar a gcrústa thuas i mBóithrín na Bruach.

Ná tuig anois go mbímis ag bruíon agus ag achrann i gcónaí. Ní ghabhadh lá thar bráid, go mór mhór sa tsamhradh agus an ghrian go hard sa spéir, ná go mbíodh cluiche caide againn. Is dócha nach caid ba cheart dom a rá mar is liathróid bheag rubair a bhíodh againn a bhí ar aon toirt le sliotar na gcamán. Is minic a d'úsáidtí a leithéid de liathróid ag imirt liathróid láimhe. Bhíodh ó rang a trí anuas go dtí na naíonáin bheaga á himirt seo. Caid leathair a bhíodh ag na buachaillí móra. Théidís sin síos go duimhche na Feothanaí ag imirt. Amuigh ar bhóthar Bhaile an Mhúraigh a bhíodh an cluiche againne. Seo mar a chuirtí na foirne le chéile. Sheasadh beirt gharsún ón dtríú rang amach os comhair a chéile. D'ainmníodh gach buachaill acu seo a rogha féin imreora ar a sheal nó go mbíodh gach buachaill síos go dtí na naíonáin bheaga ainmnithe ar thaobh amháin nó ar thaobh eile. Clocha a bhíodh ag marcáil na mbáidí againn; bhíodh dhá chloch acu seo ag béal bhóthar Bhaile an Mhúraigh isteach ón mbóthar nua agus an dá chloch eile láimh le cúinne an lúibín. Ní raibh gluaisteáin ná trucanna ag cur isteach orainn an uair úd mar ná rabhadar aon phioc chomh flúirseach is atáid inniu, ach fo-chairt is capall a ghabhadh thar bráid ag tabhairt a n-aghaidh b'fhéidir ar shliabh Bhaile Ghainnín Beag ag triall ar phota móna. Ní bhíodh aon réiteoir ar an gcluiche ná aon mhaor líne. Ráil na scoile ar thaobh amháin agus falla an Árais ar an dtaobh eile. Ní lú ná san bhíodh lántosaí ná lánchúl ar aon fhoireann ach gach éinne ag leanúint na liathróide ó bháide amháin go báide eile, is é sin gach éinne ach an dá chúl báire. Bhíodh an dá chúl báire pioctha go haireach. Bhí sé tábhachtach bheith mór chun an t-ionad sin a líonadh. Mar nuair a bhíodh 'bulc' i mbéal an bháide dá ráineodh go n-éireodh leis an dtaobh eile an rall a shá laistiar de líne an chúil bheadh báide acu san. Mar sin bhí sé thar a bheith tábhachtach buachaill teann láidir a bheith sa bhearna bhaoil. Ní chuirfeadh an 'bulc' aon rud i gcuimhne dhuit ach an *scrum* a bhíonn i gcluiche rugbaí. D'fhiafródh duine dhíot conas a tharlaíodh bulc, nárbh fhearr do dhuine an liathróid a chur de go tapaidh? Bhuel, tá sin ceart ach dá mbeifeá aon bhuille mall ag scarúint leis an liathróid bhí fiche duine bailithe ort de gheit. Ansan bheadh crúca gach éinne ag déanamh ar an ionad go raibh an liathróid. Ansan an duine leis na hiongaíní ba ghéire ag scriobadh agus ag scrabhadh. Bheadh leo san de ghnáth. Bheadh buachaill ag déanamh ar an mbáide. Gan dabht thabharfaí snap faoi d'fhonn é a stad. Ach is minic a bheadh pléasc de dhorn fachta sa phus agat dá bharr agus báide fachta i do choinne isteach sa mhargadh. Dá n-imeodh an liathróid os cionn na cloiche agus ná bíodh sí ar fóraíl ná ina báide bhéiceadh an fear báide '*over the stone*', agus is minic a bhíodh deargáiteamh mar gheall air seo. Faoi mar a dúirt ar dtúis ní raibh puinn rialacha sa chluiche seo ach na gaiscígh ba láidre agus ba chrua in uachtar. Is minic a bhíodh achrann mar gheall ar an scór mar toisc ná bíodh aon mholtóir ann bhíodh a chomhaireamh féin ag gach éinne mar a d'oireadh dhóibh.

2

Tá an Cigire Tagaithe

Uair sa bhliain a thagadh an cigire ar scoil. I mí na Samhna de ghnáth a thagadh sé. Cad é fuadar agus fotharaga a bhíodh fúinn nuair a bhíodh sé cloiste againn go mbeadh an cigire chugainn. Bhíodh orainn na suíocháin a ní agus a scriosadh.

An tobar a mbíodh an dúch istigh ann faoi bhráid na scríbhneoireachta chaití é sin a ghlanadh amach agus gléas a chur sa chlúdach beag práis a bhíodh os a chionn. Ghlantaí an smúit ar fad de bharr na gcurpard agus ba é an rud ba thábhachtaí ar fad ná a chuid ceachtanna go léir a bheith de ghlanmheabhair ag gach scoláire. Is cuimhin liom féin go maith uair amháin a tháinig an cigire. Bhí súil leis le cúpla lá roimhe sin mar bhí scoileanna eile sa cheantar déanta aige.

Ní raibh slat fuinseoige ná spúnóg *cocoa* le feiscint ar bhord na máistreása. Bhí sé déanta amach agam féin gur curtha i bhfolach in áit éigin a bhíodar seo ag an máistreás. Maidin shalach cheoigh ab ea í. Bhíomair ar fad suite go socair ag éisteacht leis an máistreás agus í ag léamh as leabhar éigin a fuair sí ar iasacht ó mhúinteoir eile. Dheineadh sí é sin go minic d'fhonn sinn a ullmhú do rang níos airde. Níl aon dabht ann ná gur múinteoir den chéad scoth ab ea í. Ach cén mhaitheas di san nuair ná raibh ár n-aigne riamh leis an léann.

Tháinig cnag ar fhuinneoig an dorais. Is é an príomhoide a bhí ann agus b'fhuirist a aithint go raibh anbhá éigin air. D'oscail an mháistreás an doras agus thugadar beirt tamall ag cogarnaigh i mbéal an dorais. Tháinig sí isteach tar éis cúpla nóimint.

'Tá an cigire tagaithe,' ar sí. 'Anois scaoilfear amach sa chlós sibh ar feadh tamaill nó go mbeidh an cigire réidh chun sibh a cheistiú. Ná bígí ag béicigh nó ag liúirigh ar nós na mbeithíoch. Ach bígí deas ciúin sibhialta. Anois nuair a bheidh an cigire bhur gceistiú deinigí é a

12

fhreagairt breá ard soiléir agus ná deinigí dearmad 'a dhuine uasail' a thabhairt air. Mura ndéanfaidh sibh is daoibh féin is measa é.'

Scaoileadh gach rang sa tseomra amach ar a shon is ná raibh sé ach a deich a chlog ar maidin. Is trua ná tagadh an cigire gach aon lá!

Faoi cheann tamaill glaodh isteach ar na naíonáin bheaga, na naíonáin mhóra agus an chéad rang. Dúradh leis an gcuid eile fanacht amuigh go fóill. Istigh sa tseomra láir a bhí buailte faoi ag an gcigire. Bhí na múinteoirí thuas i mbarr an tseomra le hais an chigire agus é siúd suite laistiar den mbord. Ceann mór feola air agus péire spéaclaí a bhí luite beagán íseal ar a shrón. Nuair a bhíomair ar fad bailithe isteach sa tseomra labhair sé linn go lách. ''On diabhal,' ar mise liom féin, 'b'fhéidir ná fuil sé chomh holc agus atá teist air.'

'Táimse anseo chun sibh a scrúdú faoi bhráid an deontais. Ach tá a fhios agam ná fuil ganntar ar bith sibhse a scrúdú mar cloisim go bhfuil an teanga go binn agaibh. Anois fágfad faoin múinteoir sibh a chur aníos chugam duine sa turas.'

Cailín ó Bhaile an Lochaigh a cuireadh faoina bhráid ar dtúis. Scoláire maith ab ea í siúd. An chéad cheist a cuireadh uirthi ná cad é an tslí bheatha a bhí ag a hathair.

'Feirmeoir, a dhuine uasail,' ar sí.

'Ar fheabhas, a Úna. Anois an mó bó agaibh?'

'Tá chúig cinn acu, a dhuine uasail.'

'Is dócha go bhfuil ainm ar gach bó acu san?'

'Tá, a dhuine uasail.'

'Mar sin tabhair ainm dhá bhó acu dhúinn.'

Stad sí ar feadh tamaill. 'B…b…bó Jimmí Terrí agus an Bradaí.'

'Cad ina thaobh go dtugann sibh an Bradaí uirthi?'

'Mar an chéad lá a thug Daid abhaile í ghlan sí an claí agus léim sí isteach i ngort coirce le duine des na comharsain.'

'Ana-chailín is ea tú agus is féidir leat dul ar ais go dtí do shuíochán anois.'

Ní fada ná go rabhas féin ar mo thriail. Suas liom faoina bhráid. An chéad cheist a cuireadh orm ná an mó lá i mí Feabhra.

'Braitheann sé ar an mbliain, a dhuine uasail.'

'Cad ina thaobh sin?'

'Mar iascaire séasúir is ea m'athair agus deir sé go mbíonn lá breise i mí Feabhra gach aon cheithre bliana nó i mbliain bhisigh, d'fhonn is na séasúir agus an féilire agus an ré bheith i gceart.'

Scaoileadh liomsa síos tar éis an méid sin a chur díom.

Bhí cúrsaí ag dul ar aghaidh go diail nó gur chuaigh Uinseann Ó Grífín faoi bhráid an chigire. Mac feoirmeora ab ea Uinseann, buachaill ciúin macánta nár chuir isteach ná amach ar éinne riamh chomh fada agus is cuimhin liomsa é. Ach ar nós a lán eile againn bhí aidhm amháin sa tsaol aige, an scoil a chríochnú chomh luath agus a fhéadfadh sé agus tabhairt faoi amach faoi shaol na bhfear.

'Anois, a Uinsinn, deirtear liom gur seanchaí is ea d'athair. B'fhéidir go mbeadh freagra na ceiste seo agatsa, *Is minic a bhain bean slat...* cad é an chríoch a chuirfeadh d'athair ar sin?'

'Dhera is dócha gur deacair freagra a thabhairt ar sin.'

'Cad ina thaobh go ndeirir sin?' arsa an cigire, agus a shúil in airde aige le freagra éigin cóir.

'Mar,' arsa Uinseann, 'ní hé an freagra céanna a thug an fear sin ar aon cheist riamh!'

'Sea, mar sin,' arsa an cigire, 'conas a thabharfadh sé freagra ar an seanfhocal seo, *Is fearr paiste nó poll.*'

D'fhéach Uinseann air agus an dá shúil ag léimrigh ina cheann. 'A dhuine uasail, chuir duine éigin eile an cheist sin air le déanaí.'

'Seo, scaoil chugainn é.'

'Á...ní fheadair, a dhuine uasail.'

Bhain an cigire a spéaclaí de agus thóg seál póca gléigeal bán amach as phóca a chasóige agus thosnaigh sé ag cuimilt a spéaclaí agus é ag súil le freagra ó Uinseann.

'*Is fearr paiste ná poll*,' arsa an cigire arís. Bhí cuma ana-bhuartha agus ana-thrína chéile ag teacht ar Uinseann bocht.

'O my ... dá ... *dá mbeadh paiste ar do pholl bheadh deabhadh ort dá scaoileadh.*'

D'fhéach an cigire ar an máistreás, d'fhéach an mháistreás ar Uinseann agus d'fhéach Uinseann ar an dtalamh. Rug an cigire ar phíosa páipéir a bhí os a chomhair amach agus thosnaigh sé ag scríobh rud éigin síos.

'Téir thar n-ais go dtí do shuíochán, a Uinsinn,' arsa an cigire.

Á, a dhuine, dá bhfeicfeá an mháistreás. Déarfainn go mbeadh sí ana-shásta dá sloigfeadh an talamh í. 'Sea,' arsa mise liom féin, 'beidh cipíneach amáireach againn.'

Triúr eile a bhí le ceistiú ag an gcigire ach deirimse leat nár chaith sé *oscailte* aon tseanfhocal eile chucu ach ceisteanna breátha saoráideacha. Bhí sé ag déanamh suas ar am lóin nuair a bhí sé críochnaithe linn agus deirimse leat ná raibh aon bhrón orainn nuair a bhí sé curtha dhínn againn. Tar éis lóin a scrúdaigh sé na ranganna móra. Is amuigh sa chlós a thugamairne an tráthnóna agus áthas an domhain orainn anois gur tháinig an cigire. Cad é an lá eile sa bhliain go mbíodh trí shos lóin againn? Bhí dorn liostraim agam féin is mé ag gabháil aniar sna colpaí *páir* ar Phádraig Ó Gairbhia leis. '*License*' a déarfá nuair a bhuailfeá duine leis an liostram is ní fheadar ó thalamh an domhain cad as a tháinig sé sin. Lena linn sin shiúlaigh an cigire amach agus mála leathair ina

Wild iris

láimh aige. Bhí duine des na múinteoirí ag teacht amach ina dhiaidh. 'Abhaile libh,' arsa an cigire. Ní raibh uainn ach gaoth an fhocail. Thugamair ar fad faoin seomra ranga in éineacht. Bhí buachaill amháin agus é ana-shásta ar fad leis féin agus é ag portaireacht 'Níl aon *sums* anocht ... níl aon *sums* anocht.' Is gearr gur cuireadh dorn lena phus is go ndúradh leis éisteacht ar eagla go gcloisfeadh duine des na múinteoirí é.

Go rialta i ndeireadh an fhómhair chuireadh treabh tincéirí fúthu sa lúibín in aice na scoile. Is dóigh liom gur Brianaigh an sloinne a bhí orthu. Thabharfaimis ár saol ag faire ar an seanduine a bhí ina measc agus é ag déanamh na sáspan as an stán. Níl aon dabht i m'aigne ach gur cheard ana-speisialta ab ea í. Bhí inneoin bheag aige déanta go speisialta don gcúram agus saghas éigin siosúir chun an stáin a ghearradh. Casúirín pointeálta a bhí aige chun na ribhití a liocú. Ba dheas an chuma ina mhúnlaíodh sé tóin an tsáspain agus an cliathán timpeall air. Is mó am lóin a chaith scata againn suite in airde ar an gclaí ag baint lán ár súl as an gceardaí breá seo ag obair. An campa beag canbháis ina gcodlaídís bhí sé curtha acu i bhfothain le hais leis an gclaí d'fhonn aon ghála a thiocfadh aduaidh orthu a bhriseadh. Bhíodh bladhmsarach mhór de thine acu agus breis agus dosaen páiste óna trí bliana suas go dtí seacht mbliana déag timpeall uirthi. Ní bhíodh bean an tincéara le feiscint sa champa i rith an lae ach thagadh sí timpeall ar am dinnéir chun greim bídh a réiteach dona fear agus dona páistí. Thugadh sí formhór an lae ag imeacht timpeall ó thig go tig le ciseán mór lán de sháspain, is de phictiúirí beannaithe is de scaifléirí is boinn bheannaithe agus iallacha bróg. Ar a shon go ndíoladh sí na hearraí a bhíodh sa chiseán ní folamh a thugadh sí abhaile léi é. Mar dá ndíolfadh sí sáspan i dtig bheadh sí ag lorg gráinne tae nó siúcra nó braon bainne le tabhairt ar ais go dtí na gearrcaigh. Is minic a tháinig sí chomh fada le béal dorais na scoile agus chun na fírinne a rá ní fheaca éinne des na múinteoirí ag ligean léi dealbh as an áit.

Lá amháin agus slua mór againn suite ar an gclaí trasna ó ráil na scoile bhí bean an tincéara ag róstadh rud éigin ar an dtine oscailte. Ó a dhuine, an boladh breá a bhí ag teacht chugainn ó Chuas an Bhodaigh.

'Maircréil úra,' arsa buachaill amháin i m'aice.

'Is dócha gur ós na hiascairí a fuaireadar an t-iasc,' arsa mise, 'mar bhí a cúig nó a sé de naomhóga amuigh sa Dúinín aréir agus bhí os cionn dhá mhíle maircréal an ceann acu.'

Bhí beagán tuisceana agam féin ar Bhéarla ach dá gcloisfeá an ghibris a bhí ag teacht uathu siúd, idir fhear, bean agus páiste, bheadh sé chomh maith agat bheith ag éisteacht le Rúisis. Chloisinn m'athair á rá go mbíodh *lingo* leo féin ag cuid des na treabhanna tincéirí seo agus

Gealaim

go mbainidís úsáid aisti nuair a theastódh uathu ná tuigfeadh éinne iad ach a gcuid féin. Deinim amach go láidir gurb é a bhí á labhairt acu an lá úd. Bhíomair ansiúd ag faire ar an mbean tincéara agus í ag róstadh na maircréal. Is dócha go raibh ar a laghad chúig gharsún agus fiche againn ann idir bheag agus mhór. Uisce ag teacht ó fhiacla gach duine againn. Chonac uaim tamall suas ar an gclaí an buachaill mór seo. Ní inseoidh mé dhuit ainm an gharsúna – b'fhearr gan a dhéanamh ar shon na síochána! Bhí scraithín deas téagartha bainte de thaobh an chlaí aige le sáil a bhróige. An chéad rud eile bhí an scraithín ina chrúca aige. Ní túisce ina chrúca é ná go bhfeaca ag feadaíl tríd an aer é, agus cár dóigh leat a chríochnaigh an scraithín? Sea, tá an ceart agat. Isteach i gcorplár chorcán róstaithe na dtincéirí! D'imigh idir iasc, geir agus an corcán róstaithe ar fuaid na talún. An chéad rud eile phreab bladhmsanna ón dtine in airde sa spéir mar chuaigh cuid den ngeir sa tine. Sea, bhí an diabhal déanta. Tháinig scaipeadh na mionéan orainn

Scattered

soir agus siar. Gach éinne ag iarraidh péirse a chuir idir é féin agus tine na dtincéirí ar eagla gurb air féin a raghadh an milleán. B'iúd inár ndiaidh bean an tincéara. Bhí gach liú agus mallacht aici agus stad ná

Béic

staonadh níor dhein sí gur bhain doras na scoile amach. Isteach ar scoil léi agus ní raibh aon radharc uirthi ar feadh tamaill. Gach súil dírithe ar dhoras na scoile. Ní fada a bhí le fanacht againn. Is é an máistir a tháinig amach trí dhoras na scoile ar dtúis agus bean an tincéara go tiubh ar a shála! Sheas an máistir ag ráil na scoile agus lig sé béic fhíochmhar as.

'Gach buachaill ón séú rang go dtí na naíonáin bheaga bídís laistigh de ráil na scoile, lom díreach!'

Ambaiste ná raibh deabhadh ar éinne ag déanamh ar chlós na scoile.

'Brostaígí!'

Bhí sé ansiúd agus a phlaosc ataithe leis an mbrú fola a tháinig air leis an racht feirge a bhí á chur de aige. Nuair a bhíomair ar fad ansiúd ar nós scata caorach a bheadh bailithe istigh i loc chun a mbearrtha lig sé glam eile as.

'Seasaígí ar fad suas i gcoinne an fhalla.'

Ansan a thugamair faoi ndeara an tslat a bhí aige agus í dá luascadh go rábach aige soir agus siar. Bhíos féin timpeall leath slí isteach sa líne. Béic eile.

'Seasadh an scoláire a chrústaigh an scraithín amach anseo chugam.'

Ar m'anam ach nár bhog éinne. Ansan shiúlaigh sé suas go barr na líne.

'Tusa a mhic Uí Chinnéide, an bhfeacais an duine a chrústaigh an scraithín?'

'Ní fheaca, a mháistir.'

'Cuir amach do láimh!'

Cheithre bhuille óna chroí amach a thug an máistir agus le gach buille d'ardaíodh sé leath-throigh de thalamh d'fhonn breis fuinnimh a chur lena bhuille. Lean sé air mar sin anuas an líne agus an íde chéanna á thabhairt dos gach éinne aige. Is é bhíos ag cuimhneamh agus mé ag cuimilt mo bhos dá chéile agus an máistir ag déanamh orm go mb'fhearr cheithre bhuille anois ná bheith ag teitheadh leat féin an chuid eile den mbliain. Bhí saghas cód i measc na ndaltaí ar fad. Ná scéith go deo ar éinne. Bhíodh cuid de na scoláirí tamall agus ní bhíodh uathu ach gaoth an fhocail chun dul go dtí an múinteoir le scéalta. Ach bhí cúpla buachaill sa séú rang agus ní bhíodh geata Jack Sé curtha ag an spiaire de tráthnóna nuair a bhídís ar a thóir. Agus go bhfóire Dia ar an spiaire sin. Ba bhreá galánta an rud cúpla hainse den slait a fháil seachas an íde a thabharfaidís siúd ort. B'in é an fáth gur tugadh an *murder squad* orthu. Nuair a bhí an líne críochnaithe ag an máistir sheas sé os ár gcomhair.

'An bhfuil a fhios agaibh ná bíonn rí ná rath ar éinne go deo a chuireann isteach ar an lucht siúil? Sin iad na daoine a dhíbir Cromail ó thithe agus ó thalamh na hÉireann.'

Is mó eachtra seoigh a tharla ar scoil Bhaile an Mhúraigh dá mbeadh sé d'intleacht ag duine cuimhneamh orthu. An lá áirithe seo mura bhfuil dearmad orm is sa chéad rang a bhíos féin. Bhí an múinteoir ag teagasc na naíonán bheaga agus mhóra mar gheall ar an nádúir atá inár dtimpeall. Luaigh sí ainmhithe ón luch go dtí an gcapall. Luadh plandaí agus fáiseanna chomh maith. Is mó de spéis a bhí agam féin i gceacht seo na naíonán ná sa pheannaireacht a bhí le déanamh agam féin. Thug sí míniú dhóibh ar an mbó is ar an ngamhain, ar an gcapall agus an searrach, an luch agus an luichín. Nuair a bhí deireadh ráite aici thosnaigh sí ag ceistiú mórthimpeall an ranga chun deimhin a dhéanamh de go raibh gach éinne ag éisteacht.

'Ceist agam oraibh, a leanaí. Tá an cat mór agus piscín beag. Cén fáth nach bhfuil siad ar chomhthoirt? Nach cat beag is ea an piscín?'

Ropadh lámha san aer. Bhí sé de chuma ar gach éinne go raibh an freagra ar bharr a theangan aige. Ach bhí buachaill beag amháin thíos i lár an ranga agus a cheann faoi aige. É de chuma air ná raibh mórán suime sa chúram aige.

'A Phádraig,' arsa an múinteoir nuair a thug sí faoi deara é, 'conas go bhfuil an cat níos mó ná an piscín?'

'Mar is é an cat a chacann an piscín agus dá mbeadh an piscín chomh mór leis an gcat ní dhéanfadh sé meabhair ná ciall!'

Dhera a dhuine, phléasc gach aon pháiste sa tseomra amach ag gáire. Ach is gearr go dtáinig plaosc mór dearg ar an máistreás. Rith sí chuige síos agus rug sí greim ar bharr a chluaise le láimh amháin agus ar chúl a chasóige leis an láimh eile. Tharraing sí amach as an suíochán é d'aon iarracht amháin. Siúd léi á tharraingt ina diaidh amach doras an tseomra agus í ag cur aisti ar dalladh.

'Múinfeadsa dhuit a bhligeairdín chirt an saghas sin cainte d'fhágaint san áit a fuairis í.'

B'fhuirist a aithint ar an scréachaigh agus ar an mbéicigh a bhí ag teacht isteach ón halla go raibh ramhrú maith á fháil aige.

'Seas ansin ar feadh tamaill agus b'fhéidir go múinfeadh sé fios do bhéasa dhuit.'

Tháinig sí isteach agus lean sí den rang ach mise dá rá leat nár chuir sí aon cheist eile an lá sin mar baineadh an oiread sin de gheit aisti le freagra Phádraig. Bhraithfeá biorán ag titim ar feadh tamaill. Bhíomair ansiúd agus ár gceann fúinn againn agus gach duine ar a dhícheall ag déanamh a chuid scríbhneoireachta chomh maith agus a bhí ar a chumas. Mar mhothaíomair inár n-aigne dá mbeadh fiú amháin focal as alt go bhfaighimis spúnóg an *chocoa* trasna dhroim na láimhe.

3

An Bhothántaíocht

Na chéad bhlianta des na caogaidí is beag áis a bhí in aon tig amuigh faoin dtuaith. Tóg Paróiste Múrach, mar shampla. Bhí daonra timpeall trí chéad ann agus céad tig. Ní raibh solas aibhléise in aon tig ná aon chaint air. Lampa íle a bhíodh crochta ar thaobh an fhalla. Tine mhóna is croch iarainn le corcán mór dubh ag crochadh os cionn chroí na tine. Prátaí dá bheiriú sa chorcán faoi bhráid cránta. Dá bhfeicfeadh duine teilifís an uair sin bheadh sé mar scéal nua aige go bhfeaca sé púcaí! Dhá raidió a bhí sa pharóiste. Bhí ceann acu san againne agus an ceann eile ag múinteoir thuas i mbarr an pharóiste. Cadhnraí a bhíodh á n-oibriú, ceann fliuch agus ceann tirim. Ní bheinn ag insint bhréige dhuit dá ndéarfainn leat go raibh an raidió a bhí againn chomh mór leis an teilifís atá ann anois. Is beag spéis a bhíodh ag éinne sa tig i gcuid des na cláracha mar is as Béarla a bhídís. D'éistíodh m'athair agus mo mháthair leis an nuacht gach tráthnóna agus ansin chastaí amach é. Bhíodh sé an-áisiúil nuair a bhíodh an chaid ar siúl air, go mór mhór an *All-Ireland*. Bhíodh an tig lán go barr ar fad de dhaoine lá an *All-Ireland*. Is minic a bhí ar m'athair ceann des na fuinneoga a oscailt d'fhonn is go gcloisfeadh daoine a bhí amuigh sa ghairdín agus ná raibh aon tslí istigh dhóibh an cluiche. Ní raibh cead ag aon duine sa tig barr méire a chur ar aon chnaipe a bhí ar an raidió ar eagla go gcasfaí ceann éigin des na cnaipí go neamhcheart. Bhíodh poll a chluaise buailte suas leis an raidió ag m'athair nuair a bhíodh an nuacht ar siúl. Is mó babhta gur thit a chodladh air le linn na nuachta, agus bhíodh an raidió fós ar siúl agus gach aon tsrann aige siúd. B'fhéidir gur ceol éigin a bheadh air i ndiaidh na nuachta ná beadh aon toradh ag éinne sa tig air. Ach ní ligfeadh eagla d'éinne againn teangbháil leis an raidió d'fhonn é a chasadh amach. Chloisfeá mo mháthair thíos i mbun an tí, 'Cuir amach an *poorhouse*' dá bhéiceadh aici. Ansin phreabadh m'athair in airde leis an ngeit a bhaintí as agus chasadh sé amach an raidió. Ansin gheibheadh sé braitlín bhán agus chlúdaíodh an raidió léi. Bhí eagla orthu go raghadh aon smúit isteach ann agus go ndéanfadh san ana-dhíobháil dó. Dhera na créatúirí bochta ní raibh aon tuiscint acu ar na gléasanna nua seo a bhí ag teacht ar an saol.

'Ceol, cú nó cúrsaí caide, sin trí ní nár cheart a scaoileadh faoi dhíon aon tí mar ní leanann iad ach toirmeasc agus díomhaointeas. Ní bhíonn suim i dtig ná i dtreabh ach spórt agus éirí in airde.'

Sin é mar a dheineadh m'athair spior spear d'aon argóint a bhíodh ar siúl eadrainn go mór mhór dá mba chúrsaí caide nó ceoil a bheadh á gcíoradh. Ní hé sin le rá ná raibh suim ag Dainín i gcúrsaí caide mar bhí, agus suim i gceol chomh maith aige. Fiú amháin bhí ar a chumas cúpla port a chur ar an mbosca, rud a fuaireamair amach tamall ina dhiaidh sin. Bhíodh a chluais siúd leis an raidió chomh maith le duine nuair a bhíodh Micheál Ó hEithir ag craoladh na gcluichí. Bhíodh an drochfhaisnéis i gcónaí aige roimh chluiche. 'Níl aon dul go mbuafaimid ar Ros Comáin inniu' nó 'Buafaidh Co. na Mí go bog orthu...' B'in é an saghas poirt a bhíodh aige. Bhraith sé i gcónaí ar an bhfoireann a bhí ina gcoinne. Thagadh an oiread anbhá ar mo mháthair dá mbeadh an dá fhoireann ar chomhscór go mbíodh uirthi siúl amach sa ghairdín ar eagla na heagla go scórálfaí báide ar Chiarraí. Ach féach mise arís agus mé ag caint mar gheall ar chúrsaí caide mar is scéal eile a bhíos chun insint dhuit.

Ar a shon is ná bímis i gcónaí ag éisteacht leis an raidió inár dtigne is dócha mar sin féin go raibh cláracha air a bhí ag dul i bhfeidhm orainn, go mór mhór cláracha ceoil. Bhíodh an fo-dhráma Gaelainne leis air, agus leis sin ciallaím a dó nó a trí d'uaireanta sa bhliain. Bhuel an rud is annamh is iontach. Anois is arís thiocfadh duine des na comharsain isteach ag éisteacht le clár éigin go raibh trácht déanta air ins na nuachtáin. Is cuimhin liom an oíche áirithe seo gur tháinig bean chomharsan ar cuairt chugainn. Ní raibh aon chur amach faoin spéir aici ar raidió ná aon ní a bhain leis. Mheall mo mháthair í chun fanacht ar feadh tamaill agus go n-éisteodh sí le dráma a bhí ar an raidió an oíche sin.

'Cad é an chabhair dráma a chloisint mura mbeadh ar chumas dhuine é d'fheiscint agus na haisteoirí a bheith os do chomhair amach?'

Ar deireadh thiar thall dúirt sí go bhfanfadh sí chun an *machine* ait seo, dar léi, a fheiscint ag obair. Bhí m'athair imithe ag iascach agus má bhí is ina chathaoir siúd a cuireadh an bhean seo ina suí chun go gcloisfeadh sí an raidió. Chas mo mháthair ar siúl an raidió cúpla nóimint sula raibh an dráma le tosnú. Dráma Béarla ab ea é. Nuair a thosnaigh an dráma d'éirigh gach éinne as a bheith ag caint. De réir mar a bhí an dráma ag dul ar aghaidh bhí suim na mná seo á múscailt. Bhí sí ansiúd agus í ag druidim a cluaise níos cóngaraí don raidió ar eagla ná cloisfeadh sí i gceart é. Is mó an sult a bhíomairne ag baint as an mbean bhocht seo ná as an ndráma féin. Go hobann bhí stop sa chaint ar an raidió. Do sháigh sí siúd a ceann níos cóngaraí fós don ngléas mar cheap sí go raibh rud éigin imithe air. '*You are near enough now,*' an chéad líne eile a bhí ag an aisteoir. Dúirt an t-aisteoir amach os ard é agus ar ndóigh is páirt den ndráma a bhí ann. Dhein an bhean bhocht aon léim amháin amach as an gcathaoir.

'Ó a Íosa Críost – moladh go deo leis – conas a chonaic sé amach as an raidió mé?'

Rug sí ar a seál a bhí fágtha ar dhroim na cathaoireach aici agus seo léi i dtreo an dorais.

'Ní haon rud fónta an gléas san, tá sé ins na púcaí.'

Is é an caitheamh aimsire is mó a bhíodh ag seandaoine an uair úd, ach go háirithe nuair a thagadh oícheanta fada na dúluachra, ná an bhothántaíocht. Bhí an áirithe sin tithe ar fuaid an pharóiste go raibh a n-ainm in airde mar gheall ar an gcuideachta bhreá a thugadh cuairt orthu. Bhíodh ardscéaltóirí ann agus bhíodh an fear seoigh i measc na cuideachtan chomh maith. Is minic leis agus ardchuileachta i dtig éigin go ndéarfadh duine éigin sa chomhluadar cúpla véarsa d'amhrán. Nuair a deirim cúpla véarsa is minic go síneadh an cúpla véarsa go dtí fiche ceann. Ba bhreá an Ghaelainn a bhíodh fite fuaite sna hamhráin ag baird go raibh cré na reilige ag fás na nóiníní os a gcionn le cúpla céad bliain.

Bhí fear amháin a thugadh turas ar ár dtigne ar a laghad trí oíche sa tseachtain. Bhíodh sé tagaithe i gcónaí i gcomhair nuacht a sé mar an uair sin bhí cogadh Khorea faoi bharr lasrach agus toisc a lán de mhuintir an pharóiste a bheith i Meiriceá – agus b'fhéidir in arm na tíre sin an uair sin – ba mhaith leis cuntas a fháil an raibh aon deireadh ag teacht air. Ba chuma scríob nó gaoth nó báisteach thagadh sé siúd go rialta. Is i mBaile an Mhúraigh a bhí cónaí air agus ní raibh sin ach míle siar an bóthar. Ó Conchúir an sloinne a bhí air ach bhí leasainm air faoi mar ba nós an uair sin. Ná raibh aithne ag madraí an bhaile ar 'Ghrae'? Fear ard leathan téagartha lán de chlis agus de chuileachta. Fear mór scéalta ab ea é, scéalta seoigh atá i gceist agam. Bhí sé de bhéas aige suí sa chathaoir agus í a scaoileadh siar ar an dá chois deiridh. Ansin bhíodh sé ag gioscán siar agus aniar agus a phíp ina bhéal. Anois agus arís scaoileadh sé gal fada den bpíb síos isteach ina scamhóga agus amach arís trís na bearnáin a bhí idir na fiacla aige. Toisc ná raibh go leor cathaoireacha sa tig againne is minic a gheobhadh duine nó beirt againn fód breá stuaicín agus bhuailimis fúinn é in aice chos an adharta mar shuíochán. Ár ndroim leis an dteas a bhí lonnaithe sna clocha ó cuireadh an tine san ionad an chéad lá. Tá pictiúir i mo cheann fós den slí a bhímis ar fad in aon scraith amháin timpeall na tine. Sa chúinne in aice le curpard an raidió a bhíodh m'athair, Dainín. Le hais leis sin a bhíodh mo dheartháir, Páidí. B'in é an té ba shine den gclann. Bhí deartháir eile liom i Meiriceá le cúpla bliain. Seán ab ainm dó siúd. In aice le Páidí bhíodh Dónall, ansin mo dheirfiúr Máirín. Bhíodh Grae lom díreach os comhair na tine. Shuíodh mo mháthair ar a chlé agus bhínnse suite ar an bhfód móna is mo dhroim le cos an adharta. Bhí deartháir eile agam darbh ainm Tomás ach bhíodh sin curtha ina chodladh mar ná raibh sé ach tuairim cheithre bliana d'aois an uair sin.

Scéalta iascaigh is mó a bhíodh ag Grae de ghnáth. Thug Grae agus m'athair a lán biaistí ag iascach i naomhóig i dteannta a chéile. 'Is cuimhin liom an mhaidin, a Dainín...,' a deireadh Grae. Bhíodh gach cluais ar bior nuair a thosnaíodh sé leis an abairt sin mar bhíodh a fhios againn go mbíodh scéal seoigh nó scéal iontais le teacht. Gan dabht choimeádfaí na scéalta ab fhearr go dtí go mbíodh na leanaí bagartha a chodladh. Ach is minic a thugas mo chluais do pholl duail a bhí i ndoras an tseomra. Oíche amháin agus mé ag éisteacht chuala an t-eachtra is mó gur bhaineas sult as. Seo mar d'inis Grae é.

''On diabhal, bhíos féin agus Páid Carty agus Hugh ag iascach bhallach amach ó Chuas na Ceannaine Déardaoin seo caite. Baoite portán a bhí ar an nduán againn. Bhíomair ag glinneáil timpeall le feá ó bhun ach ní raibh aon phriocadh á fháil againn. Ansin dúirt Hugh druidim aníos cúpla feá leis an ndorú. Sea, a bhuachaill bháin, má dheineamair gur ghearr go dtosnaigh an stothadh. Laistigh d'uair an chloig bhí fiche ballach ar bord againn agus trí phollóig. 'On diabhal go raibh an t-ocras ag breith ormsa.

"Cogar a fheara," arsa mise, "tá an fharraige ag lag trá anois agus níor chás dúinn tarrac isteach sa phluais bheag faoi bhun na Beinne. Tá caoráin dhubha agus blúire giúise sa phaca agamsa agus beireoimid na ballaigh."

'Ambaiste ach go raibh an galar céanna ar an mbeirt eile agus a bhí ormsa, an t-ocras. Tharraingíomair isteach sa chuaisín ach go háirithe. Chuireas mar chúram orm féin an tine a lasadh an fhaid is a bhí Carty ag glanadh an éisc. Shín an ailp eile siar ar an ngainimh agus a bholg le gréin. [yoke]

"Nach maith tapaidh a dheinis captaen dhuit féin," arsa mise leis. Ach ar m'anam go raibh freagra aige siúd dom. "Mura mbeadh mé bheadh sibh amuigh ag glinneáil fós agus gan faic ar an nduán ach an baoite." [bait]

'Sea, fuaireas mo sciléad beag agus bhuaileas mo chuid éisc isteach ann go seiftithe. Nuair a bhí an t-iasc beirithe, "Sea anois, tá pláta agaibh is dócha?" arsa mise.'

'Ach mo luig ní raibh aon phláta ag éinne acu ach agam féin. Thug Hugh geábh síos faoin naomhóig agus fuair sé cupán a bhíodh ag taoscadh againn.'

'Nach maith a chuimhnigh an diabhal air,' arsa Dainín.

'Chuimhnigh an bastairt,' arsa an fear eile, 'ach éist liom go fóill mar nach in é deireadh an scéil.'

'D'ith Carty as tóin an sciléid. Nuair a bhí deireadh ite againn chuimil Hugh a bholg.

"An blúire éisc is blasta a d'itheas riamh."

Téann sé le nádúir an éisc é a bheiriú san uisce ina snámhann sé.

"Cogar a Hugh", arsa mise leis, "an b'in é cupán na naomhóige go rabhais-se ag ithe as?"

"Ó is é," arsa an fear eile.

"Agus ar nís é sula gcuiris an t-iasc isteach ann?"

"Níor dheineas. Cad ina thaobh go ndéanfainn san? I ndóthair níor chuaigh faic isteach sa chupán san riamh ach sáile?"

"Bhuel an tseachtain seo bhíos féin agus Jéimsín agus an Sayersach amuigh le traimil. Bhíomair ar a laghad cheithre mhíle chun farraige. Rug greim ar Jéimsín, rud éigin a d'ith sé, is dóigh liom. Chaith sé a bhríste a ligean síos agus is é an cupán a bhuail sé faoi! Deirimse leat ach gur lig sé ualach maith isteach ann!"

'Dhera a Chríost a dhuine, d'iompaigh Hugh liathbhán de gheit agus chuir amach a raibh ite aige.'

Chloisfeá mo mháthair agus m'athair thoir i mBaile Ghainnín ag gáirí.

'Agus,' arsa Dainín, 'ar dhein Jéimsín "gnó an rí" isteach sa chupán?'

'Dhera níor dein ná é,' arsa Grae.

Níl ansin ach sampla amháin des na scéalta a bhíodh ar siúl cois tine na blianta sin. Nuair a bhíodh scéal amháin críochnaithe ag duine amháin bheadh fear eile chugat agus a scéal féin aige. Saol ana-bhocht ab ea é ach ar a shon sin bhí fuílleach tae agus aráin againn, fo-leathcheann muice, fuílleach éisc agus fo-ghalún pórtair ag daoine fásta ar ócáidí áirithe. Ní raibh ganntar le teilifís mar bhíodar in ann a gcuileachta féin a dhéanamh.

24

4

Iascach na mBradán

*I*s istigh i gCam an Lochaigh, in airde ar thaobh an chnoic, a éiríonn an abhainn a ritheann síos bun ár mbailene agus atá mar theorainn idir Charrachán agus Bhaile Ghainnín. Is deacair liom ainm na habhann a thabhairt duit mar is de réir an bhaile a ngabhann sí tríd atá sí ainmnithe. Dá mbeifeá thuas ar an mBaile Breac déarfadh muintir an Bhaile Bhric leat gurb í abhainn an Bhaile Bhric í. Dá mbeifeá i mBaile Ghainnín chuirfí ina luí gaidhte ort gurb í abhainn Bhaile Ghainnín í. Leanaigh ort síos port na habhann trí bhun Bhaile an Mhúraigh go dúthaigh na Feothanaí go dtí go dtéann sí i bhfarraige ag tráigh na Feothanaí. Nó b'fhéidir gur tráigh Bhaile Dháith ba cheart dom a thabhairt uirthi! Is dócha dá raghadh duine lasmuigh des na bailte atá luaite agam gurb í abhainn na Feothanaí an ainm a nglacfaí léi go coitianta nó go hoifigiúil. Tá páirteanna áirithe den abhainn níos doimhne ná a chéile. Aon áit ina bhfuil talamh réidh gan puinn rith uaidh bíonn poll domhain ann de ghnáth. Bhíodh ainm faoi leith ar gach ceann de na poill dhomhaine seo. Mar shampla, an poll a bhí idir thalamh Chill Chuáin agus Bhaile Ghainnín, thugtaí Poll na Leacht air. Poll eile a bhí faoi bhun Bhaile Ghainnín Beag agus Bhaile an Mhúraigh, thugtaí Linn an Chaisleáin air. Bhí a fhios ag gach éinne i bParóiste Múrach cad ina thaobh go dtugtaí an ainm sin air. Toisc caisleán Bhaile an Mhúraigh bheith díreach ar a aghaidh suas. 'Caisleán Bhaile an Mhúraigh, caisleán na gcúig chúinne, an caisleán ba chumtha a bhí in Éirinn,' a deireadh na seandaoine. Leath slí síos i dtreo na Feothanaí bhí poll eile ar a dtugtaí Poll Liam. Ná fiafraigh dhíom conas a fuair an poll seo a ainm!

Is dócha ná raibh mórán aibhinte eile in Éirinn a raibh oiread éisc inti, de réir a méide, agus a bhí san abhainn seo sna caogaidí. Ní nach ionadh agus airgead gann an tráth sin den saol bhíodh cuid den iasc á fhuadach aisti, nó más maith leat, iascach neamhdhleathach ar siúl. Bhíodh píce speisialta déanta ag m'athair don gcúram seo agus nuair a thosnaíodh an biaiste chífeá é ag fáscadh feac an phíce ar eagla go mbéarfadh strus mór air le linn an bhiaiste. Ar nós gach aon cheard eile níor mhór an cheard áirithe seo, is é sin iascach na mbradán, a fhoghlaim go hóg, mar bhí scileanna áirithe ag baint léi. Tóg an gnáthdhuine ag siúl síos port na habhann. D'fhéadfadh iasc a bheith os a chomhair amach agus ní chífeadh sé faic ach uisce ag rith le fánaidh. Ach an duine a raibh an cheard aige bheadh an tsúil is giorra don uisce ag faire go haireach ar leaba na habhann agus isteach i dtreo an phoirt. Is minic a chífeá barr an uisce marbh gan gluaiseacht. Ach b'fhearr dhom gan a thuilleadh a rá faoi na comharthaí nó b'fhéidir go bhfoghlaimeodh an iomad daoine iad. D'úsáidimis líonta leis, san oíche. Sna poill a d'oibríodh na líonta, agus traimil ab fhearr chun an chúraim. Dá raghadh bradán isteach sa phóca laistiar des na mogaill is in achrann a bheadh sé ag dul. Bhí na mogaill ar an dtraimil beag a ndóthain chun breith ar an mbreac geal chomh maith. Ach is leis an bpíce is mó a bhí scil ag baint. Is annamh go deo a gheofá an dara seans leis an bpíce mar dá dteipfeadh ort an breac a shá an chéad uair d'imeodh an breac fiáin tar éis é a phriocadh leis an bpíce.

Bhí daoine áirithe go raibh a n-ainm in airde toisc iad a bheith chomh pras leis an bpíce. Bhí beirt fhear cóngarach go maith do mo bhaile féin agus dá mbeadh a leithéid de ghradam agus an stropa dubh ag gabháil leis an gceird bheadh sé acu siúd go mion minic. Fiú amháin bhí oiread cáile ar dhuine acu gur tharla an oíche a raibh sé faoi chlár gur ghaibh póitseálaí eile thar an gcorp agus go ndúirt sé amach os ard: 'Is é an trua Mhuire an dá shúil sin id cheann a chur sa chré. I ndóthair is é an trua Mhuire aon phioc dhuit a chur sa chré gan a fháil amach ar dtúis conas a múnlaíodh thú.'

Dá mairfeadh an fear sin níorbh fhearr leis aon phaidir eile a déarfaí os a chionn, mar bhíodh sé féin agus an póitseálaí eile dá fhéachaint le chéile i gcónaí.

Aon lá amháin bhíos féin ag gabháil port na habhann aníos ó Bhaile Ghainnín trasna go dtí Droichead an Chláir. Níor ghabhas riamh thar shúil an droichid gan sracfhéachaint a chaitheamh ar an bpoll lastuas de, rud a dheineas an lá áirithe seo. Ar m'anam má fhéachas go bhfeaca an radharc a chur éirí croí orm. Istigh in aice le tor sliotharnaí bhí sé luite agus a eireaball á luascadh aige sall agus anall.

'Ansin atánn tú, a leámharaic, agus ba dhóbair ná chífinn tú,' arsa mise liom féin.

Do ghéaraíos ar mo shiúl Bóthar an Chláir síos i dtreo an tí. Bhí m'athair Dainín díreach ag teacht amach as gort éigin agus asal ar adhastar aige.

'Ceangail an t-asal den bpola go fóill,' arsa mise leis.

'Cad é sa diabhal atá ort?' arsa Dainín.

'Ó...tá bradán luite i bpoll faoi thor laistíos de shúil an droichid.'

Níor ghá dhom a thuilleadh a rá mar leis na focail sin scaoil sé ceann amháin den dtéadán a bhí ar cheanrach an asail agus ghreamaigh go dlúth den bpola é.

'Tá an píce in airde ar na frathacha sa bhothán uachtair – faigh é!'

Níor ghá dó a rá liomsa in aon chor cá raibh an píce mar bhí sé feicthe agam go minic roimhe sin. Fuaireas an píce agus ní fada go rabhamair ar bogshodar an bóthar síos i dtreo an droichid.

'Ná bí ag rith in aon chor,' arsa m'athair, 'nó tógfar ceann duit ó Bhaile Ghainnín agus beidh cabhair againn, rud ná teastaíonn uainn faoi bhráid an chúraim seo.'

Bhaineamar amach an paiste ina bhfeaca an breac, ach má bhaineamair ar m'anam ach go raibh sé bailithe leis!

'Ní fhéadfadh sé bheith rófhada ó bhaile,' arsa m'athair.

Ar fhéachaint dhom tamall síos an abhainn chonaic uaim an breac, timpeall sé troithe ón áit ina bhfeaca ar dtúis é.

'Ná habair faic anois,' arsa mise, 'tá sé díreach ar t'aghaidh amach.'

Phrapáil m'athair é féin chun oibre.

'Chím é.'

Ní túisce a bhí an méid sin ráite aige ná go raibh an píce ropaithe san iasc aige agus é á ardú aníos as an abhainn.

'Fámaire breá,' arsa m'athair.

Ach ní túisce a bhí an méid sin as a bhéal aige ná gur thug an breac cor éigin d'fhonn an píce a chur de. Faoi mar a bheifeá ag dúnadh do shúl do chnag an píce agus do dhein dhá lomleath dhe. Leis an ngeit a baineadh as m'athair thit sé lom díreach isteach sa pholl ar a bhéal agus a fhiacla agus a phíp fós ina dhraid aige. Leis sin bhí an bradán gaise na habhann suas agus an píce agus cuid den bhfeac fós ina dhroim. B'éigean dom féin pléascadh ag gáirí. Ach má dheineas ní fada gur stadas mar bhí mo dhuine san abhainn ag éirí chun feirge. Níor chuala riamh i mo shaol drochfhocal as bhéal m'athar go dtí an lá sin. Bhí sé ansiúd agus a chaipín imithe le sruth agus ní chuirfeadh sé aon rud i gcuimhne dhuit ach francach a bheadh leathbháite. Tháinig slabhra focal amach as a bhéal nár cheapas a bheith in aon chor sa Ghaelainn. Ach maidir leis an iasc, thugamair an tráthnóna ar fad á chuardach ach tásc ná tuairisc ní raibh ar mo bhradán.

'Pén áit a bhfuil sé anois,' arsa Dainín, 'beidh a bholg in airde faoi thráthnóna.'

Bhíomair díreach meáite ar thabhairt suas agus siúl abhaile nuair a chonaic Dainín sruth beag fola ag teacht amach as shlab a bhí le port na habhann. Sháigh sé a láimh síos san abhainn agus ar theacht aníos di do chonac an bradán ba bhreátha dá bhfeaca riamh ag teacht as abhainn na Feothanaí. Ar a shon is go raibh m'athair ina lipín mhaol bháite bhí sonas le tabhairt faoi ndeara ar a aghaidh agus é ag gabháil bóthar an Chláir suas ar a shlí abhaile.

Is mó oíche bhreá shamhraidh a thugas féin agus comharsa liom ag tarraingt líon síos suas tríd an abhainn, ó dhroichead Bhaile Ghainnín síos go dtí Béal na Trá. Ní raibh gleann ná carraig, port ná sreang deilgneach ar aon orlach den mbanc ar dhá thaobh na habhann ná raibh ar eolas againn. Is iad na Gardaí Síochána a bhíodh ag faire na habhann na blianta sin ach is minic a thugadh báille stróinséartha turas chomh maith. Is annamh a thabharfaí líon amach i rith an lae mar bheadh sé ródheacair é a chur i bhfolach dá dtiocfadh an tóir. Fiú amháin nuair a bhímis ag iascach istoíche bhíodh *scout* ar an ndroichead ba chóngaraí dúinn i gcónaí agus dá gcífeadh san aon ghluaisteán a mbeadh amhras aige aisti ligfeadh sé dhá fhead as, rud a thabharfadh seans dhúinn ár líon a tharraingt agus é a chur i bhfolach faoi thor sceach nó a leithéid nó isteach i mbéal gulaite ar phort na habhann agus ansin cur dínn go tiubh de. Thugadh gach éinne a chosán féin abhaile air nuair a bhraithfí an tóir ag teacht. Ní chuirfí aon nath i dtrí nó ceathair de líonta a bheith á dtarraingt tríd an abhainn ag an am céanna faid is go bhfanfaidís tamall maith óna chéile. Dar linne, bhí buannacht na habhann ag gach duine sa pharóiste.

An bhliain áirithe a bhfuilim ag tagairt di bhí bradáin agus breaca geala chomh tiubh san ag gabháil an abhainn aníos nár ghá dhuit ach poll amháin a tharraingt agus bheadh dóthain seachtaine agat. B'fhuirist ceannaitheoirí a fháil dhóibh mar bhíodh cuid mhaith stróinséirí timpeall ar saoire. Thabharfadh cuid acu a lámh go dtína n-uillinn ar iasc úr agus nuair is bradán a bhí i gceist b'fhearr ná san é. Mura ndíolfaí leis na cuairteoirí iad thugtaí turas ar na tithe ósta sa Daingean. Gan dabht bhíodh a fhios ag lucht na dtithe ósta nach le modh dleathach a bheirtí ar na bradáin agus cheannaídís saor iad. Bhí bradáin chomh flúirseach i 1956 gur cuimhin liom bradán breá cheithre puint déag meáchana á dhíol ar dhá scilling déag. Ach nár chuma, bhíodh airgead póca againn.

5

Fiacha na dToitíní

Is dócha go rabhas dosaen bliain nuair a thástálas mo chéad toitín. Is minic a bhíos i mo sheasamh thiar ag bun an phoirt ar an bhFeothanaigh mar is ansiúd a bhailíodh idir óg agus aosta gach tráthnóna an tráth úd. Aon duine go raibh an sé bliana déag glan aige bheadh buit toitín idir a dhá liopa aige. Bheadh sé críonna a dhóthain ansin chun toitín a chaitheamh go poiblí. Bhínnse i mo sheasamh ansiúd le hais le duine éigin go mbíodh *Woodbine* ina bhéal aige. D'fhanainn ar thaobh na gaoithe dhe d'fhonn is ná beadh deatach an toitín ag gabháil thar mo chaincín. Ó a dhuine, ba bhreá an boladh a bhíodh as an ndeatach san! Anois agus arís gheobhaimis gal ó dhuine des na fir fásta ach b'annamh é mar ní bhíodh fiacha na dtoitíní ag cuid acu. Nuair a bheadh smut den dtoitín caite acu bhaintí an barr dearg de chun é a spáráil agus bhuailtí ar ais sa phóca é. Ansin dhéargaítí an dara smut den dtoitín tar éis tamaill. Bheifí ag faire éinne go mbeadh bosca toitíní aige. Ach ní toitíní slána a bheifí ag lorg air in aon chor ach buit. Ní bheadh duine ina fhear dar linn go mbeadh *feaig* sáite amach as a phus aige agus é ag scaoileadh fo-ghal anuas trína shrón. Bhí saghas éigin laochais ag baint leo an uair sin, dar linn. Bhí buachaill amháin ó Bhaile an Mhúraigh gurbh ainm dó Eddie Hutch agus ní thagadh sé ar scoil aon lá gan buit de thoitín a bheith ina phóca aige. Cheistíos lá amháin é mar gheall ar seo.

'Tugann m'uncail Maidhc a lán toitíní dom,' a dúirt sé.

Ní fada go rabhas-sa ag tabhairt fo-gheábh ar Uncail Maidhc chun aithne níos fearr a chur air!

Fonn tobac a bhí ormsa agus é siúd fial flaithiúil lena chuid. Satharn breá i ndeireadh an tsamhraidh thugas cuairt air sall go Baile an Mhúraigh. Chuas isteach go tig mhuintir Hutch agus bhí Maidhc suite sa chúinne ar chathaoir shúgáin agus Eddie suite ar stól beag ina aice agus bús deataigh ag teacht ón mbeirt.

29

'Suigh síos, a gharsúin,' arsa an t-uncail liomsa agus é ag pointeáil a chána i dtreo stóilín beag a bhí istigh faoin mbord. Ní rabhas i bhfad i mo shuí nuair a tharraing Maidhc amach bosca toitíní. D'ardaigh mo chroí.

'An bhfuil an drochbhéas fós agat?' arsa é siúd.

'Tá,' arsa Eddie agus thóg toitín as an mbosca sula bhféadas féin aon fhreagra a thabhairt. Sháigh sé an toitín isteach i mo bhéal agus rug ar shmearóid amach as an dtine leis an dtlú agus dheargaigh an toitín. Is gearr, a gharsúin, go raibh scamaill deataigh á n-ardú agam chomh maith leis an mbeirt eile. Bhí an chuid eile den líon tí imithe dhon Daingean agus saoirse an tí ag an dtriúr againn.

'Scaoil siar an gal,' arsa Eddie, 'nó ní bhfaighir aon tsásamh ann.'

Dheineas amhlaidh agus cheapas go rabhas chomh maith le fear agus an toitín ansiúd agam idir mo dhá mhéir. Nuair a bhí leath den dtoitín caite chaitheas an barr dearg de isteach sa tine chomh pointeálta le haon fhear fásta. Bhíos mar sin gur bhraitheas mo cheann ag éirí éadrom agus mo scamhóga ag casadh ar a chéile, mar a cheapas.

'Caithfead dul abhaile agus an mhóin a thabhairt isteach i gcomhair na maidine,' arsa mise agus ghlanas liom an doras amach agus smúit á bhaint as an dtalamh agam. Thugas mo chosa liom soir chomh fada le bóithrín beag ná raibh in úsáid le fada agus sceacha ag fás go rábach air. Bóithrín an Bhy a thugaimis air. Fuaireas paiste ansiúd ná féadfadh éinne mé a fheiscint agus chuireas amach a raibh istigh i mo bholg. D'fhanas luite ansiúd ar feadh uair an chloig féachaint an dtiocfainn chugam féin ón mbréoiteacht a bhí orm. Cheapas féin go rabhas sna croití deireanacha. Faoi cheann tamaill mhaith thosnaíos ag teacht chugam féin agus thugas bonn don mbóthar abhaile.

Ba dhóigh leat go dtabharfadh an méid sin meabhair dhom ach deirtear ná tagann ciall roimh aois agus mar sin a bhí agamsa leis. Mar leanas orm le fo-thoitín anseo agus ansiúd agus ní fada nó go dtáinig dúil agam iontu. Is annamh a bhíodh fiacha na dtoitíní agam mar dá dtuillfinn aon chúpla pingin ag obair le feirmeoir éigin b'éigean dom an t-airgead a thabhairt do mo mháthair. Bhí an saol cruaidh an uair sin agus na pinginí gann sa bhaile. Ar maidin Dé Luain thugainn féin agus Eddie turas siar chomh fada le Halla an Pharóiste. Bhíodh bosca beag stáin an duine againn mar bhíodh mórán buiteanna fágtha lasmuigh de dhoras tar éis rince na hoíche roimhe sin. Bhainimis na páipéir des na buiteanna agus chuirimis an tobac isteach sa bhosca stáin. Ansin chuirtí an bosca i bhfolach i bpoll sa chlaí in aice leis an gCaol Dubh agus má bhíodh gal uainn i rith na seachtaine ní bhíodh le déanamh againn ach blúire den *Kerryman* a bheith inár bpócaí agus ladhar lasán dearg.

30

Deich bpingine agus leathphingin a bhí ar bhosca *Woodbines* agus trí leathphinginí ar bhosca lasán. Deirimse leat gur mheasa teacht ar an scilling chéanna ná teacht ar bhille chúig punt inniu. Nuair ná bíodh na toitíní againn do dheinimis dá gceal. Is mó san seift a bhí againn chun fiacha na dtoitíní a fháil. Is minic a thugadh cúpla duine againn cuairt ar stáblaí capall istoíche agus bhearraimis an ruaimneach d'eireaball na gcapall, agus an mhuing uaireanta chomh maith. Dheintí é sin go mór mhór dá mbraithimis treabh tincéirí timpeall mar thugaidís siúd scilling an punt ar an ruaimnigh. Gan dabht is ar na tincéirí a chuirtí an chúis nuair a chítí eireaball an chapaill bearrtha go dtí an stumpa! Ach bhíodh daoine ag bearradh eireaball na gcapall i bhfad sula raibh sé mar cheard againne. Mar is maith is cuimhin liom Dainín ag insint dúinn mar gheall ar an oíche fadó nuair a gearradh eireaball le miúil a bhí ag John Horgan. Is é an ghuí a chuir a bhean aisti lá arna mháireach nuair a chonaic sí eireaball na miúlach agus an íde a bhí uirthi ná 'pén duine a bhearr eireaball na miúlach nár mhaire sé le é a fheiscint fásta.' Níor mhaith a bheith ag plé léi siúd mar mhnaoi!

Seift eile a bhí chun airgead na dtoitíní a bhailiú ná ruathar a thabhairt faois na bothán cearc. Cúpla ubh anseo agus cúpla ubh ansiúd agus ní fada go mbeadh dosaen agat. Bhí scilling agus naoi bpingine ar dhosaen ubh. Ní thabharfadh duine a chosa leis in aon chor i gCarrachán mar bhíodh bothán na gcearc buailte suas leis na tithe. Bhí seanduine ina chónaí i gCarrachán agus bhíodh sé i gcónaí timpeall an tí. B'fhusa briseadh isteach go Fort Knox ná dul isteach ina chlós cearc siúd. 'Meex' an leasainm a bhí air agus ní fheadar de thalamh an domhain cá bhfuair sé an leasainm chéanna. Is cuimhin liom maidin fhada a chaitheamh ag scrúdú an chlóis ón dtaobh thíos den gclaí. Ba é féin a thugadh an bia dos na cearca nuair a scaoileadh sé amach ar maidin iad. Is trí pholl beag i mbun an dorais a thagaidís amach. Ní raibh ach slí ann d'aon chearc amháin sa turas chun teacht amach as. Bhíodh sé ag fanacht leis na cearca de réir mar a bhídís ag teacht amach. Rugadh sé ina gceann agus ina gceann orthu faoi mar a thagaidís amach agus ropadh ceann dá mhéireanta suas faoi eireaball na circe agus isteach go háras an uibh. Aon chearc go mbraithfeadh sé ubh aici tar éis í a fhéachaint chuireadh sé ar thaobh eile den gclós í áit a raibh neadacha réitithe aige ina gcomhair. An mhéir a chuireadh Meex go háras an uibh bhí cor éigin mírialta inti i dtreo is ba dhóigh le duine gur déanta speisialta don gcúram a bhí sí. Nár dheacair do dhuine fiacha an bhosca toitíní a dhéanamh ansin, a déarfá leat féin!

Deirimse leat gur chuir uibhe cearc i dtranglam mise uair agus ní in aon chlós cearc a fuaireas iad. Bhíos lá ag siúl thíos i mbun ár ngoirt féin agus ráinig liom dul in airde ar bharr an chlaí. Bhí tor aitinn in airde ar an gclaí in aice liom agus pén torann a dheineas b'iúd cearc amach as, cearc linn féin, is déarfá leis an ngleo a bhí aici go raibh duine agus fiche sa tóir uirthi. Scrúdaíos an tor agus má dheineas thána ar nead agus ar a laghad dosaen ubh inti. Stadas tamall ag féachaint ar na huibhe. Bhí an chearc tamall ón neid agus í ag glágarnaigh ar dalladh. Chomhairíos na huibhe, trí cinn déag a bhí ann. Is é a bhí ag dul trí mo cheann ná an gal breá a bheadh amáireach agam dá mbarr. Conas é siúd a ghlanadh mo mháthair na huibhe? Ó sea, leis an *soda* a bhíodh aici le cur san arán chun é a ardú. Ghabhas an gort suas i dtreo an tí agus mé ag feadaíl go breá dhom féin chun ná tógfadh éinne aon cheann den bhfuadar a bhí fúm. Ní raibh éinne sa tig nuair a chuas isteach agus d'ardaíos liom cuid den *soda* a bhí sa phróca ina gcoimeádadh mo mháthair é. Fuaireas mála na dteachtaireachtaí a bhíodh ag mo mháthair agus chuireas cúpla leathanach de shean-*Kerryman* isteach ann. Nuair a bhí an méid sin déanta chuas i dtreo na n-ubh arís agus nuair a thánas chomh fada leis an nead bhí an seanadhiabhal de chirc istigh inti. Shás mo láimh isteach chun na huibhe a ghlanadh liom ach má dheineas rug an chearc greim orm lena gob agus bhain piocadh maith asam.

'Léan ort, a bhitch,' arsa mise ag breith ar eireaball uirthi agus á rúideadh uaim leath slí suas an gort! Ansin chuireas na huibhe go haireach isteach sa mhála agus thugas síos ar phort na habhann iad. Chuimilíos cuid den *soda* des gach ceann acu agus níos san uisce iad. Chasas smut den bpáipéar timpeall ar gach ubh agus chuireas go gasta isteach sa mhála arís iad. Thugas m'aghaidh ar an uachtarlann áit a mbíodh na huibhe á gceannach, ach ní hé an bóthar siar a ghabhas ach an cóngar trís na goirt mar bhí a fhios agam go raibh m'athair imithe ag triall ar phota móna agus níor theastaigh uaim bualadh leis siúd! Thugas na huibhe do bhainisteoir na huachtarlainne agus thug sé siúd an t-airgead dom go prás. Sea, a bhíos ag smaoineamh liom féin, beidh tobac seachtaine agam ach go háirithe.

Cúpla tráthnóna ina dhiaidh sin bhíos suite istigh cois na tine agus mo mháthair ag cur na n-áraistí ar an mbord i gcomhair an tsuipéir.

'N'fheadar,' ar sí, agus í ag cur an aráin ar an mbord, 'cad chuige go bhfuil bainisteoir na huachtarlainne ag tabhairt cuairt orainn tráthnóna.'

Léim mo chroí go dtí mo bhéal agus léimeas féin chomh maith. Chaitheas súil ar m'athair a bhí sa chúinne agus bús deataigh ag teacht as a phíp. Chaitheas súil eile ar an ndoras. Ní fada gur oscail sé agus gur tháinig an bainisteoir isteach. Bhí mála ina láimh aige agus chuir sé uaidh go haireach ar an mbord é. Rugas-sa ar an bpaca folamh móna a bhí i mbun an tí.

'Caithfead paca móna a thabhairt isteach.'

'Fan go fóill,' arsa an bainisteoir. 'Na huibhe seo a <u>chuiris</u> siar
chugam cúpla lá ó shin...'

chuir tú

'Cén uibhe?' arsa mo mháthair, ag féachaint air le hiontas. 'Níor
chuireas aon uibhe chugat le trí seachtaine.'

Bhíos ansiúd agus péirse den gcistin idir mé féin agus an doras.

'Geobhad mo <u>chrústáil go dóite</u>,' arsa mise liom féin. *go dona*

'Sé Micheál a thug chugam iad maidin inné, chuireas isteach go dtí
an uachtarlann sa Daingean iad agus nuair a cuireadh faoin solas na
huibhe bhí sicíní i hocht gcinn acu agus bhí cheithre cinn de ghlugars
orthu chomh maith. Bhí na sicíní ar fad caillte sna huibhe.'

Thug m'athair léim amháin as an gcathaoir ina raibh sé suite thall sa
chúinne agus thóg sé liom le crústa isteach i log na cluaise.

'Cá bhfuairis na huibhe?' ar seisean.

'Sa...sa...sa... nead i mbun an ghoirt.'

D'éiríos, ach níor thúisce mé ar mo chosa gur thóg sé liom arís. Bhí
gach aon bhuille a fuaireas ar nós buille a bhuailfeadh ord.

'Cad a dheinis leis an airgead?'

'Cheannaíos *chocolates* agus *sweets*.'

'Agus ar chuireadar an sconna buí ort?' ag breith ar chúl mo chasóige.

Bhíos cóngarach don ndoras faoin dtráth seo agus mo chasóg
beagán rómhór dom. Níor dheineas faic ach sleamhnú amach as an
gcasóig agus d'fhágas Dainín ansiúd laistigh den ndoras agus an chasóig
ina dhá láimh aige. Ghreadas liom an gort síos i dtreo na habhann an
fhaid a bhí i mo chroí agus chuas i bhfolach thuas in Inse Bhaile
Ghainnín ag súil go gciúnódh an stoirm. Bhí an oíche ag titim ach bhí
eagla fós orm m'aghaidh a thabhairt ar an dtig. Faoi cheann tamaill
bhraitheas duine éigin ag gabháil an Inse aníos.

'An bhfuilir ansin, a Mhaidhc?'

Ba é mo dhearthair Páidí a bhí ann.

'Táim anseo cois claí. Cá bhfuil Daid?'

'Tá sé imithe ag iascach,' arsa an fear eile.

'Ó céad buíochas le Dia! An bhfuil Mam ar buile fós?'

'Dúirt sí nach baol duit má thagann tú abhaile.'

Fuaireas tae agus arán ar fhilleadh abhaile dhom.

'Sea anois,' arsa mo mháthair liom, 'tá súil agam gur fhoghlaimís
ceacht inniu. Nuair a thiocfair abhaile ó scoil tráthnóna amáireach mar
chúiteamh ar fhiacha na n-ubh caithfir paca sciolltán a scoltadh.'

Níor chuaigh seo síos rómhaith liom mar ná raibh aon namhaid
agam ach a bheith ag scoltadh sciolltán, mar ná féadfadh Dia ná duine
iad a scoltadh i gceart do Dainín.

6

Draíocht an Cheoil

Bhí dúil níos mó agam sa bhosca ceoil ná mar a bhí in aon uirlis cheoil eile. Bhuel thaitin gach uirlis liom ach bhí mo chroí istigh sa mhileoidean. An fhaid atáim ag tagairt do cheol tá sé chomh maith agam an scéal a insint duit ar conas a tháinig an chéad bhosca ceoil sa tig seo againne.

Bhíodh an clár seo ar an raidió uair amháin sa tseachtain, bailéidí agus ceol traidisiúnta a bhíodh air. Is ag comhlacht thuas i gCill Dara a bhíodh ag díol uirlisí ceoil a bhíodh an urraíocht air. Más buan mo chuimhne is 'Cox of Kilcock' a thugaidís orthu féin. Dhíolaidís gléasanna de dhéantús *Hohner*. Ní mór an seans dáiríre a bhí agam an oiread agus ba mhaith liom den gceol a chloisint. Ní raibh trácht ar *tape recorders* in aon tig. Bhí fo-thig ina raibh gramafón iontu ach bhíodar san fuar fánach. An t-aon tseans eile a bhí agam éisteacht leis an gceol traidisiúnta ná aon uair a bheinn ag bóithreoireacht timpeall na Feothanaí tar éis Aifrinn. Bhí ana-cheoltóir darbh ainm Seán Ó Domhnaill ina chónaí laistíos den uachtarlann ar an bhFeothanaigh. Is minic a bhíodh scata de na buachaillí i bhfochair a chéile lasmuigh de thig Sheáin agus mé féin ina measc. Bhíodh cuid des na buachaillí ag caitheamh pinginí ar an mbóthar, cuid eile ag caint, ach bhínnse i gcónaí agus mo chluais in airde agam ag éisteacht le Seán dá ráineodh leis a bheith ag seinm. Bhí draíocht éigin ag baint leis an stíl cheoil a bhí aige agus bailiúchán mór port aige gur dhóigh leat ná beadh ar chumas aon duine iad a choimeád ina cheann. Bhíodh Seán ag seinm in Áras Bhréanainn an uair sin, é féin agus Muiris Ó Cuinn ó Chorra Ghráig. Ceoltóir cumasach eile ab ea Muiris agus fear go raibh ceol ina chosa chomh maith gan bacúint le guth breá binn. Dá ngabhfá chuige inniu tá sé chomh ceolmhar agus a bhí sé riamh, bail ó Dhia air.

Bhí mo dheartháir Páidí ag obair don gcomhairle chontae i gcairéal Cheann Trá timpeall an ama chéanna agus bhí an dúil chéanna sa cheol aige agus a bhí agam féin. Bhí deis níos fearr aige siúd éisteacht le ceoltóirí éagsúla mar bhíodh sé ag dul go dtí na rincí. Timpeall an ama chéanna d'oscail Halla na Muirí agus thagadh bannaí ceoil ós gach aird chun seinm ann. Tráthnóna breá samhraidh bhíos féin agus Páidí suite ar an gclaí os comhair an tí ag cur síos ar cheoltóir a bhí tagaithe abhaile ó Shasana.

'A, a Mhichíl, dá gcloisfeá na poirt atá aige siúd agus an tslí a sheineann sé an dá *row* le chéile.'

Bhíos ag éisteacht leis. 'Cogar a Pháid, cad é an déantús de bhosca ceoil atá aige?'

'Fan bog anois go smaoineod. Ó sea, Paoli Scragani...Ní hea ach Paoli Soprani...nó ainm éigin den sórt san.'

'Ó 'Mhuire,' arsa mise tar éis tamaill, 'nár dheas é dá mbeadh mileoidean againn.'

'Dhera cá bhfaighimis airgead chun a leithéid sin a cheannach?'

'Bhíos ag éisteacht leis an raidió cúpla lá ó shin agus bhí clár ag "Cox of Kilcock" air – comhlacht thuas i gCill Dara iad a dhíolann uirlisí ceoil. Boscaí de dhéantús *Hohner* a dhíolann siad. Ní fheadar an bhfuil aon mhaith sa déantús seo? Bhí an fear seo ag caint ar *Hohner double row*. Dhá phunt déag...deich agus réal an costas iomlán. Ach dá mbeadh dhá phunt ag duine le cur síos air ní bheadh ach dó dhéag agus réal sa mhí le díol aige nó go mbeadh na fiacha glanta.'

'Agus conas a bheidh a fhios againn cad é an crot atá ar an mbosca gan é d'fheiscint?'

'Ó is féidir fios a chur ar leabhar go mbíonn pictiúirí na mboscaí ann agus an praghas atá ar gach ceann acu.'

Bhí Páid ag smaoineamh ar feadh tamaill. 'Cogar, tabharfadsa fiacha an stampa duit má chuireann tú fios ar an leabhar.'

Ní raibh uaim ach gaoth an fhocail. Lá arna mháireach scaoileas chun siúil an litir.

Tar éis tamall de laethanta tháinig freagra chugainn. D'fhanas go raibh Páidí tagaithe abhaile sular osclaíos an litir.

Dheineamair mionscrúdú ar an leabhar ar fad.

'Nach é sin an bosca go rabhais-se ag tagairt dó,' arsa Páidí ar deireadh thiar thall. 'Ar m'anam ach gur bosca le dealramh é sin. Marcáil é.'

Déanach an tráthnóna céanna bhailigh m'athair leis siar go tig Jer Fada ag bothántaíocht. Bhíomair ar fad bailithe timpeall na tine agus bhí mo mháthair in ana-ghiúmar.

Labhair Páidí. 'Deinimse féin amach dá mbeadh mileoidean sa tig seo gur ghairid an mhoill ormsa nó ar Mhicheál ceol a bhaint as.'

'An uair gur caint ar bhoscaí ceoil é,' arsa mise, 'bíonn siad á dhíol ar an raidió ansin gach seachtain, agus tá siad geall leis gan faic.'

D'éirigh mo mháthair as an gcathaoir.

'Ní mhór dóibh bheith gan faic d'fhonn is go bhféadfása ceann acu a fháil.'

Léim Páidí isteach sa chomhrá ansin.

'I ndóthair níl ach dhá phunt le cur síos air agus dó dhéag agus réal sa mhí as san amach nó go mbeadh sé glanta. Cogar a Mham, táimse ag obair agus bheadh an dó dhéag agus réal sa mhí agamsa.'

'Ní mise a chuirfidh bac libh, ach go sábhála Dia sinn, nuair a chloisfidh Dainín é déanfaidh sé raic,' arsa mo mháthair.

'Ach a Mham,' arsa mise, 'cá bhfaigheam an dá phunt le cur síos.'

'Tabharfadsa daoibh é.'

Ligeas liú amháin agus léimeas den gcathaoir agus chuireas mo dhá láimh timpeall uirthi.

'Era a Mham, ní bheidh aon dua agatsa teacht timpeall ar Dhaid.'

Sea, do cuireadh fios ar an mbosca ceoil agus tar éis bheith ag feitheamh go foighneach léi tháinig litir chugainn go mbeadh an mileoidean dá seoladh go Post-Oifig Bhaile na nGall. Mé féin a bheir liom abhaile í. Ar shroisint an tí dom bhí an chuid eile den gclann ag feitheamh chun go bhfaighidís lán a súl den meaisín aisteach seo. Bhuaileas in airde ar an mbord an beartán ina raibh an mileoidean. Ní túisce ar an mbord an beartán ná gur síneadh scian fhaobhair chugam chun cúraimí a bhrostú. Ní rabhas i bhfad ag baint na gcordaí agus an pháipéir de. Á a bhuachaill, é sínte ansiúd sa bhosca! An gléas go gcuireann an ceol a thagann as gliondar ar mo chroí. Thógas amach as an mbosca é agus bhuaileas uaim ar an mbord é. Bhuaileas na stropaí trasna ar mo ghualainn tar éis don mbosca a bheith scrúdaithe ag gach éinne. Siúd liom ag sá agus ag tarrac agus ag brú chnaipí an cheoil. Mo chreach is mo chás b'fhada ó cheol an glór a bhíos-sa ag baint as.

'Sín chugam é sin nóimint.' Is é m'athair a labhair agus é díreach tagaithe isteach ón bportach.

'Cad é, is fearr a cheapfása fód móna ná mar a bhainfeása port as an ngléas sin,' arsa mise leis.

Thóg sé an bosca uaim. Bhí dhá chrúca láimhe ar m'athair a bhí chomh leathan le tóin sluaiste agus méireanta gearra ramhra. Bhí sé ráite riamh gurbh iad na méireanta fada caola an chéad chomhartha ar cheoltóir cumasach. Thosnaigh sé ag cuardach síos agus suas trís na cnaipí. Ar m'anam tar éis tamaill thosnaigh sé ag cur cúpla nóta le chéile agus cheapas go dtí san ná raibh nóta ina cheann.

'Cén port é sin a Dhaid?'

D'fhéach sé orm agus smuta gáire ar a aghaidh. 'Sin é "An Bóthar ó thuaidh chun Trá Lí".'

Ní raibh sé i dtaobh le port amháin ach oiread. Bhuel ní fheaca a leithéid riamh – m'athair agus é ábalta ar cheol a bhaint as mhileoidean.

'Táim pósta leis an bhfear san le breis agus fiche bliain,' arsa mo mháthair, 'agus ní raibh a fhios agam go raibh port ina chorp.'

Chaith sé an cúpla port a bhí aige a sheinm a cúig nó a sé de bhabhtaí.

'Cén áit a fhoghlaimís do chuid ceoil?' arsa mise leis tar éis tamaill. Ba dhóigh leat gurb é Jimmy Shand a bhí mar athair agam.

'Dhera mhuise, bhí Seán Coughlan ag bordáil sa tig céanna liom i Chicago nuair a bhíos ann agus bhaininn fo-bhabhta as a mhileoidean siúd.'

Tar éis tae thugas m'aghaidh ar an seomra agus seo liom ag plé leis an ngléas arís féachaint an bhféadfainn aon mheabhair a bhaint de. Go sábhála Dia sinn, bhí gleo sa tseomra san. Tar éis tamaill fuaireas an chéad dá nóta de 'Ar maidin moch' ach faoin dtráth seo bhí súp allais orm ó bheith ag sá agus ag tarrac.

Isteach san oíche síneadh an bosca go dtí m'athair arís agus ba é Páidí an turas seo a bhí ag baint iontais as an gceol breá a cheapamair a bhí sé ag seinm. Ba é m'athair laoch na hoíche úd ach go háirithe.

Gach oíche tar éis sracfhéachaint a bheith tugtha ar na ceachtanna scoile thugadh beirt againn – mé féin agus Páidí – faoin seomra síos. Faoi cheann coicíse bhí cúpla port éigin foghlamtha againn, nó tuigeadh dúinn go raibh. Aoine amháin bhí mo mháthair sa Daingean agus cé bheadh ar an mbus ag teacht abhaile ina teannta ach Seán Coughlan ó Arda Mór. Ceoltóir cumasach a sheinn ar feadh na mblianta i hallaí móra rince i Chicago is ea Seán. Bhí sí ag insint dó go raibh bosca ceoil nua sa tig againn. Ní raibh sé ródheacair é a mhealladh den mbus i mbarr Bhóthar an Bhuitsir mar ba bhreá lena chroí gléasanna ceoil nua a thriail i gcónaí. Ní raibh sé sa tig i bhfad in aon chor nuair a dúradh liom an gléas a thabhairt aníos as an seomra agus ligean do cheoltóir le dealramh triail a bhaint as. Rug Seán ar an mbosca go seiftiúil agus b'fhuirist a aithint go raibh taithí aige ar an gcúram. Ó ba bhreá síodúil a bhí sé ag seinm. Ríl chruaidh chasta a sheinn sé, ríl nár chuala riamh roimhe sin. Is dócha, a dúrt liom féin, ná feicfead an lá go deo go mbeidh mé ábalta ar sheinm chomh pras le Seán. Bhí mo cheann ag éadromú le gach port a bhí sé ag baint as an mbosca agus mo chos ag bualadh an cheoil ar an urlár. Stad sé faoi cheann tamaill.

'Cad is ainm den bport deireanach a sheinnis?' arsa mise tar éis tamaill.

'Is é an ainm a tugtar ar an bport sin, a bhuachaill óig, ná "Stocaí Breaca John Mhicil".'

'Cheapas go raibh dhá phort as a chéile ansiúd.'

Dhein sé smuta gáire. '*Ó, a thig ná tit orm,*' arsa Seán, 'tá cluas mhaith ceoil ort. "Cnagarnach na Cairte ar an mBóthar" ab ea an port eile.'

Thug mo mháthair muga breá tae dó agus pláta feola. An fhaid a bhí sé ag ithe thógas féin an bosca agus sheinneas cúpla port. Nuair a bhí tamall seinnte agam labhair Seán liom.

'Tánn tú ag foghlaim ar an *bpress* in ionad an *draw* agus tá modh níos fearr ná san ann chun í a sheinm. Beidh ort an dá *row* a sheinm in éineacht agus ní bheidh an stracadh céanna ar na boilg.'

Thug sé uair an chloig ag tabhairt nodanna ana-thábhachtach dom agus is féidir liom a rá gan aon áiféis gurb é Seán a chuir ar bhóthar an cheoil i gceart mé. Bhíos ag cuimhneamh ná beadh an cheard seo chomh saoráideach le foghlaim agus a cheapas ar dtúis. Sheinn sé port a bhí ar eolas agam féin ar an modh nua seo a bhí sé ag múineadh dhom agus ón dtráthnóna san amach níor fhéachas siar, ó thaobh seinm an mhileoidin de.

7

Bóthar Mo Leasa

An dá bhliain dheireanacha a thugas ar scoil Bhaile an Mhúraigh do bhí gach seift á n-úsáid ag m'athair agus mo mháthair chun go luífinn leis na leabhra. Is é an scrúdú a thabharfadh isteach go dtí an gColáiste Ullmhúcháin mé a bhí sa cheann acu dom. Theastaigh ó gach tuismitheoir an uair sin múinteoirí a dhéanamh dá gclann.

'Féach an saol a bheadh agat dá mbeifeá i do mhúinteoir,' a deireadh mo mháthair liom. 'Bheifeá críochnaithe le do chuid oibre ag a trí a chlog gach lá. Bheadh léine bhán agus *tie* fút. Ná feiceann tú an blás feola atá orthu ar fad.'

Bhíodh an chaint sin le cloisint agam gach tráthnóna tar éis scoile.

'Téir síos sa tseomra agus dein do cheachtanna' a deirtí liom. B'fhéidir go dtéinn síos sa tseomra ach má théinn ní hiad na ceachtanna a bhí ag déanamh aon tinnis dom, ach poirt a chur ar an mileoidean.

'Cuimhnigh air,' a deirinn liom féin, 'sé bliana a thabhairt istigh i gcoláiste agus mo cheann sáite i leabhar éigin i gcónaí. Á a Mhuire, bhrisfeadh sé mo chroí agus mo shláinte.'

Rithfeadh codladh grífín síos cnámha mo dhroma aon uair a smaoinínn air. Ligeas orm sa bhaile gan dabht go rabhas ag déanamh mo mhíle dícheall. Ba shásta a bheinn féin thíos i dtrinse sé troithe ag baint le piocóid.

Do chuas faoi scrúdú ach go háirithe, mé féin agus cuid mhaith eile ón rang. Níor ghá dhom feitheamh le toradh an scrúdaithe mar bhí a fhios agam i mo chroí istigh cén toradh a bheadh air.

'An raibh páipéar an scrúdaithe deacair?' arsa mo mháthair tráthnóna tar éis dom teacht abhaile. D'fhonn is ná beadh súil le toradh fónta dúrt le mo mháthair gurb í an bhliain is deacra a bhí an scrúdú riamh é.

'Dhera,' ar sí, 'ní theastaíonn uathu ach go n-éireodh le fíorbheagán, clann na múinteoirí féin agus mar sin go bhfuil breis speilpe orthu.'

Bhíos sásta go maith leis sin mar fhreagra.

'Bí ag prapáil mar sin chun dul go dtí Ceardscoil an Daingin tar éis an tsamhraidh. Ní beag dom d'athair bheith ag dul faoim chosa gan tusa bheith timpeall an tí chomh maith,' arsa mo mháthair.

Á a dhuine, ní mór ná gur stop mo chroí.

'Tá á fhios ag Dia ná fuilimse meáite ar dhul go dtí Ceardscoil an Daingin ná aon scoil eile, mar táim chun dul ag obair d'fheirmeoir éigin. Tá mo chroí briste riamh ag leabhra agus nár mhaí Dia ar an bhfear a chuimhnigh ar scoil an chéad lá riamh,' arsa mise.

D'éirigh uirthi ar fad ansin. 'Sea, mar sin, téir ag obair d'fheirmeoir agus bí i do sclábhaí sluaiste an chuid eile de do shaol ag obair ar a deich fichead sa tseachtain agus gan an greim bídh féin á fháil agat uathu, ag imeacht i do spailpín fánach ar fuaid na dúthaí.'

Nuair a théadh rud éigin isteach i gceann mo mháthar ní chuireadh Dia ná Muire Mháthair amach as é.

'Má theastaíonn uait fanacht faoi dhíon an tí seo b'fhearr duit d'aigne a dhéanamh suas rud a dhéanamh ormsa.'

Chaitheas féin rud éigin a rá. 'Ó go sábhála Dia sinn, nuair a cheapas go rabhas réidh le leabhra! Féach cad tánn tú ag déanamh liom. Ní bhfearr dhom rud a dhéanfainn ná mé féin a chaitheamh le haill. Ní bheidh istigh i mo cheann ach ráiméis gan dealramh. Ná tuillfinn punt in aon áit le sluasaid?'

Ghabhas amach an doras agus mé ag beiriú le drochmhianach. Tamall ina dhiaidh sin cheistíos buachaill eile a bhí ag dul go dtí an gceardscoil féachaint cén saghas áite í. Bhí áthas orm a fháil amach ná raibh aon chomparáid idir í agus an bhunscoil. Dúradh liom go raibh siúinéireacht agus a leithéid á mhúineadh inti agus ná raibh an bhéim sin ar fad ar na leabhra. Ba é toradh a bhí ar an méid sin nár gur ghéilleas do chaint mo mháthar agus gur bheartaíos an cheardscoil a thriail ar feadh bliana.

Bhíos cheithre bliana déag faoin dtráth seo. Lá breá tar éis an tsamhraidh shiúlaíos suas go barr Bhóithrín an Bhuitsir áit a mbeadh cóir taistil le fáil agam a thabharfadh go dtí an nDaingean mé.

Ní fada in aon chor a bhíos ag feitheamh nuair a chonac chugam an sean-*bhanger* de ghluaisteán agus deatach siar aisti agus gleo uafásach á dhéanamh aici. Stop sí i m'aice. Balcaire d'fhear meánaosta a bhí laistiar den roth agus aghaidh chneasta air. Béarla a labhair sé liom.

'*Are you going to the Tech?*' ar sé.

Léimeas isteach sa tseanghluaisteán. Más buan mo chuimhne déanamh éigin Meiriceánach a bhí ar an ngluaisteán, *Buick* is dóigh liom. Bhí trí líne suíochán istigh inti. Ní raibh ar dtúis inti ach dhá líne suíochán mar a bhíonn in aon ghluaisteán, ach cuireadh suíochán breise isteach inti, suíochán adhmaid faoi bhráid an chúraim seo. Siar i dtreo Bhaile an Fheirtéaraigh a thug sé a aghaidh leis an ngluaisteán. Ghaibh sé suas an Seanachnoc, ó dheas trí Cheann Trá agus isteach sa Daingean. Faoin am gur bhaineamair Ceann Trá amach bhí aon dhuine dhéag istigh inti. Ní raibh aon oidhre orainn ach scata cearc istigh i mbosca. Ach níor chuir seo isteach ná amach orainn mar bhí cuileachta mhaith againn agus síob timpeall na dúthaí.

Ba é an chéad rud a thugas faoi ndeara mar gheall ar an gceardscoil ná raibh aon dealramh ag an seomra ranga inti leis an seomra ranga ar an mbunscoil. Bhí binsí breátha adhmaid istigh inti agus bosca ceangailte le gach binse agus á lán d'uirlisí siúinéara ar nós sábh, casúr, máiléad agus a leithéid. Chuaigh na cailíní isteach i seomra leo féin. Nuair a bhí gach duine againn suite ag binse tháinig beirt fhear isteach go dtí an seomra ranga.

'Is mise Tomás Ó Cofaigh, Príomhoide na Scoile seo, agus is iad na hábhair a bheadsa ag múineadh ná Gaelainn, Béarla agus Matamaitic. Is é Micheál Ó hIarnáin atá i m'fhochair anseo agus beidh sé siúd ag múineadh adhmadóireachta agus líníocht mheicniúil. Beidh dhá bhliain ann sula mbeidh an chéad scrúdú agaibh, an Grúptheastas.'

'Má bhímid anseo chomh fada san,' arsa mise le Seosamh Mac Gearailt ón gClochán Dubh a bhí suite le hais liom.

Thugamair formhór na chéad mhaidine ag féachaint ar uirlisí agus ag fáil míniú ar cad chuige ab ea iad. Uair an chloig a bhíodh i gcomhair lóin againn agus ní raibh aon stop orainn bualadh isteach faoi bhaile an Daingin. Bhí triúr páirtithe a bhí agam i scoil Bhaile an Mhúraigh ag dul i m'fhochair go dtí Ceardscoil an Daingin.

An chéad lá sin agus sinn ag gabháil suas trí Shráid an Dhoirín chuir duine des na buachaillí an cheist seo orainn. 'An bhfuil a fhios agaibh cá bhfuil tig "Mhaidhcín Fuacht"?' Ní bhfuair sé aon fhreagra.

'Mura bhfuil is gearr go mbeidh,' arsa an buachaill seo gurbh ó Ghlaise Bheag dó. Lena linn sin chas sé isteach doras tí a bhí tamall anuas ón séipéal. Leanaíomairne é. Bhí cuntar laistigh agus fear beag seiftithe laistiar de agus é ag deisiú bróige. Is dócha go raibh leathchéad péire bróg le deisiú aige má bhí ceann amháin. Bhíodar in airde ar na seilfeanna, amuigh ar an bhfuinneog agus cuid eile acu fós caite isteach i mboscaí. Bhí na bróga a bhí deisithe aige curtha go néata isteach i gcúinne amháin aige.

'Conas tá Pádraig?'

Sea, bhí aithne aige ar mo dhuine a thug isteach sinn. Cuireadh in aithne sinn do Mhaidhcín agus is gearr gur tharraing Pádraig bosca deich gcinn de *Woodbines* amach as a phóca.

Shín sé ceann chugamsa agus go dtí na buachaillí eile agus las sé féin ceann agus sháigh sé isteach i mbéal Mhaidhcín é. Is gearr go raibh slua maith buachaillí ón gceardscoil bailithe isteach sa tig agus d'aithneofá ar fhear an tí go raibh sé ana-cheanúil ar an óige agus go mbaineadh sé ana-thaitneamh as a gcuideachta.

Bhí Pádraig ag rá linn gur chaith sé an ruaig a chur ar chuid des na buachaillí an bhliain roimhe sin mar go mbídís ag imirt chlis air.

Ní théadh aon lá tharainn as sin amach ná go dtugaimis turas ar an ngréasaí ach amháin Déardaoin mar bhíodh leath lae ag siopaí an Daingin an lá san agus bhídís dúnta tráthnóna. Ba é Déardaoin an lá a bhíodh againn chun caide a imirt sa cheardscoil. Thuas i bPáirc an Ághasaigh a bhímis ag imirt, deichniúr ón dtaobh agus *sub* ar an dtaobhlíne. Chun na fírinne a insint ba chuma ann nó as an *sub*.

Ach fágaimis siúd mar atá sé. Is é Micheál Ó hIarnáin, an múinteoir adhmadóireachta, a bhíodh mar mholtóir agus ar a shon gurbh ón nGaillimh é bhí ana-dhul amach aige ar chúrsaí caide. Gaelainn Chonamara a bhí aige agus toisc gan aon chur amach a bheith againne ar an gcanúint sin bhainimis ana-shult agus sásamh as fhocail áirithe. Ní raibh Raidió na Gaeltachta ar an saol an uair sin ná aon tagairt á dhéanamh dó. B'ábhar iontais dúinn go raibh áit eile in Éirinn agus Gaelainn inti ná raibh cosúil leis an nGaelainn a bhí againn. Bhí fear na Gaillimhe ana-shásta leis an gcaighdeán caide a bhí á imirt againn tar éis a bheith ag plé linn le cúpla seachtain. Bhí sé sa cheann go hard aige go mbeadh foireann ag an gceardscoil do shraith an chontae.

'B'fhéidir ná beadh foireann againn i mbliana ach le cúnamh Dé beidh an bhliain seo chugainn,' a deireadh sé agus sinn á thraenáil aige.

Ba dheacair é a chreidiúint ach tar éis cúpla mí a bheith caite agam ar scoil is amhlaidh a bhíos ag baint sásaimh as mo chuid scolaíochta den chéad uair riamh. Is dócha gurb é an fáth a bhí leis sin ná gur ag obair le mo lámha a bhínn trí lá sa tseachtain. Bhí ag éirí réasúnta maith liom i líníocht chomh maith. Ní raibh an mhatamaitic féin ag teacht róchruaidh orm. Na buachaillí ar fad a bhí ar scoil ní fhéadfaidís bheith níos nádúrtha. Is dócha gurb é an rud is mó a thug an cheardscoil dos na buachaillí agus na cailíní a bhí uirthi ná misneach a thabhairt dóibh chun aghaidh a thabhairt ar an saol mór lasmuigh. Bhí beagán níos mó misnigh againn agus chonaiceamair chomh maith conas mar a bhí muintir an bhaile mhóir ag maireachtaint.

Bhí ráiseanna naomhóg go mór sa treis na blianta úd. Cheithre bliana roimhe sin a bhuaigh criú an Chuasa an rás mór sa Daingean. Bhíodh ár múinteoir adhmadóireachta ag 'iomramh curachaí' ina chontae dúchais féin, a deireadh sé linn. Ní raibh sé ródheacair mar sin

a chur ina cheann gur cheart don gceardscoil criú naomhóige faoina
hocht déag a chur go rás na Fianaite a bhí le bheith ann sa Bhealtaine.
Fuaireamair naomhóig ar iasacht ón bhfear a bhí ag obair amuigh sa tig
solais a bhí i mbéal Chuan an Daingin. Bheidís ag caint ar naomhóig
iascaigh a chur ag rás inniu. Bhuel naomhóig iascaigh ab ea an ceann a
fuaireamairne, ach ní bheadh an scéal chomh holc mura mbeadh
leathcheann a bheith san uisce uirthi agus ní choimeádfadh Dia ná
Muire Mháthair díreach í, dá mbeadh aon leoithne gaoithe ann.

'Neartóidh an churach throm na géaga is na cosa,' a deireadh fear
na Gaillimhe. Bhí sé chun sinn a thriail sa bhFianait agus dá n-éireodh
réasúnta maith linn do dhéanfaimis naomhóig ráis sa scoil mar chuid
den gcuraclam! Chuaigh sé i dteangbháil le Murt Ó Leary thíos sa
Leitriúch agus do gheall san naomhóig ráis dúinn. Bhí criú acu féin ag
rith sa rás mhór. Tar éis cúpla mí traenála leis an seananaomhóig
chuireamair criú le chéile a raghadh go dtí an Fhianait. Ba iad an criú
ná Pádraig Mac Mathúna ó Ghlaise Bheag, Pádraig Ó Séaghdha ó
Bhaile an Mhúraigh, Pádraig Ó Sé ó Ghleann Fán agus mé féin. B'in é
an seachtú lá de Bhealtaine 1957. Lá ceobhránach salach ab ea é. Bhí
an fharraige garbh a dóthain leis.

Tar éis an Fhianait a shroisint chuamair ag cuardach Mhurt Ó Leary
agus ní fada go bhfuaireamair é thíos ar an *slip*. Thaispeáin sé an
naomhóig dúinn agus í ag snámh le hais an ché.

'Sin í agaibh í agus bígí aireach mar tá sí guagach.'

Striopálamair anuas go dtí an bhásta agus seo linn isteach inti.
Thugamair stracadh amach chun farraige chun taithí a fháil ar an
naomhóig. Thaibhsigh sí chomh héadrom le sop seachas an seanaphota
go rabhamair ag traenáil inti. Ach d'imigh sí soir siar orainn nuair a
bhíomair ag tarraingt le gaoith. Is gearr gur glaodh go dtí na baoití
sinn. Chúig cinn de naomhóga a bhí istigh ar an rás faoina hocht déag.
Caitheadh an piléar agus seo linn ar ár gcroí díchill. Bhí cóir na gaoithe
amach go dtí an gcéad bhaoithe linn agus b'fhearr dúinn ná beadh mar
ná raibh aon taithí againn ar naomhóig ráis a láimhseáil fós. Bhíomair
siar go maith ón gcuid eile acu ar chasadh an chéad bhaoithe. Is isteach
sa ghaoith cruinn díreach a bhíomair ag tarraingt ansin agus faoi mar
atá a fhios ag aon fhear ráis tá sé fuirist naomhóig a choimeád díreach i
gcoinne na gaoithe. Chuireamair ár ndroim isteach le gach buille agus
is gearr go rabhamair ag teacht suas leis na naomhóga eile. Ghabhamair
amach thairis an gceathrú ceann. Anois a bhí an traenáil leis an
seanaphota ag teacht chun cinn. Ghlanamair sinn féin ón dtríú criú
agus bhíomair ag tarraingt suas ar an dara ceann agus gan ach faid
naomhóige idir í sin agus an chéad cheann. Ach, mo greidhin sinn, ní
raibh ach timpeall le fiche slat idir sinn agus an pola. Bhí cad é liúirigh

agus béicigh ar an gcé agus is le criú na Fianaite a bhí an lá. Bhí duine acu chomh traochta tar éis an ráis go bhfuair sé laige. *faint.*

Bhuel níor bhuamair ach thugamair triail ana-mhaith uainn. Bhí an múinteoir ana-shásta linn.

'Sea muise,' ar sé, 'déanfam naomhóig rás i gcomhair na bliana seo chugainn.'

Thosnaíomair ag múnlú na naomhóige seachtain tar éis an ráis. Is í múnla na Gaillimhe a bhí againn toisc gurbh ón nGaillimh Maidhc an Adhmaid, mar a thugaimis air. Is mó Satharn a d'oibríomair as ár stuaim féin d'fhonn is go mbrostóimis an obair. Théimis ag rothaíocht go dtí an nDaingean agus anuas ar sin chuirimis lá fada oibre isteach. Ní haon ionadh go raibh an craiceann uirthi roimh Nollaig 1957 agus í ar stáitse lastuas den gceardscoil ag feitheamh le haimsir bhreá chun tarra a chur fúithi.

An lá a cuireadh ar an uisce í bhí uncail do Phádraig Mac Mathúna ag an gcaladh ag faire uirthi ag gearradh tríd an uisce. Fear é siúd féin a bhí ar fhoireann an Dúinín fiche bliain roimhe sin. Nuair a thánamair isteach ar an gcaladh tar éis cúrsa a thabhairt timpeall chuir duine des na buachaillí an cheist 'An bhfuil rás aici?' *An bhfuil sí abalta.*

Scaoil sé a chaipín siar ar a chúl. 'Ní déarfainn go bhfuil, mar tá sí ag tarraingt an iomad uisce ina diaidh.'

Gan dabht tháinig pus agus breill ar an gceathrar againn agus ní rabhamair meáite ar aon ghéilleadh a thabhairt dona chuid cainte. Ach tar éis biaiste fada traenála a chur isteach roimh rás na Fianaite thugamair aghaidh ar an rás lán de dhóchas agus ióntaoíbh againn asainn féin ambaist. Ach mo chreach, is ar deireadh a thánamair sa rás san. Sea mhuis, is ansin a tugadh géilleadh don méid a bhí le rá ag an seanduine. Is dócha ná bogadh den stáitse trí uaire ina dhiaidh sin í. Deirtear gurb é an chríoch a d'imigh uirthi ná gur cheannaigh iascaire éigin thiar i gCeann Trá í. Tá sé ráite go ndúirt an t-iascaire céanna gurbh í an naomhóig ba shocra a bhí riamh ag iascach aige í.

Mí na Samhna 1957 a thosnaigh an comórtas idirchontae peile dos na ceardscoileanna. Bhí traenáil chruaidh déanta againn ón samhradh anuas. D'imríomair cluichí i gcoinne Scoil na mBráthar mar ullmhú don sraith. Bhí uimhir na mbuachaillí anuas go dtí a seacht déag sa cheardscoil tar éis an tsamhraidh. Chúig dhuine dhéag d'fhoireann agus dhá *shub*. Ba thrua Mhuire sinn dá ráineodh go ngortófaí éinne againn mar go bhfóire Dia orainn, dá mbeadh orainn bheith ag braith ar éinne den dá *shub* bheadh thiar orainn. Bhí duine amháin acu go maith chun na caide a aimsiú ach nuair a bhuaileadh sé lascadh uirthi is cruinn díreach in airde sa spéir a théadh sí. An *sub* eile ansin, nuair a bhíodh an chaid ag déanamh air bhíodh a dhá láimh leata amach aige.

iontaofa ⇒ reliable.

Thugadh sé léim mhór ard d'fhonn breith uirthi agus níor dhóichí dhó ná breith ar cheann an imreora in aice leis in ionad na caide. Deirtí go raibh giorra radhairce air ach d'ainneoin sin bhí an cúigear déag a bhí ag imirt maith go leor chun caide. Déarfainn go raibh seachtar den gcúigear déag chomh maith d'imreoirí dá n-aois agus a bhí sa chontae.

Tháinig scéala go dtí an scoil go dtarraingíodh i gcoinne Oileán Chiarraí sinn don gcéad bhabhta den gcraobh. In Oileán Chiarraí a d'imreófaí an cluiche. Ní róshásta a bhí ár dtraenálaí, Maidhc an Adhmaid, mar gheall ar sin. Faoi mar a dúirt sé ba gheall le dul isteach i bpluais an mhada rua é bheith ag imirt le foireann ina bpáirc féin. Ar bhus a chuamair go dtí Oileán Chiarraí an lá fliuch geimhridh úd. Thug an traenálaí óráid mhór fhada dúinn ar an slí sall. Im briathar bhraithfeá tú féin ag neartú le gach abairt a bhí ag teacht as a bhéal. Tar éis mílte fada bóthair a bheith curtha dhínn againn agus a lán bailte beaga bheith fágtha inár ndiaidh fuaireamair radharc ar imeall baile mhóir.

'Féach sprioc an tséipéil,' arsa duine éigin, 'táimid beagnach ann.' Chas an bus ar clé i mbarr an bhaile agus timpeall ceathrú mhíle amach an bóthar ón mbaile mór thánamair ar an bpáirc. Ar ár siúl dúinn síos cliathán na páirce chuala duine des na buachaillí ag caint le Maidhc an Adhmaid.

'Bheimis gearánach ar Pháirc an Ághasaigh ach is geall le Croke Park í seachas an sliabh pludaigh seo.'

Is i gcúinne na páirce a ghléasamair chun imeartha. Nuair a thugamair ár n-aghaidh amach ar pháirc an imeartha bhí an fhoireann eile amuigh ar an bpáirc romhainn agus iad ag lascáil na caide isteach sa bháide thuaidh. D'éirigh mo chroí tar éis sracfhéachaint a chaitheamh orthu.

''On diabhal', arsa an lántosaí Caoimhín Ó Fearaíl, 'tá againn, mar níl iontu ach spriosáin bheaga laga agus deinim amach go bhfuilimid i bhfad níos láidre ná iad.'

Sa bháide a bhíos féin ag imirt mar theip glan ar an mbáideoir eile i gcoinne Scoil na mBráthar. Geallaimse dhuit nach róshásta a bhíos. B'fhearr liom i gcónaí imirt sna tosaithe. Pádraig Mac Mathúna buachaill dealraitheach láidir, agus Maidhcí Doyle Ó Caomhánaigh, imreoir cumasach eile agus greim broic san aer aige, sin iad an bheirt a bhí i lár páirce. Is é an tosaí is mó go rabhamair ag braith air ná Jim Choráilí Ó Beaglaoich ó Chill Maolcéadair. Chuirfeadh sé caid isteach i do shúil bhí sé chomh cruinn sin. Imreoir eile a bhí chomh glic le mada rua ab ea Bertie Ó Coileáin ón nDaingean. Balcaire íseal láidir ab ea Peats Mac Gearailt agus níorbh aon nath leis tóch trí fhalla stroighne. Sna leathchúil imreoir gasta ab ea Tomás Mac Cárthaigh agus leanfadh sé a fhear féin fiú amháin dá ngabhfadh sé thar claí amach. Buachaill cruaidh ard ab ea Pádraig Mac Síthigh ón nDaingean agus ana-gheáitsí imreora aige agus scuabadh maith ann chomh maith. Pádraig Ó Sé ó Fhán, bhí sé siúd cruaidh láidir cnámhach agus mo thrua an t-imreoir a sheasfadh suas lena ghualainn siúd; deirimse leat go mbeadh colainn thinn aige tar éis an chluiche. Seosamh Jamsie Mac Gearailt ón gClochán Dubh, mac dearthár do Joe Shiobhán Mac Gearailt, a bhí ina chaptaen ar fhoireann Bhaile Átha Cliath cúpla bliain roimhe sin. Leaid é seo nár scaoil puinn tosaithe laistigh de riamh. Sin agat cuid den bhfoireann.

Caitheadh in airde an phingin agus d'imríomairne i gcoinne na gaoithe sa chéad leath. Séideadh an fhliúit agus chaith an moltóir isteach an chaid. Seo leo ar thóir na caide. Fear á lascáil síos an gort agus fear eile á lascáil suas an gort. An dá fhoireann ag tomhas a chéile. Tháinig cúpla caid isteach chomh fada leis an gcearnóig os mo chomhair. Ligeas cúpla glam agus béic ar na cúil 'An amhlaidh atá na spriosáin sin róthapaidh daoibh?' Is é Pádraig Ó Sé ba ghiorra a bhí dhom. Níorbh fhiú dhom mo bhéal a bhogadh mar is gearr gur tháinig caid ard isteach i dtreo an chúinne chlé. Bhí an buachaill a bhí á mharcáil siúd thíos fúithi. Thug Pádraig fáscadh ruthaig agus in airde leis laistiar de mo dhuine. Tháinig mo dhuine bocht anuas ar a bhéal agus a fhiacla sa phluda agus ghlan Pádraig amach an chaid go lár páirce. Ar m'anam ach gur bhain an *trullout* sin an choisíocht den mbuachaill eile agus bhí eagla air dul in aon ghiorracht don gcaid as sin amach. Is gearr gur lig a dtraenálaí siúd ón dtaobhlíne béic air.

'*Are you afraid of him? Keep in with him, he won't bite you.*'

Is gearr gur thug mo dhuine freagra air má sea.

'*Are you sure he's not one of the teachers? I swear he's shaving for the last seven years!*'

Shocraigh ár n-imreoirí síos ansin agus d'imríodar caid cheart. An gcreidfeá nár tháinig aon chaid thar lár páirce aníos ón gcéad deich nóimintí gur séideadh an fhliúit ag leatham? Bhíos istigh sa bháide agus barr liobar orm leis an bhfuacht. Dúrt leis an dtraenálaí duine éigin eile a chur sa bháide don dara leath mar go rabhas breoite ó bheith ag seasamh istigh inti. Bhíomair chomh mór chun cinn nár dhein sé aon difríocht agus dhein sé rud orm. Chuas isteach sna tosaithe áit gur théas mé féin gan rómhoill. Dhá phointe ar fad a scóráil Oileán Chiarraí agus san am gur séideadh an fhliúit ag deireadh an chluiche bhí chúig bháide agus chúig phointe dhéag scórálta againne. Bhíodar chomh hainnis d'fhoireann agus a chonac ar pháirc imeartha riamh. Ar ár slí abhaile thug an traenálaí óráid eile ar an mbus.

'Sin iad an fhoireann is measa sa chontae,' a dúirt sé, 'agus ná tógadh aon cheann ataithe dhaoibh go fóill.'

Trí seachtaine ina dhiaidh sin chaitheamair taisteal arís go dtí an gCoireán don chluiche leathcheannais. Ar m'anam ná raibh an cluiche seo chomh saoráideach leis an gcéad cheann. Ní rabhamair ach trí phointe chun cinn tar éis an chéad leath. Dúirt an traenálaí dealramh a chur orainn féin sa dara leath nó go dtiocfaidís siúd aniar aduaidh orainn. Ba dhóigh leat gur piocadh dochtúra a bhí fachta againn mar nuair a caitheadh in airde an chaid d'aimsigh Maidhcí Doyle í agus chuir isteach i dtreo an chúil í áit a raibh Jim Choráilí Ó Beaglaoich ag feitheamh léi. Ar nós splanc a bhí sí istigh sa líon aige. Do bhris san an spiorad i bhfoireann an Choireáin agus as sin go deireadh an chluiche bhí na buachaillí seo againne ag piocadh na bpointí ar a suaimhneas. Ba bhreá sásta a bhíomair linn féin ar an slí abhaile, buaite ar an gCoireán againn agus sinn i gcraobh cheannais an chontae. Seachtain díreach ina dhiaidh sin a fuaireamair scéala ar an gcluiche leathcheannais eile. Bhuaigh an Tóchar ar Cheardscoil Thrá Lí a bhuaigh an cluiche ceannais an bhliain roimhe sin. Bhíomair ag traenáil trí lá sa tseachtain faoin dtráth seo ach ní ar an gcaid amháin a bhí an traenáil dírithe ach ar luas na gcos chomh maith. Bhí cuid des na cúil beagán trom agus fo-dhuine acu ag caitheamh tobac. Thit an tarraingt linne agus socraíodh an cluiche do Pháirc an Ághasaigh coicís ina dhiaidh sin. Tháinig scéala ó champa an Tóchair go raibh duine de pheileadóirí Chiarraí á dtraenáil, fear darbh ainm dó Bobby Buckley. Níor chuir san aon mhisneach mór orainne ach is é a dúirt ár dtraenálaí mura raibh an stuif sna buachaillí féin nár mhór an difríocht a dhéanfadh sé dhóibh.

Sea, bhí lá an *final* tagaithe sa deireadh, Domhnach breá i dtosach na Bealtaine agus an ghrian ag scoltadh na gcloch. Bhí Ciarraí Thiar ag imirt an lá céanna le Bóthar Buí i Sraith an Chontae. Sea, ní bheadh aon easpa tacaíochta orainn mar bhí slua mór i láthair faoi bhráid an chluiche eile. Bhí gach duine againn ag imirt san ionad ina dtosnaíomair. Ar a dó a chlog a bhí an cluiche le tosnú. An oíche roimh ré gach uair a smaoiním ar an gcluiche thagadh snaidhmeanna i mbun mo bhoilg. Bhuel, ní rabhas i m'aonar mar nuair a cheistíos cúpla duine des na buachaillí an mhaidin dár gcionn bhíodar siúd chomh hainnis liom, a dúradar. Geansaí na bPiarsach a bhí á chaitheamh againn. Amach linn ar an bpáirc agus gach aon phocléim againn ar nós scata gamhna óga a bheadh scaoilte amach as an mbothán den chéad uair. Cuid againn ag lascáil isteach sa bháide agus cuid eile againn ag lascáil amach. Bhíos ag coimeád súil ghéar ar an mbáide eile chun sracfhéachaint a fháil ar an bhfoireann a bhí inár gcoinne. Siúd amach iad de sciuird. Im briathar ach go raibh fir dhealraitheacha ar chuid acu siúd.

'Sea mhuise, a Mhaidhc Dainín, ní bheidh aon fhuacht sa bháide inniu ort,' arsa mise liom féin.

I gceann tamaill tháinig an réiteoir isteach go lár páirce. Bhain sé cúpla séideadh as an bhfliúit chun a chur in iúl don dá fhoireann go raibh sé chun an cluiche a thosnú. Bhuaigh an Tóchar iompú na pingine agus dúradar go n-imreoidís i gcoinne na gaoithe sa chéad leath.

Bhí ana-dhá chleithire i lár páirce ag an dTóchar. Ghlaoigh ár dtraenálaíne ar Mhaidhcí Doyle agus ar Phádraig Mac Mathúna.

'Má bhaineann siad an chéad chúpla caid san aer díbh ná greamaigh in aon chor í, ach brisigí an chaid le bhur ndoirne uathu. Tá sibh ag baile agus tá an ghaoth le bhur ndroim sa chéad leath. Beidh sceitimíní orthu siúd ar feadh tamaill agus b'fhéidir go mbéarfadh sibh amuigh orthu.'

Nuair a caitheadh isteach an chaid ní raibh aon chodladh ina súile ag an mbeirt a bhí i lár páirce againne. Chuaigh Pádraig Mac Mathúna in airde le láimh amháin agus leag anuas go deas go dtí Maidhcí Doyle í. Scaoil siad lascadh breá isteach i dtreo an bháide. Seo in airde istigh sa chearnóig iad. Bhuail an chaid ucht an lánchúil agus tháinig tamall amach, áit ina raibh Jim Choráilí. Ba dhóigh leat go raibh sí léite aige mar d'aimsigh sé cúinne clé an bháide timpeall le sé horlaí faoi bhun an trasnáin. Ana-thosnú a dhuine! Thug an báide san ana-mhisneach don gcuid eile den bhfoireann agus faoi mar a deir na seandaoine bhí gach fear ina bheirt. Ní rabhamair ag tabhairt aon tseans don dTóchar socrú síos. Bhí trí bháide agus naoi bpointe aimsithe ag an nDaingean sular séideadh an fhliúit sa chéad leath. Ambaiste bhí Maidhc an Adhmaid ana-shásta leis féin.

'Coinnígí leo an tslí chéanna sa dara leath agus ní bheidh aon teip oraibh.'

'Cad ina thaobh ná déanfaimis,' arsa mise liom féin, 'táimid i bhfad níos géire ná iad.'

Chuamair amach an dara leath agus ní raibh sé i bhfad tosnaithe in aon chor nuair a chualamair fear mór dealraitheach agus gach aon bhéic aige ón dtaobhlíne.

'Sin é Bobby Buckley anois,' arsa Caoimhín Ó Fearaíl liomsa. 'Nach breá an búiste fir é.'

Bhí sé ag rith síos agus suas an taobhlíne ar nós tarbh buile.

'Nach breá an Béarla atá aige?' arsa mise.

'*Put Kirby midfield, you're beaten there, and for Crissake get your act together!*'

Ní fada a bhí Kirby i lár páirce nuair a thosnaigh sé ag buachtaint na caide san aer. Nuair ná tugadh sé anuas glan í leagadh sé isteach i dtreo an bháide í lena dhorn. Sin é an uair a thosnaigh an brú ag breith orm féin sa bháide. Scaoil sé caid mhór ard isteach ó lár na páirce. Ar an gcuma a bhí sí ag teacht tríd an aer thitfeadh sí díreach ar imeall na cearnóige bige. Shleamhnaigh an lánchúl Caoimhín Ó Fearaíl nuair a bhí sé ag cúlú fúithi. Seo an lántosaí laistigh de ag dul faoin gcaid.

'Sea,' a dúrt liom féin, 'más bás é is bás in Éirinn é.'

Amach liom ina coinne ar luas agus in airde i dtreo na caide. Chuireas mo dhorn faoina bráid agus bhí mo ghlúin lúbtha romham amach agam mar bhí bulcán maith láidir de gharsún ag déanamh orm ar nós na gaoithe. Bhraitheas an chaid ag teangbháil le mo dhorn agus lena linn sin bhuail an dá cholainn i gcoinne a chéile. Chonac míle réilthín agus nuair a thosnaíos ag bailiú mo mheabhrach arís bhíos ansiúd ar an dtalamh agus an bathlach mór trom úd anuas orm.

'Gaibh anuas dom a stail!' arsa mise.

'*I don't know what you said but you have a knee as sharp and as hard as a pickaxe!*'

D'éirigh sé díom agus greim aige ar a chromán fós. Béas a bhí agam i gcónaí nuair a bheinn ag dul in airde ag triall ar an gcaid ná mo ghlúine a bheith romham amach agam. Bhí sé ráite go mbainfeadh duine breis airde as an léim dá mbeadh a ghlúin roimhe amach aige. Amach i dtreo an daichead slat a chuaigh an chaid agus níor dhóichí dhi ná dul isteach sa líon! Bhí fiche nóimint le himirt agus bhí foireann an Tóchair ag réabadh tríd an ngort. Ansan fuaireadar ana-bháide agus ba gheall le piocadh dochtúra dhóibh í. Thosnaíodar ag tógaint a bpointí ón ndaichead slat isteach. Bhí ár bhfoireann ag titim as a chéile ins gach páirt den ngort. Ambaiste bhíodar i ngiorracht dhá phointe dúinn agus gan ach trí nóimintí le himeacht. Chuir ár dtraenálaí iachall ar chuid des na tosaithe teacht aníos ag cabhrú leis na cúil agus dá ainneoin sin bhuail lántosaí an Tóchair an pola dhá uair. Ba é toil Dé é gur shéid an moltóir an fhliúit mar ar an bhfuadar a bhí iontu siúd bhí cúl siúrálta iontu.

Sea, bhí craobh an chontae buaite againn. Ba é an chéad uair a bhuaigh Ceardscoil an Daingin an onóir sin riamh agus an uair dheireanach a bhuafaidh sí go deo í. Bhí cad é ceiliúradh againn sa scoil an oíche sin – béile mór agus bronnadh na mbonn. Mí ina dhiaidh sin bhí scrúdú don nGrúptheastas againn. Bhí a lán prapála le déanamh againn mar caitheadh a lán ama ar thraenáil le tamall roimhe sin. Bhí formhór againn gasta go leor leis an adhmadóireacht agus leis an líníocht ach dá dteipfeadh orainn ar aon ábhar ní bheadh an blúire páipéir le fáil agus níor mhór do dhuine í sin bheith aige chun printíseacht a fháil in éineacht le ceardaí. Chun scéal fada a dhéanamh gearr d'éirigh le gach dalta sa scrúdú agus bhí áthas orainn go léir go

49

raibh an dá bhliain istigh againn. Deirim i gcónaí gurbh iad an dá bhliain is fearr a chuireas isteach riamh iad mar fuaireas treoir chun tabhairt faoin saol mór lasmuigh agus do chuir sin ar bhóthar mo leasa mé.

B'in é an Samhradh!

Samhradh na bliana 1958, á a bhuachaill, b'in é an samhradh. Bhíos chúig bliana déag go leith, mo rásúr féin agam agus mé am bhearradh féin! Nó ar cheart dom a rá go raibh an clúimhín cait a bhí ar mo chorrán agus faon gcaincín scrabhaite anuas agam. Dúirt m'athair go raibh sé chomh lag gur rith sé roimh an rásúr. Bhí seachtain oibre le fáil anseo agus ansiúd ós na feirmeoirí agus ba ghearr go mbeadh na cúrsaí Gaelainne ag tosnú ar an Muirígh arís. Is dócha nach ar mhaithe le bheith ag labhairt Gaelainne a bhímisne ag tnúth leis na cúrsaí teacht. Ní hea a dhuine, ach leis na gearrchailí agus *cailíní.* fuílleach gearrchailí. Is dócha gur tháinig idir trí agus cheithre chéad dalta an bhliain áirithe sin, idir bhuachaillí agus chailíní, agus a n-aoiseanna ó dhosaen bliain suas go dtí seacht mbliana déag. Bhíodh céilí beag i Halla na Muirí acu go dtí a deich a chlog istoíche agus gach Luan, Céadaoin agus Aoine bhíodh céilí mór ann go meán oíche. Bhí cead isteach go dtí na céilithe beaga saor in aisce ach bhíodh táille dhá scilling ar an gcéilí mór. Bhí an t-ádh dearg liomsa an bhliain sin mar ní raibh aon cheoltóir le fáil dos na céilithe beaga. Dheineas teangbháil le ceannaire an chúrsa chomh luath agus a tháinig an scéal chomh fada liom. Is é an margadh a dheineas leis chun seinm dhóibh ag na céilithe beaga ná £30 don dtrí mhí a bheadh na cúrsaí ar siúl agus cead isteach saor in aisce go dtí na céilithe móra. Im briathar go raibh formad ag mórán daoine liom mar go bhfóire Dia orainn is minic ná beadh an dá scilling ar fáil chun dul isteach go dtí na céilithe móra. Ach bhíos-sa ábalta ar shiúl isteach thar fhear an dorais agus beannú go neamhspleách dhó gan láimh a chur i mo phóca. Cad é siúd a dúirt m'athair nuair a tháinig an bosca go dtí an dtig ar dtúis: 'Níor dhein ceoltóir a leas riamh ach ag imeacht ina phíce an tsúgartha.' Ar m'anam ach gur chaith sé éisteacht anois. Ag gabháil d'fhéar a bhíos thoir ag feirmeoir i mBaile Ghainnín Beag an chéad lá a thosnaigh an cúrsa go hoifigiúil. Bhíos le bheith ar mo thriail an tráthnóna san ag seinm i Halla na Muirí don gcéilí beag. Bhí meitheal mór sa ghort an lá céanna mar gort cheithre acra ab ea é agus ní raibh innill ná áiseanna chun é a chaitheamh ar a chéile an aimsir sin. Ach ní leis an bhféar a bhí m'aigne an lá sin agus b'fhada liom gur bhain an ghrian a bhí ag stealladh anuas orainn imeall thiar na spéire amach.

Bhí sé ag tarraingt ar a cúig a chlog tráthnóna agus gach coca déanta. Ní raibh le déanamh ansin ach súgáin a chur orthu ar eagla na gaoithe agus an rácáil a dhéanamh. Ní fheadar ó thalamh an domhain cad chuige an rácáil in aon chor. Is minic ná bíodh beart féir sa rácáil ar fad. Ach b'in iad an seanadhream agus bhíodar ana-chríochnúil. Ach níor thuigeadar an griothal a bhí ar dhaoine eile in aon chor. Sea, chuireas mo phíce sa talamh ar a naoi a chlog agus dúrt le m'athair a bhí le hais liom go gcaithfinn bogadh.

'Dhera, cá bhfuil do dheabhadh? Ná fanfá chúig nóimintí liom go mbeidh gal agam agus beimid in éineacht abhaile.'

'Tá deabhadh orm mar táim ag seinm i Halla na Muirí.'

Dhera scaoil sé a chaipín siar ar a chúl agus thosnaigh an tseanmóir. 'Sea ambaist, ceol agus rince agus mná! Agus is dócha go bhfuilir ag tarraingt tobac leis.'

Thugas freagra tapaidh air. 'Is dócha nach rófhada amach ó dhúchas dom dúil a bheith sa tobac agam.'

Bhí a phíopa ina bhéal an uair sin aige agus bús deataigh ag teacht aisti. Bhíos ag cuimhneamh ná beadh sé róshláintiúil a bheith in aon ghiorracht dó tar éis an fogha sin a scaoileadh faoi.

'Sea anois mar sin, imigh le haer an tsaoil. Ní gheofá faic ó leaideanna óga an lae inniu ach teallaireacht. Dá labharfainnse mar sin le Dan Buí bhrisfeadh sé cnáimhín mo thóna le lascadh de bhróig thairní.'

Bhí sé ag cur as féin agus mise ag glanadh an chlaí amach as an ngort agus an meitheal fear a bhí fairis sna trithí ag gáirí faoi.

Striopálas anuas go bhásta nuair a shroiseas an tig. Fuaireas mias bhreá lán d'uisce te agus gallúnach agus mura dtugas-sa sciosadh díom féin ní lá fós é. Ansin fuaireas mo bhríste nua agus léine ghlan. Thíos faoin leaba istigh i mbosca bhí buidéal beag fada caol *brillantine*. An diabhal spáráil a deineadh ar an mbuidéal céanna, ach steall mhaith de a scaoileadh amach ar do láimh agus ansin é a chuimilt i do chuid gruaige. Ansin thosnaíos am chíoradh féin go dtí go raibh gach ribe san áit ba cheart dó bheith.

Aníos as an seomra agus an bosca ceoil á iompar agam. Bhí mo mháthair ina suí cois tine agus í ag tógaint a suaimhnis tar éis obair an lae.

'Cá bhfuilir ag dul nó cad ina thaobh go bhfuil do chuid éadaigh Domhnaigh ort?'

'Ó ambaiste, ach go bhfuilim ag dul ag seinm.'

'Ní foláir nó go bhfuil ag breith ana-chruaidh orthu ceoltóir a fháil chun do leithéidse a thabhairt leo. Bailigh leat tapaidh sula bhfeicfidh d'athair tú agus do ghruaig plastarálta agat le *hair-oil.*'

Chuireas díom amach an doras agus shás mo cheann isteach arís ó bhéal an dorais. 'Cogar, a Mham, táim ag tabhairt do rothairse liom mar tá bascaod chun tosaigh air.'

Ghreamaíos an bosca ceoil isteach sa bhascaod le corda dorú agus bhuaileas smut de phaca garbh anuas air. Bhí eagla orm bualadh le héinne an t-am sin de thráthnóna agus dá mbuailfinn is cinnte go dtabharfaidís an tseachtain ag caint orm.

Nuair a shroiseas an halla bhí an fothram agus an sciotaraíl agus an chaint ar fad le cloisint lasmuigh den ndoras. Is iad na cailíní is mó a bhí le cloisint. 'Scata ban nó scata géanna,' a deireadh m'athair i gcónaí. Seo liom isteach agus shiúlaíos suas cliathán an halla. Bhí cad é bualadh bos ann nuair a thógadar ceann den mbosca ceoil a bhí á iompar agam. Phreabas in airde ar an stáitse agus shocraíos cathaoir dom féin ina lár. Chaithfinn a ligean orm go raibh eolas mo cheirde agam. Chaitheas anuas mo chasóig agus bhuaileas trasna ar dhroim na cathaoireach í. Do shuíos síos go breá socair ansin agus chuireas an bosca ceoil i bhfearas. Leis sin do sheas múinteoir amach agus dúirt: 'Tá an ceol réidh anois, mar sin beidh an chéad rince againn – sin "Fallaí Luimnigh".'

Is ón stáitse a bhí an radharc bhreá agam mar ar thaobh clé an halla ón stáitse síos go dtí an doras tosaigh bhí ar a laghad céad go leith des na cailíní ba bhreátha dá bhfeaca riamh. Gruaig rua ar chuid acu, gruaig fionn ar a thuilleadh agus gruaig chiardhubh ar ábhar eile. Ná bí ag caint ar dhéantúisí! Thall ar an dtaobh eile den halla bhí na buachaillí ach ní rabhadar sin ag cur aon mhairg orm.

Bhíodar ann ó Pharóiste Múrach siar go dtí an mBuailtín. Bhí léinteacha bána ar chuid acu agus *tie* faoi fho-dhuine.

Thosnaíos ar an gceol agus ní fada go raibh an t-urlár lán. 'Sea,' arsa mise liom féin, 'tá mo chuid ceoil ag dul síos go maith leo. Ní cás dom anois a bheith ag caitheamh mo shúl timpeall agus an radharc bhreá atá os mo chomhair amach a scrúdú.'

Ar m'anam ach nár thóg sé i bhfad ó chuid de bhuachaillí na háite dul ag fiach! Sin é an uair a thuigeas go rabhas féin i gcruachás! Conas a dhéanfainn teangbháil le haon chailín agus mé ag seinm ceoil thuas ar an stáitse? Bhí súil á chaitheamh agam ar chúpla cailín a bhí ag rince in aice leis an stáitse. Dá bhfeicfeá an tsúil mhallaithe a fuaireas ar ais ó dhuine acu! Raidfeadh sí siúd an chairt dá raghadh fear i ngiorracht fiche slat di.

Ar mo leabhar ach go raibh súp allais orm. Thógas sos gearr agus ansin d'iarr an múinteoir ar lucht an chúrsa sean-*waltz* a dhéanamh. Bheadh lánchead ag buachaillí na háite dul ag rince leo, dúirt sé. Níor ghá dhó aon chuireadh a thabhairt do bhuachaillí na háite mar ní raibh ach an rince fógartha aige nuair a thosnaigh buachaillí na háite ag déanamh a slí trasna go dtí cailíní an chúrsa. Thógas ceann de go raibh níos mó cailíní ar an gcúrsa ná buachaillí agus bhíos ag rá liom féin go mbeadh mo sheans agamsa leis roimh dheireadh na hoíche.

Bhíos istigh sa dara port den *waltz* nuair a thógas ceann den dá chailín seo istigh sa chúinne in aice leis an stáitse. Thugas faoi ndeara leis go raibh duine acu ag caitheamh súil i mo threo anois agus arís. Bhí aghaidh dheas chineálta uirthi, gúna gorm agus folt gruaige ag titim síos go bun a droma. Bhí sí déanta mar ba cheart do chailín a bheith. Is é a bhí ag dul trí mo cheann ná conas a dhéanfainn teangbháil léi.

'Cuir do dhá shúil ar ais i do cheann agus críochnaigh an *waltz!*' Ba é an múinteoir a bhí ag caint liom ó bhun an stáitse. Thug sé faoi ndeara go raibh mo cheol ag imeacht ar strae beagán leis an ngliúcaíl a bhí orm. 'Droichead Átha Luain' a rince a tháinig i ndiaidh an *waltz.* Bhí an bheirt chailíní ag rince díreach faoi mo bhun.

'Bhís ag féachaint ar Eibhlín,' arsa duine acu.

'Bhíos,' arsa mise, 'ach má bhíos bhí sise ag féachaint ormsa chomh maith.'

Bhíos ag seinm arís agus is dócha go rabhas ag dul amú go maith sa phort.

'An…an…an mbeadh aon seans ar *date* léi?' arsa mise.

Lig sí smuta gáire. 'Tá gach aon tseans.'

Luíos isteach leis an gceol arís agus faoi cheann tamaill chríochnaigh an rince. Shuigh gach éinne síos agus shuigh an bheirt chailíní síos ag bun an stáitse. Chuaigh an cailín eile ag caint lena páirtí agus is gearr go bhfuaireas luí súl ón gcailín go rabhas ag faire uirthi. D'éirigh mo chroí. Bhí mo bhó curtha thar abhainn agam gan corraí den stáitse in aon chor.

Thugas faoi ndeara leis ná raibh ag éirí rómhaith le cuid de bhuachaillí na háite, mar bhídís amuigh do gach rince agus cailín difriúil acu gach aon uair. Chonaic uaim síos seanachara dom, Seán Mór Ó Domhnaill. Buachaill dathúil ab ea é seo, gruaig dhubh mhéiríneach air agus bua na cainte aige. Ach ní róshásta a bhíos nuair a chonaic mé cé leis a bhí sé ag caint. Sea, ambaist, í siúd go raibh an choinne agamsa léi. De réir mar a bhí a ceann ag bogadh ba léir go raibh sé ag iarraidh í a mhealladh ar dalladh. Ó mhuise nach cúng a bhí Éire ag teacht air! Ghaibh sé faoi bhun an stáitse agus cad é rince á dhéanamh aige. Níl aon dabht air ach go raibh sé chomh maith de rinceoir agus a bhí timpeall an uair sin. D'fhéach sé aníos ormsa agus ba dhóigh leat go raibh a fhios aige cad a bhí ag dul trí mo cheann. Ach luigh sí siúd a súil ormsa agus bhí a fhios agam ansin go raibh gach rud i gceart. Nuair a chas Seán Mór a cheann i mo threo bhí smuta gáire ar a aghaidh, bhí a fhios aige conas mar a bhí cúrsaí. Is dócha go raibh an diúltú fachta aige. Dhírigh sé a dhorn ormsa, mar dhea go raibh fearg air.

Tar éis 'Amhrán na bhFiann' a sheinm lig an múinteoir béic ó lár an halla. 'Céilí Mór anseo istoíche amáireach go dtí meán oíche. Anois téadh gach dalta ar ais go dtí an lóistín. Beidh na múinteoirí ag glaoch an rolla ins gach tig idir a leathuair tar éis a deich agus a haon déag.'

Bhíos ag baint an dorais amach chomh tapaidh in Éirinn agus ab fhéidir liom. Cé bheadh díreach lasmuigh den doras ach Seán Mór agus slataire deas téagartha de chailín ar adhastar aige. Sháigh sé chugam.

'Dúrt i gcónaí go bhfuil súil mheala an cheoltóra agat, a Mhaidhc Dainín.'

D'fhéachas air. 'Cad tá i gceist agat, a dhuine sin?'

D'fhreagair Seán Mór. 'Inis dom conas a dheinis an bheart ar bhean Luimnigh gan corraí den stáitse.'

'Ó, nach é sin an sampla, a bhuachaill.' Bhuaileas mo láimh timpeall ar mo chailín féin a bhí ag feitheamh go foighneach liom ar a shon is ná raibh fios a hainm fós agam.

Shiúlaíomair tamall beag.

'Micheál Ó Sé m'ainmse. Cad is ainm duit féin?'

'Eibhlín Ní Shúilleabháin ó chathair Luimnigh. Tá eagla orm ná fuil mórán Gaeilge agam.'

'Beidh do chuid Gaelainne chomh maith le mo chuid Gaelainne féin roimh dheireadh an chúrsa.'

Bhíos á stiúrú suas bóithrín Cháit Sayers faoin dtráth seo.

'Tá a fhios agat go gcaithfead bheith ar ais sa lóistín roimh a leathuair tar éis a deich.'

Bhí bóithrín Cháit Sayers ar nós Sráid Uí Chonaill le cúplaí ag cúirtéireacht. Níor mhór duit ticéad chun spás a fháil cois claí.

'Téanam ort as seo,' arsa mise, 'tá cúpla paiste eile ar m'eolas.' Bhogamair linn suas Cliathán an Chaoil go dtí bóithrín beag eile. Cóngar ab ea é idir an Muirígh agus Baile na nGall ar a dtugtar Bóithrín na nGéanna. Ní thagadh éinne an bóthar san oíche mar bhí sé ró-uaigneach.

'Cá bhfuilir ar lóistín, a Eibhlín?'

'Ó sa tig mór thoir ar imeall an bhaile.'

Theastaigh uaim a haigne a chur chun suaimhnis. 'Deineann na múinteoirí an Coimín agus an Bóthar Buí ar dtúis sula ndeinid an Mhuiríoch. Beidh sé a haon déag a chlog sula nglaofar an rolla i do thigse.'

'Conas go bhfuil a fhios agat sin?'

'Mar is iad na múinteoirí céanna atá ann i mbliana agus anuraidh agus b'in é an patrún a bhí acu anuraidh.'

Bhíomair ag siúl linn suas an bóithrín. Bhí fo-chúpla anseo agus ansiúd ag cúirtéireacht. Nuair a fuaireamair paiste deas compordach stopamair agus bhíomair díreach chun ancaire a chur síos nuair a chualamair an chaint laistigh den gclaí.

'Fan socair nó déarfaidh mé leis an múinteoir tú.' Thosnaíos féin agus Eibhlín ag gáire.

'Tá cailín bocht éigin i dtrioblóid,' ar sí.

'Téanam tamall eile,' a dúrtsa. Fuaireamair paiste breá compordach cúpla slat ón áit sin agus fágaimis siúd anois mar atá sé mar b'fhéidir go bhfuil tú ag fáil rófhiosrach. Ar m'anam ach go raibh sí thar n-ais sa lóistín agam in am. Ag geata an tí bhí cuid des na buachaillí agus na cailíní ina seasamh fós gan trácht ar 'mhadraí' na háite.

'Tá céilí mór istoíche amáireach,' arsa Eibhlín ag fáscadh a láimh i mo láimhse.

'Ó beadsa ann...'

Tar éis siúl léi go dtí an ndoras agus slán a fhágaint aici thugas m'aghaidh soir an bóthar go dtí bóthán John Mhicil mar a raibh mo rothar i bhfolach agam. Bhogas liom an bóthar ó thuaidh go Paróiste Múrach agus mo cheann ina roithleán le heachtraí na hoíche. An t-amharaíocht a bhí liom m'fhocal a bheith istigh agam le hEibhlín sula dtáinig Casanova na Cille an treo!

An tráthnóna ina dhiadh sin bhí m'athair ag ithe a chuid suipéir i mbarr an bhoird. Bhí mias uisce agamsa thíos i mbun an bhoird agus mé striopálta go bhásta agus mura rabhas ag baint úsáide as an ngallúnach ní lá fós é.

'Cá bhfuilir ag dul tráthnóna inniu?' arsa Dainnín agus a bhéal lán le píosa de mhaircréal úr.

'Táim ag dul ag seinm gan dabht.'

'Ó hanam 'on diabhal, anocht arís! Tá an óige imithe i gcoinne ghrásta Dé ar fad.'

Ní fhéadfainn a rá go rabhas ag dul go dtí an gcéilí gan leithscéal éigin a bheith agam.

'Ó tógfaidh sé uair an chloig ó do mháthair tú a chur as an leaba arís maidin amáireach. An amhlaidh a thabharfaidh tú an chuid eile de do shaol ag imeacht ó áit go háit ar nós Raifteirí.'

Ambaiste ní fhéadfainn an méid sin a scaoileadh tharam.

'Táimse ag fáil díolta as mo chuid ceoil ach bhí Raifteirí ag seinm do phócaí folamh. Sin é a dúirt sé sa bhfilíocht ach go háirithe.'

Tharraing sé an chathaoir siar tamall ón mbord. 'B'fhearr dhuitse léimt amach as an leaba ar an gcéad ghlaoch maidin amáireach. Táimid ag dul suas go Cill Chuáin ag tanú tornapaí. Ní theastaíonn aon siúlairí oíche agus codlatáin mhaidine uainn sa tig seo.'

Bhí an néal sin curtha aige dhe. Chuireas orm mo bhalcaisí nua gan rómhoill agus phreabas ar mo rothar. B'fhearr gluaiseacht ón dtig tapaidh ar eagla go ndéarfainn rud éigin go mbeadh aithreachas orm mar gheall air.

Bhí a lán de bhuachaillí na háite bailithe timpeall ar dhoras an halla. Cuid acu ná raibh fiacha an chéilí acu agus cuid eile ba luath leo dul isteach. Chuala an fead á ligean orm ó chúinne na binne. Is é Seán Mór a bhí ann. Shiúlaíomair timpeall go dtí cliathán an halla. Thóg sé *tie* amach as a phóca.

'Cogar,' ar sé liomsa, 'cuir snaidhm air seo dhom.'

'Cad ina thaobh nár chuiris an *tie* ort sa bhaile áit a mbeadh scáthán agat.'

D'fhéach sé orm. 'É a chur orm aige baile agus gabháil anuas tríd an bparóiste an tráthnóna breá samhradh seo! A Chríost, nach é John Aindí a dhéanfadh seó bóthair dom dá bhfeicfeadh sé mé.'

Nuair a bhíos ag fáscadh na snaidhme suas faoina chorrán bhaineas stothadh maith as. 'Cogar, fan glan d'Eibhlín. Beadsa ag coimeád mo shúil ort.'

Las a aghaidh suas le rógaireacht. 'Tá mo bhád féin agamsa, a Mhaidhc Dainín, a bhuachaill. Agus fan amach as lochta bhothán John Mhicil anocht mar beidh sé in úsáid!'

'Téanam ort, b'fhearr sá isteach. Tá an banna ag tosnú ag seinm.'

Ní raibh aon seinm le déanamh agamsa an oíche sin toisc gur céilí mór a bhí ann agus d'fhéadfainn an oíche ar fad a thabhairt ag rince ar mo thoil. Chaitheas mo shúil timpeall ó bhéal an dorais. Sea ambaist, bhí Eibhlín agus a comrádaí suite thuas in aice leis an siopa.

'Tá mo bhádsa anseo thuas,' arsa Seán agus é ag tabhairt a aghaidh suas cliathán an halla. Thosnaigh an banna ag seinm *waltz* deas síodúil agus siúd amach ag rince scata againn. Ba é seo an chéad rince a bhí riamh agam le hEibhlín.

Tar éis cúpla rince b'éigean dom mo chasóig a bhaint díom mar bhí sruthán allais ag rith síos ar chnámha mo dhroma. Tar éis gach rince d'imíodh na cailíní uainn ina dtreo féin ar eagla go dtógfadh an múinteoir aon cheann díobh agus iad ag comhrá leis na buachaillí. Bhíos suite in aice le Seán Mór.

''On diabhal' ar sé, 'nach bog atá sé.'

'Cad ina thaobh ná beadh,' a dúrtsa ag pointeáil mo mhéire go dtí an gcasóig a bhí fós air.

'Ó sin scéal fada, ach caithfidh an chasóig fanacht ag sileadh leis na cnámha anocht ach go háirithe. Téanam ort suas go dtí an leithreas agus neosfad mo scéal duit.'

Shiúlaíomair suas go dtí an leithreas. Nuair a fuaireamair sinn féin laistigh den ndoras d'ardaigh Seán in airde eireaball na casóige. Bhí an droim ar fad imithe as an léine a bhí laistigh den gcasóig. Tháinig fáscadh gáire orm féin.

'Ó i gcuntas Dé! Cá bhfuil an chuid eile di?'

'Ní haon gháirí in aon chor é seo. Seo an t-aon léine amháin bán atá agam sa tsaol. Níos inniu í agus chuireas amach ar an dtor í laistiar den dtig chun go dtriomódh sí. Tháinig straip de ghamhain aníos thar claí agus pén méid féir ghlais a bhí ag fás sa ghairdín thosnaigh sí ag ithe mo léine. Fuaireas rámhainn a bhí ina seasamh i gcúinne an gharraí agus mise dá rá leat ach go raibh tochas uirthi siúd ag gabháil an baile síos. Dá mbeinn neomat níos déanaí ní bheadh an bóna féin agam le cur orm féin. Is dócha go bhfuil dosaen biorán á coimeád lena chéile ar mo dhroim. Anois a dhiabhail, an dtuigeann tú mo chás?'

Thugas an mhí ar fad i gcuideachta Eibhlín agus ar m'anam ach go rabhamair ag éirí ana-cheanúil ar a chéile. Gach oíche tar éis an chéilí théimis ag bóithreoireacht in áit éigin. Is dócha go raibh cailín ag gach buachaill ón áit, nó mar a dúirt duine amháin – i ndóthair níl aon teora leis an bhflúirse.

Bhí an oíche dheireanach den gcúrsa againn agus ar a shon is go raibh dhá chúrsa eile le teacht bhí an-aithne curtha againn ar na buachaillí agus na cailíní sa chúrsa seo agus saghas uaignis ag teacht orainne ina ndiaidh. Céilí beag a bhí ann an oíche dheireanach den gcúrsa toisc go raibh ar na scoláirí bheith ina suí go moch lá arna mháireach faoi bhráid na mbusanna a thabharfadh abhaile iad. Thugas an tráthnóna ag seinm agus dá bhrí sin ní raibh aon rince agam le hEibhlín. Ach bhí sé de thuiscint eadrainn bualadh le chéile lasmuigh den halla. An gcreidfeá go raibh scailp uaignis ag teacht orm agus ní dóigh liom go rabhas i m'aonar. Mar nuair a chaitheas mo shúil timpeall an halla ceapadh dom go raibh cuma ghruama orthu ar fad idir chailíní agus bhuachaillí. Cúpla rince roimh dheireadh an chéilí bhí an halla leathfholamh. Níor chuir san puinn iontais orm mar ba í an oíche dheireanach í agus bhogadh na múinteoirí na rialacha beagán an oíche dheireanach. Chaitheas-sa leanúint orm ag seinm agus ní buíoch a bhíos. Thugainn corrfhéachaint ar Eibhlín a bhí suite ar stól faoi bhun an stáitse. B'fhada liom go nglaofaí an rince deireanach. 'Sea mhuis,' arsa mise i m'aigne féin, 'más *waltz* a glaotar den rince deireanach agus de ghnáth is ea, giorrófar go maith é.'

Ní raibh 'Amhrán na bhFiann' ach díreach seinnte agam nuair a thugas pocléim anuas den stáitse. Chuireas mo bhosca ceoil i gcoimeád mar ba ghnáth agus seo liom i dtreo an dorais. Bhí sí ag feitheamh liom ag cúinne an halla. Shiúlaíomair suas an bóithrín céanna agus a shiúlaíomair an chéad oíche a bhuaileamair le chéile. Ní raibh focal as éinne de lán na beirte againn ach an dá láimh fáiscthe timpeall ar a chéile. A ceann siúd luite anuas ar mo ghualainn dheis. Bhuel dá mbeadh deireadh an tsaoil ann amáireach ní bheadh rudaí chomh hainnis, do cheapas. Is mó rud a bhí ag dul trí mo cheann. 'Ó sea, a Mhaidhc Dainín, do chaithis an mhí a thabhairt i dteannta aon chailín amháin. Ina theannta san tánn tú éirithe ceanúil uirthi agus beidh sí ag imeacht uait amáireach agus gan faic dá bharr agat ach uaigneas agus briseadh croí. Tuilleadh an diabhail chugat. B'fhuirist aithint go ndeanfá rud éigin ait.' Seo iad na smaointe a bhí ag dul trí mo cheann agus sinn ag gabháil suas an bóithrín. Bhí Eibhlín chomh hainnis liom agus gan aon fhocal aisti ach í ag pusaíl ghoil anois agus arís. Faoi cheann tamaill tháinig a cuid cainte chuici.

'An scríofair chugam?'

Cad a bhí le rá agam ach go ndéanfainn.

Sháigh sí blúire páipéir isteach i mo phóca. 'Tá an seoladh scríte ar sin.'

A Mhuire, dá mbeadh céilí mór féin ann bheadh tamall breise againn i dteannta a chéile.

'Cogar a Eibhlín, cad é an áit i do thig lóistín a bhfuil do sheomra?' Ambaiste bhí an inchinn ag tosnú ag obair agam arís.

'Ag an mbinn theas, in airde staighre.'

Bhíos ag smaoineamh ar feadh tamaill.

'An bhfuil fuinneog ar an mbinn?'

D'fhéach sí orm idir an dá shúil. 'Cad tá ag dul timpeall istigh i do cheann?'

Ní dúrt faic ar feadh tamaill. 'An mbeadh eagla ort dreapadh anuas trí dhréimire níos déanaí san oíche?'

'Cad ina thaobh?' a dúirt sí agus iontas an domhain uirthi.

'Tá plean agam. Nuair a bheidh an rolla glaoite agus na múinteoirí imithe abhaile gheobhadsa an dréimire atá ina sheasamh i gcoinne choca John Aindí. Cuirfead in airde go dtí an bhfuinneoig é. Raghaidh mé féin in airde ansin agus cnagfad ar an bhfuinneoig. Ansin oscail an fhuinneoig agus cabhród leat dreapadh anuas an dréimire. Tarraing an fhuinneoig anuas i do dhiaidh ar eagla go mbraithfí an leoithne istigh sa tseomra. Cuirfeam an dréimire i bhfolach ansin agus fúinn féin a bheidh cad é am a scarfam. Cad a déarfá leis sin mar phlean?'

'Ó a Mhuire, ní fheadar. Cad a dhéanfam má beirtear orainn?'

D'fháisceas chugam í. 'Ní baol dúinn agus má beirtear orainn féin, ná beir ag dul abhaile amáireach?'

'Is dócha go bhfuil an ceart agat, a chroí,' ar sí. Ansin thugamair ár n-aghaidh ar an lóistín.

Bhí na buachaillí bána bailithe timpeall ar an ngeata. Sea, ní raibh aon radharc ar aon mhúinteoir fós. Bhíomair tamall maith ag fanacht ansiúd suite ar an gclaí trasna an bhóthair. Bhí a ceathair nó a cúig de bhuachaillí eile agus iad ag méirneáil timpeall ar rothair. Faoi cheann tamaill bhraitheamair doras tosaigh an tí ag oscailt. Is í bean an tí a bhí ann.

'An bhfuil pachanna Pharóiste Múrach imithe abhaile fós? Seo libh abhaile anois mar beidh na cailíní ag éirí luath ar maidin.'

'Sea, céad buíochas le Dia,' arsa mise liom féin.

Ach ní raibh aon bhogadh á dhéanamh ag na *cowboys* eile. D'fhágas slán ag Eibhlín mar dhea agus d'imigh sí léi isteach sa tig. Is gearr go bhfeacamair solas gluaisteáin ag gabháil Ard na Carraige anuas.

'B'fhearr teitheadh siar an bóthar,' arsa fear éigin.

'Sin iad na múinteoirí atá chugainn agus má bhraitheann siad éinne timpeall coimeádfaidh siad súil ar an dtig.'

Scaipeamair siar an bóthar i dtreo chearnóig na Muirí. Bhíomair ag caint agus ag caitheamh tharainn tamall.

'N'fheadar an dtiocfaidh na cailíní amach arís,' arsa duine éigin.

'Ó mhuise,' a dúrtsa, 'chomh luath agus a bheidh na múinteoirí gafa doras an tí amach cuirfidh bean an tí an bolta air.'

Ghaibh an gluaisteán lán de mhúinteoirí tríd an mbaile siar.

'Sea, go n-éirí a mbóthar leo,' arsa Éamonn Ó Dálaigh a bhí ina sheasamh le m'ais. 'An bhfuilir ag dul abhaile?' ar sé, ag tógaint ceann de ná raibh aon rothar agam. 'Mura bhfuil rothar agat preab in airde ar an mbeár chugamsa.'

'Ó tá sé thoir i ngarraí John Aindí agam. Cogar, fan timpeall tamall.'

Bhí comhartha ceiste ar a aghaidh.

'Teastóidh cabhair uaim le dréimire.'

Níor chaitheas a thuilleadh a rá. Dhein sé smuta breá gáire agus chroith sé a cheann.

'Cuir do rothar i bhfolach in áit éigin agus éalóm ón ngang,' arsa mise i gcogar, ag baint stothadh beag as mhuinchille a chasóige.

'Sea, a Mhaidhc Dainín, léim in airde chugam agus tabharfam aghaidh ar an mbothán,' a dúirt sé amach os ard, d'fhonn is ná beadh aon dul amach ag na buachaillí eile cad a bhí sa cheann againn. Phreabas in airde chuige agus seo leis sall tríd an Muirígh nó go dtánamair go dtí bothán John Aindí. Rug sé ar a rothar agus chuir laistigh de chlaí é d'aon iarracht amháin.

'Cá bhfuil an dréimire?' a dúirt sé agus é ag glanadh an chlaí isteach.

'Tá sé i gcoinne an choca.' Thógamair an dréimire ón gcoca, duine againn ar gach ceann de. D'éalaíomair linn suas cois an tsrutháin agus isteach sa ghairdín ar chúl an lóistín.

'Seachain, tá díog in aice leis an gclaí,' arsa mise.

'Is dócha go bhfuil gach troigh den ngairdín seo siúlta cheana agat,' ar sé liomsa. 'Cá dteastaíonn an dréimire uait?' ar sé agus é ina sheasamh ansiúd ar chúl an tí.

'Fuinneoig na binne. Agus nuair a bheidh sé ina sheasamh in airde ag an bhfuinneoig agat is féidir leatsa bailiú leat.'

'Ó sea, bailigh leat anois tar éis an dréimire a iompar aniar i do theannta.'

'An bhfuil aithne agat ar éinne de na cailíní sa tig seo?'

'Déanfaidh aon cheann acu mé, is mar a chéile iad.'

Chuas in airde an dréimire go breá socair ar eagla go mbeadh aon cheann de na rungaí lofa. Bhí Éamonn i mbun an dréimire agus a chos i dtaca leis aige, ar eagla go sleamhnódh sé.

Bhuaileas cnag beag éadrom ar an bhfuinneoig ach má dheineas ní raibh gíocs ná míocs ag teacht as an seomra. Ansin bhuaileas an pána le pingin a thógas as mo phóca. D'oscail an fhuinneoig. Ba í páirtí Eibhlín a bhí ann.

'Beidh sí chugat faoi cheann neomait,' ar sí.

'Cogar, tá garsún eile i mo theannta. B'fhéidir go bhféadfása teacht amach chomh maith.'

D'oscail sí an fhuinneoig in airde tamall eile agus sháigh sí a ceann amach. 'Cá bhfuil sé?'

'Tá sé i mbun an dréimire.'

'Ní féidir liom é d'fheiscint, tá an oíche ródhorcha, nó an bhfuil sé dathúil?'

'An bhfeacais riamh pictiúir de Rock Hudson? Bhuel ní choimeádfadh sé coinneal don bhfear atá i mbun an dréimire.'

Rith sí go cúl an tseomra chun a casóig a fháil.

'Bead chugat! Bead chugat!'

Tháinig Eibhlín go dtí an bhfuinneoig agus í gléasta chun bóthair.

'Iompaigh timpeall agus tair amach i leith do thóna. Béarfadsa ar chois ort agus stiúród ar rungaí an dréimire í.'

Bhí sí ag crith le heagla. 'Bhfuil a fhios agat,' a dúirt sí agus í ag sá a cos amach an fhuinneoig, 'béarfar cinnte orainn.'

'Éist, a bhean, agus bíodh ciall agat.'

Lena linn sin ghaibh na buachaillí a bhí thiar i gcearnóig na Muirí aniar an bóthar ar a rothair agus gach aon liú acu.

Stopadar díreach ar aghaidh an tí amach.

'Ó,' arsa duine acu, 'nach ait an t-am d'oíche é do bheirt siúinéirí bheith ag cur fuinneoige isteach.'

Tháinig scartadh mór gáire ón gcuid eile acu. D'oscail doras an tí. 'Ó tá an diabhal déanta,' arsa Eibhlín agus í á tarraingt féin isteach an fhuinneoig arís.

'Téirigí abhaile, a phaca bligeard!' arsa bean an tí.

Sea anois bhí gach aon rud ina chiste. D'fhéachas síos go bun an dréimire ach bhí an claí amach curtha ag Éamonn de féin. Ambaiste is fearr rith maith ná drochsheasamh, a dúrt, ag dreapadóireacht anuas an dréimire. Bhíos leath slí anuas an dréimire nuair a chas bean an tí cúinne na binne agus scuab á iompar aici. Thugas léim anuas ón gceathrú runga ach má dheineas thug sí iarracht chugam leis an scuaib agus d'aimsigh sí thiar idir an dá shlinneán. Sular ullmhaigh sí í féin don dara flíp bhí mo chosa tugtha agam thar claí liom.

'Tóg an méid sin, a tháilliúirín na mban. Smaoinigh ar an gcoráiste dréimire a fháil agus a bheith ag prapáil isteach go seomra príobháideach! Seo leat anois ar ais go dtí an áit gurb as tú agus ná fill. Ní haon *kip shop* é seo.'

Ó a Mhuire, an tinneas a bhí i mo dhroim. Cheapas go raibh sé ina dhá lomleath. Bhailíos liom chomh tapaidh agus a fhéadfainn agus droinn orm, agus bhaineas amach an áit ina raibh mo rothar. Bhí Éamonn ansiúd romham agus clab go dtína chluasa air agus gach aon scartadh gáire aige faoin ainniseoir a bhí os a chomhair amach agus droinn síos go talamh air.

'Ní haon chúrsaí magaidh é seo,' arsa mise ag iarraidh mo rothar a bhogadh amach ón dtaobh istigh den gclaí. Ní rómhaith a bhí ag éirí liom agus b'éigean do Éamonn cabhrú liom. Nuair a bhí mo rothar fachta agam thugas leathuair an chloig ansiúd agus gan corraí asam. Thána chugam féin i gceann tamaill ón dtinneas a bhí orm.

'Téanam ort,' a dúrt le hÉamonn agus chaitheas mo chos thairis an srathar agus bhogas liom amach chun bóthair. Lean Éamonn mé. 'Ó, an bhfuilimid ag dul ar ais go dtí an dtig sin arís,' ar sé go magúil.

'Dá mbeadh Elizabeth Taylor ag feitheamh liom sa tig sin ní raghainn in aon ghiorracht dó.'

Go Sasana ar thóir Oibre

Tar éis don gcúrsa imeacht fuair an áit ana-chiúin agus ana-shocair. Ní raibh ach an fo-chuairteoir ag teacht timpeall cé ná féadfadh an aimsir bheith níos fearr. Bhíos ag feitheamh le toradh an scrúdaithe a bhí déanta agam sa cheardscoil agus nuair a tháinig na torthaí fuaireas amach go raibh pas fachta agam ins gach ábhar, rud a chur an-éirí croí orm. Ansin thosnaíos ag cuimhneamh gur cheart dom dul agus post éigin seasmhach a lorg. Bheadh rudaí gruama a ndóthain ag iarraidh oícheanta fada geimhridh a chur isteach gan bheith sáite sa tine i rith an lae chomh maith. Bhaineas triail as gach ceardaí sa cheantar ag súil go mbeadh printíseacht ag teastáil ó dhuine éigin acu. Ach mo chreach, is é an freagra céanna a fuaireas uathu ar fad ná raibh a ndóthain oibre acu féin chun coimeád sa tsiúl.

Bhí mí Lúnasa tagaithe agus an fómhar á chríochnú ag na feirmeoirí. Bhí drochmhisneach ag teacht orm nuair a chuimhnínn ar an ngeimhreadh fada a bhí amach romham agus gan aon tsúil agam le pingin a thuilleamh agus fós bhíos ró-óg chun saighneáil don *dole*.

Bhíos ag ceangal choirce thuas i gCill Chuáin Uachtair. Ba cheart dom a rá go rabhas ag ceangal coirce agus feochadán! Ar a mhéad bhí seachtain oibre fágtha agam leis an bhfeirmeoir seo agus gan aon tsúil agam le haon obair eile go dtí an t-earrach ina dhiaidh sin. Bhí triúr againn ag obair sa ghort, duine ag bailiú an choirce agus beirt á cheangal. Ba dhóigh leat ar an slí a bhí an bheirt eile ag láimhsiú an choirce ná raibh aon fheochadán faoin spéir ann. Ní foláir nó go raibh an craiceann ar a lapaí siúd chomh righin le craiceann asail. Bhí tuairim agus chúig acra sa ghort agus thóg sé formhór coicís uainn é a bhaint, a bhailiú agus a cheangal. Nuair a cuireadh an stuca deireanach ina sheasamh sa ghort san ní mór ná gur ligeas béic áthais.

'Sea anois, mhuise,' arsa mise leis an mbeirt, 'ní bhéarfaidh an chéad fhómhar eile ormsa istigh i ngort feochadán i gCill Chuáin ná in aon bhaile eile timpeall ach oiread.'

Bhíos faoin dtráth sin agus míle éigin dealg feochadán istigh i mo chraiceann. Bhí clab ar an mbeirt eile ag gáirí. D'fhágas ansin iad agus chuireas díom abhaile agus mo dhá láimh ataithe le deilgní. Ghlanas agus scriosas mé féin chomh maith agus a fhéadfainn. Ansin fuaireas mias uisce te agus chaitheas braon *Dettol* isteach inti. Scólas mo dhá láimh go maith mar bhí eagla orm go dtiocfadh braon iontu leis na deilgní.

Nuair a bhíos gléasta, glanta, phreabas ar mo rothar agus thugas m'aghaidh ar bhaile an Daingin. Dúrt le mo mháthair gur ag dul go dtí na pictiúirí a bhíos. Ach ní hiad na pictiúirí a bhí i mo cheann an oíche sin. Ní hea mhuise, ach is i mbaile an Daingin a bhí an ceannaire a bhí ar chúrsaí an tsamhraidh agus ní raibh aon phingin íoctha liomsa fós as a bheith ag seinm dhóibh i rith an tsamhraidh.

Ní fada a bhíos ag baint an Daingin amach. Stopas i mBóthar an Dhoirín lasmuigh den dtig ina raibh fear na gcúrsaí ag fanacht. Chnagas breá socair ar an ndoras ach níor bhraitheas aon chorraí istigh. Bhaineas cnag níos troime as an ndoras. Is í bean an tí a tháinig go dtí an ndoras chun é d'oscailt.

'Tá cloigín ar thaobh an dorais. Ní gá ach é a bhrú. Níl aon ghanntar an doras a bhriseadh.'

Ní dúrt faic cé go bhféadfá a shamhlú cad a tháinig go barr mo theangan!

'An bhfuil Tomás istigh?'

Ní raibh ach leath-throigh den doras ar oscailt. Ba dhóigh leat gur aicíd éigin a bhí orm.

'Níl a chuid tae ólta fós aige.'

Ó b'in é an saol an uair sin. Chaithfeadh an sclábhaí fanacht ag an ndoras ag feitheamh an fhaid agus a bheadh an piarda ag líonadh a bhoilg. Dhún sí an doras agus d'fhág sí ag feitheamh ansiúd mé. Bhuaileas mo ghuala suas le fráma an dorais. B'fhearr foighne bheith ag duine.

Faoi cheann tamaill d'oscail an doras agus tháinig an múinteoir amach. Bhí a phus á chuimilt le páipéar bán éigin aige.

'Bhuel,' arsa mise, 'ar tháinig sé?'

'Cad tá i gceist agat?'

D'fhéachas air. 'An t-airgead a thuilleas go cruaidh ag seinm dos na cúrsaí i rith an tsamhraidh.'

'Ó bhíos chun focal bheith agam leat an oíche dheireanach den gcúrsa, ach bhís bailithe leat abhaile róthapaidh.'

Sea, a dúrt liom féin, tá sé tagaithe. 'Táim anseo anois. Ní fearr am dó.'

'Bhuel chuireas cuntas go dtí an Roinn Oideachais mar gheall ar na costaisí ar fad a bhí ag baint leis an gcúrsa, agus do chostas-sa ina measc. Sa litir a tháinig ar ais chugam cuireadh in iúl dom go raibh rud éigin ná raibh i gceart.'

'Ach an raibh aon airgead sa litir?'

'Fan bog go néosfad duit. Mar a dúrt leat, chuireas chucu an costas don gceol ar leithrigh. Is é an freagra a bhí sa litir ná go raibh gach cúrsa eile ag úsáid ceirníní chun ceoil rince agus mar sin ná rabhadar ag lamháil airgid chun díol as cheoltóirí a thuilleadh.'

Ó a dhuine, rith an fhuil suas go dtí mo phlaosc.

'Cad é sa diabhal atá á rá agat?' Shás chuige an doras isteach.

'Breá bog anois, a dhuine chóir. Níl aon leigheas agamsa air.'

Shás mo chaincín chomh cóngarach dona phus agus a fhéadfainn.

'An tusa a dhein an margadh liom?'

'Bhuel is mé, ach ní raibh aon chuntas agam ar an ngearradh siar sa Roinn.'

Bhí beirbhthean feirge ormsa faoin dtráth seo. 'Cuirfead geall leat nár ghearrais siar do chuid airgid féin.'

'Tóg breá bog anois é.'

Bhí an ceann caillte agamsa faoi seo. 'A thincéir gan choinsias. Is dócha gurb amhlaidh a fuairis an t-airgead agus gur chuiris i do phóca féin é.'

Chúlaigh sé siar agus dhein iarracht a doras a dhúnadh ach bhí mo bhróig curtha agamsa idir an doras agus an tairsigh.

'Bailigh leat anois, a dhuine chóir, nó glaofad ar na Gardaí!'

Is dócha gur tháinig ciall éigin dom faoin dtráth seo mar dúrt liom féin gurbh fhearr an suaimhneas ná an toirmeasc. Chúlaíos amach an doras agus sádh an doras amach i mo dhiaidh. Cad a bhí le déanamh agam? Ní raibh aon fhianaise agam go raibh aon mhargadh déanta tar éis an allais ar fad a chuireas díom ar an stáitse. Chuireas díom an tsráid síos ar nós madra go mbeadh a eireaball faoina dhá chois aige. Cad a bhí le déanamh anois? Bheinn sáite san áit agus gan lá oibre le fáil. Era, ós rud é go rabhas sa Daingean dúrt liom féin go raghainn go dtí na pictiúirí. Chuas chomh fada le fuinneog Chéití Sarah mar is ansin a bhíodh na fógraí mar gheall ar na pictiúirí. *Western* a bhí le bheith ann an oíche sin agus ba bhreá le mo chroí na *Westerns* chéanna. B'fhéidir go n-ardódh sé mo chroí dul go dtí na pictiúirí.

Bhí dhá scilling mar tháille ar na suíocháin bhoga agus scilling ar na suíocháin eile. Ba mhó de chraic go mór a bhíodh ar na suíocháin eile. Bhí an 'Pathe News' á thaispeáint nuair a bhaineas amach mo shuíochán. Nuacht ann ó gach aird den domhan. Nuair a lasadh na soilse sara dtosnaigh an pictiúir mór fuaireas amach gur seanpháirtí dhom a bhí suite in aice liom. *SeánchaiRde.*

'Ó 'on diabhal, an tusa atá ansin, a Mhuiris?' arsa mise leis. D'insíos mo scéal dó mar gheall ar eachtraí an tráthnóna.

'I gcuntas Dé,' ar sé, 'má bhí an t-airgead tuillte ag éinne riamh bhí sé tuillte agatsa tar éis an méid allais a shilis ag seinm i d'aonar ar an stáitse sin, gan aon chabhair.'

'Dhera, ní hin é an chuid is measa den scéal,' arsa mise, 'ach bhíos chun tabhairt faoi Bhaile Átha Cliath Dé Sathairn faoi bhráid an chluiche leathcheannais agus bhíos chun an bád a thógaint go Sasana tráthnóna Dé Domhnaigh.'

'Sasana!' a dúirt Muiris agus dhá chnapshúil air. 'I ndóthair níl tú ach sé bliana déag fós. Ní bhfaighir ann ach pá garsúin.'

'B'fhearr aon rud ná bheith ag dul ó bhinn go binn anseo timpeall agus gan fiacha an bhosca toitíní féin agam.'

D'fhéach sé orm. 'Cheapas-sa i gcónaí go rabhais craiceálta ach anois is dóigh liom go bhfuileann tú glan scuabtha as do mheabhair.'

Lasas toitín agus ní chuaigh an comhrá a thuilleadh mar thosnaigh an pictiúir. Chun na fírinne a insint ní raibh m'aigne leis an scannán. Bhí daichead rud ag rith trí mo cheann. Chríochnaigh an pictiúir timpeall a leathuair tar éis a haon déag. D'fhiafraigh Muiris díom agus sinn ag dul an doras amach cá bhfágas mo rothar.

'Thiar sa bhfothrach i ngarraí Chlery,' arsa mise.

Dúirt Muiris liom go raibh a rothar féin san áit chéanna. 'Dá bhfágfá do rothar ar thaobh na sráide,' arsa Muiris, 'bheadh sé ardaithe leis ag bastún éigin agus é imithe Sráid na nGabhar amach agus seans maith ná chífeá go deo arís é.' *Léi ClReall.*

Ní dúramair faic eile ar feadh tamaill.

'Ach an bhfuil tú dáiríre mar gheall ar Shasana?'

Bhíomair ag siúl le hais na beairice faoin dtráth seo. Chomh siúrálta agus gurb é Dainín Dan m'athair, stop sé i lár na sráide agus d'fhéach idir an dá shúil orm. 'An dtarraingís anuas chucu aige baile é?'

Bhuaileas mo láimh ar a ghualainn. 'An dóigh leat go bhfuilim simplí ar fad. Dá mbeadh a fhios ag an seanaleaid nó ag an sean-*lady* cad tá i mo cheann d'imeoidís bán. Is é a bhíos chun a rá leo ná go rabhas chun dul go dtí an gcluiche agus go gcaithfinn seachtain i mBaile Átha Cliath in éineacht le col ceathrar liom. Nuair a thiocfadh mo litir ó Londain bheinn i bhfad uathu agus b'fhéidir ag obair dom féin. Cad a bheadh le déanamh acu ansin? Ach caith uaim mar scéal anois é mar tá an scéal ina phraisigh nuair ná fuil costas an bhóthair agam.'

Bhíomair ag déanamh ár slí siar bun caladh faoin dtráth seo. Oíche bhreá bhog fhómhair ab ea í agus an ré lán os ár gcomhair in airde.

'Cogar, a Mhaidhc,' arsa Muiris. 'Is é do choileach a ghlaoigh, a bhuachaill. Dá mbeadh costas do bhóthair agat an mbeadh sé díolta ar ais agat roimh Nollaig?'

Bhíos in amhras ar cad a bhí ina cheann. 'Nílim meáite ar aon airgead a thógaint uait mar tá do dhóthain cúraim ort féin.'

'Anois, a Mhaidhc, ní chaithimse tobac ná ní ólaim piúnt. Is é an t-aon uair amháin den mbliain a mbíonn airgead uaim ná aimsir na Nollag. Anois tabharfad tríocha punt duit atá in airde ar bharr an churpaird agam aige baile. Gheobhair é ar dhá choinníoll.'

Ba dheacair tairiscint mar sin a dhiúltú. 'Lean ort,' arsa mise. 'Ná habair leo aige baile go deo cé thug costas an bhóthair duit agus uimhir a dó, go ndéanfair gach iarracht é a dhíol ar ais roimh Nollaig.'

Chuireas mo láimh timpeall a ghualainn.

'A chara dhílis, tá m'fhocal agat agus ní dhéanfad dearmad go deo ort.'

Ní raibh aon fhocal as lán na beirte againn ar feadh tamaill.

'Ó, a Chríost,' ar sé, 'má fhaigheann Dainín amach go deo gur thugas airgead duit caithfidh sé i bpoll portaigh mé.'

Scairt an bheirt againn amach ag gáire.

Bhí uair an mheán oíche bainte amach aige agus leathuair lena chois nuair a bhaineamair amach a thig siúd. Isteach linn sa chistin chomh ciúin in Éirinn agus a fhéadfaimis chun ná dúiseoimis muintir an tí. Thosnaigh sé ag cuardach in airde ar bharr curpaird a bhí sa chúinne in aice leis an adharta. Faoi cheann tamaill tharraing sé chuige dorn nótaí agus iad fillte ar a chéile agus corda á gceangal.

'Ní haon iontas ná fuil fonn ortsa bailiú leat,' arsa mise, agus mé ag baint lán mo shúl as an ndorn nótaí. 'Dá mbeadh carn mar sin agamsa ní fhágfainn an ball seo ach oiread.'

'Tá an fheirmeoireacht ag dul i bhfeabhas le cúpla bliain,' ar sé, 'agus teastaíonn ó mo mhuintirse mé a choimeád sa bhaile. Tugann siad fuílleach airgid dom agus tabharfaidh siad dom an fheirm nuair a bhead bliain is fiche.'

Leis sin chomhairigh sé amach an t-airgead chugam. 'Imigh anois,' ar sé 'agus go n-imí gach rath leat.'

Rug sé greim láimhe orm.

'Sea, b'fhearr dom bogadh,' arsa mise, 'féachaint an bhfaighinn aon néal codlata. Ach geallaim rud amháin duit agus is é sin go mbeidh do chuid airgid ar ais agatsa sula dtiocfaidh an Nollaig ort.'

Bhain sé lán a shúl asam.

'Is dócha go gcuirfir fút ansiúd thall an chuid eile de do shaol.'

'Bliain amháin atáim chun a thabhairt i Sasana ansin beidh costas Mheiriceá déanta agam. B'fhéidir go dtabharfainn tamall de bhlianta thall i Meiriceá ansan. Faoin am sin caithfidh feabhas a bheith tagaithe ar ár ndúthaigh bheag féin. Más féidir in aon chor é, is bás in Éirinn a gheobhadsa.'

Sea, d'fhágas slán aige agus bhailíos liom ar mo rothar. Bhraitheas go raibh tocht éigin ar mo chroí agus mé ag druidim leis an seanbhothán.

An mhaidin Shathairn roimh an gcluiche leathcheannais d'éiríos amach as an leaba go luath. Ní rabhas ábalta aon néal codlata a dhéanamh mar bhí an iomad rudaí ag imeacht trí mo cheann. Bhí ceo anuas go dtí béal na ndoirse agus cuma shalach ghruama ar an áit. Chuireas orm mo bhalcaisí Domhnaigh agus mo bhróga nua. Fuaireas cás beag a bhí sáite isteach faoin leaba. Chaitheas isteach ann cúpla seanléine, cúple bríste agus seanaphéire bróg tairní a bhínn ag úsáid nuair a bhínn ag baint mhóna leis an sleán. Do shás faoin leaba arís é chun go dtabharfainn m'aghaidh ar an gcistin. Bhí m'athair suite ag ceann an bhoird ag ól tae. Bhí císte á dhéanamh ag mo mháthair thíos i mbun an bhoird.

'Ó, cabhair Dé chugainn, tá sé ina shuí,' arsa m'athair go magúil. 'An ag obair go dtí oifig éigin atánn tú ag dul?'

Shuíos síos agus tharraingíos muga chugam féin agus ligeas steall tae isteach ann.

'Neosfad duit cá bhfuilim ag dul. Táim ag dul chomh fada le Baile Átha Cliath go dtí an gcluiche leathcheannais idir Chiarraí agus Doire.'

D'fhéach an bheirt ar a chéile. 'Is an bhfuil do dhóthain airgid agat don mbóthar?'

'Tá ambaist. Fuaireas airgead an cheoil aréir.'

Rug m'athair ar a chaipín a bhí ag crochadh laistiar den ndoras.

'Ó, má tá do chuid airgid féin agat bailigh leat. Is dócha go mbeir aige baile arís tráthnóna Dé Domhnaigh,' arsa mo mháthair.

'Dhera, tabharfad seachtain ann. Fanfad in éineacht le muintir Uí Eara.'

Níor chuir éinne ina choinne seo, mar ba ghaolta dúinn iad seo. Chríochnaíos mo bhricfeast go tapaidh. Rug m'athair ar a chasóig agus shiúil i dtreo an dorais.

'Má fhiafraíonn tú dhomsa é, tá leaideanna óga an lae inniú lán de theaspach. Ní hea ach tá siad imithe le haer ar fad.' Bhí seanmóir eile á thabhairt aige. 'Nuair a bhíos-sa óg bhíodh...' Bhí sé ag caint fós agus é ag cur de amach. Thugas féachaint mhaith fhada air amach tríd an bhfuinneoig gur imigh sé as mo radharc pén áit a raibh sé ag imeacht.

Chuas i dtreo an tseomra chun dul ag triall ar an gcás beag. 'An b'in é an méid a íosfair nó cad ina thaobh ná fuil an t-ubh beirithe ite agat? Tá aistear fada romhat.'

Mo mháthair a bhí ag caint.

'Níl a fhios agat a leath,' arsa mise liom féin.

'Tabharfad liom do rothar. Raghaidh duine éigin ag triall air go garraí Chlery,' arsa mise.

Fuaireas an rothar agus ghreamaíos an cás taobh thiar de. Lean mo mháthair amach go dtí an ngeata mé.

'Tabhair aire dhuit féin i mBaile Átha Cliath, tá gach saghas tincéara ansiúd.'

D'fhágas slán aici agus d'imíos liom an bóthar amach. Nuair a bhíos tamall síos an bóthar d'fhéachas i mo dhiaidh agus chonac go raibh sí ansiúd ag an ngeata fós agus í ag féachaint i mo dhiaidh. Ba dhóigh leat go raibh a fhios aici ná feicfeadh sí mé ar feadh tamaill fhada. Leis sin tháinig <u>tocht éigin i mo scornaigh</u> féin agus ba dheacair liom na deora a choimeád siar. *lump in my throat*

Is mé ag rothaíocht suas Mám an Lochaigh d'fhéachas uaim síos ar Pharóiste Múrach. Ar fhéachaint uaim síos tháinig na deora go fras liom. Ansiúd os mo chomhair bhí Béal an Chuain, Túr Bhaile Dháith, Baile Reo agus Bun Chnoic Bhréanainn, is na háiteanna seo ar fad a bhí ar m'aithne. 'Sea mhuise,' arsa mise liom féin, 'bead ar ais chugaibh agus ní dealbh é.'

Thógas bus leathuair tar éis a deich ón nDaingean go Trá Lí. Ní raibh traein Bhaile Átha Cliath ag fágaint go dtína haon. Thug san seans dom greim bídh agus cupa tae bheith agam i dTrá Lí. Timpeall a deich chun a haon a bhaineas stáisiún na traenach amach agus bhí slua mór bailithe romham. Chuas chomh fada le fuinneoig na dticéad agus lorgaíos ticéad don aistear a bhí romham amach. D'insíos mo scéal don gcailín a bhí ag díol na dticéad. Bheinn i mBaile Átha Cliath an oíche sin, a dúrt léi, agus bheinn ag tabhairt aghaidh ar Shasana lá arna mhárach.

'Is cuma,' ar sí, 'seasfaidh an ticéad seo coicís.'

D'fhiafraigh sí dhíom cad é an áit i Sasana a raibh mo thriall.

'Londain,' arsa mise go tiarnúil.

'Seacht bpunt déag agus réal mar sin.' Bhí an ticéad níos saoire ná mar a cheapas. Ba é seo mo chéad aistear ar thraein ar a shon is go rabhas sé bliana déag. Chuas ar bord agus do shuíos síos in aice na fuinneoige chun go bhfeicfinn chugam agus uaim.

Thosnaigh an traein ag bogadh léi amach as an stáisiún tar éis tamaill. De réir mar a bhí sí ag bogadh léi ón mbaile mór bhí an traein ag cur luais suas. Ba é an t-iontas ba mhó a bhí ormsa ná conas a d'fhan an traein idir na ráillí caola agus í ag imeacht chomh tapaidh sin, gan sleamhnú anuas dhíobh agus dul isteach i lár goirt éigin. Ba dhiail an ceann a bhí ar an nduine a chum agus a cheap í. Ní fada in aon chor go rabhamair sa Ráth Mór, an stop deireanach i gCiarraí. Is ansin a thosnaigh na smaointe ag imeacht trí mo cheann. Sea, bhí an baile fágtha agam agus mé ar mo shlí go Sasana ar thóir oibre. Nárbh ainnis í an dúthaigh bheag inar saolaíodh mé. Athracha agus máthracha na hÉireann ag tógaint a gcuid clainne agus nuair a bhíonn siad tógtha acu imíonn siad uathu ar imirce agus fágtar go haonarach iad i ndeireadh a saoil thiar. Ní fheadar an ar na daoine féin atá an locht. Nár mhór an t-ádh a bhí liom agus a rá le mo mháthair go mbeinn i mBaile Átha Cliath ar feadh seachtaine. Mura mbeadh an méid sin ráite agam bheadh na Gardaí am chuardach Dé Máirt is dócha. Bhíodh mo mháthair imníoch i gcónaí nuair a bhíodh duine éigin againne imithe as baile. Is mó smaoineamh eile mar sin a rith trí mo cheann ar an aistear. D'fhágamair Má Ealla laistiar dínn. Cad a déarfadh mo dheartháir Dónall nuair a shiúlóinn isteach chuige maidin Dé Luain? Bhí Dónall i Londain le tamall de bhlianta. Is dócha go mbeadh sé ina Chogadh an Dá Rí eadrainn.

Thug fear a bhí suite i m'aice seoladh i mBaile Átha Cliath dom ina bhfaighinn lóistín. Dá réir siúd bhí an áit seo i ngiorracht scread asail do Pháirc an Chrócaigh.

Bhain an traein Baile Átha Cliath amach timpeall a sé a chlog. Tar éis dom teacht amach as an dtraein do stopas ar feadh tamaill ag féachaint i mo thimpeall. Shiúlaíos go mall amach as an stáisiún. Ba mhór an radharc a bhí le feiscint agam amuigh. Foirgnimh mhóra arda ar gach taobh díom. Na mílte daoine i mo thimpeall agus fuadar ard faoi gach éinne. Á, a Mhuire, nach pinsiúil an áit é seo! *'Hello Sir!'* Is amhlaidh a bheannaíos do dhuine éigin a bhí ag dul thar bráid. Ach a dhuine, ní bhfuaireas de bheannú ar ais uaidh ach féachaint mhíchéatach.

Casadh Garda orm amuigh ar an ndroichead atá láimh leis an stáisiún. Thugas dó an píosa páipéir a bhí agam agus seoladh an lóistín air. Stiúraigh an Garda go maith mé agus ní fada gur bhaineas amach an lóistín. Fear ó Chathair Saidhbhín a bhí i mbun an lóistín agus 'The Castle' a bhí tugtha aige air. Is minic a d'fhanas sa lóistín céanna ó shin.

Bhíos i mo shuí go moch maidin Dé Domhnaigh. Ní raibh aon taithí agam ar thrácht ná ar fhothram ná ar chodladh in áit stróinséartha. Bhaineas amach seomra an bhídh agus deirimse leat go raibh boladh breá d'fheoil rósta á fháil agam agus mé ag teacht anuas an staighre. Cuireadh pláta os mo chomhair an mhaidin sin agus oiread bídh air a bheadh maith a dhóthain do Rí na Spáinne. Bagún róstaithe, putóga bána agus dubha agus an t-ubh róstaithe chomh maith.

Tar éis mo bholg a líonadh ghabhas mo bhuíochas l
dhíolas as mo chuid bídh agus as mo lóistín agus thuga
Pháirc an Chrócaigh. Bhí tamall le dul sula dtosnc
mionúr. Ní fheaca riamh a leithéid de shlua agus a bhí
iad ag déanamh ar Pháirc an Chrócaigh. Cuid m
dathanna Chiarraí orthu agus cuid eile agus dathanna I

B'fhuirist suíochán a fháil sa Hogan Stand an lá sin. Bhíodar te go
maith le chéile sa chéad fiche nóimint agus bhí clismirt an domhain *battle*
idir Micko agus McKeever i lár páirce. Sea mhuis, bhí cúpla sean-*warrior*
ar fhoireann Chiarraí a ba cheart a bheith suite i measc an lucht
féachana. Bhíodar i bhfad rómhall agus bhí a mbuille tugtha. Bhí sé le
feiscint sa dara leath ná raibh aon teacht aniar i gCiarraí agus bhí Doire
ag tarraingt chun cinn go breá réidh. Ar a shon gur chuir Mick
O'Connell fuílleach caide isteach go dtí na tosaithe ní raibh an
choisíocht acu istigh chun éalú ó chúil Dhoire. Bhuaigh Doire an
cluiche ar a suaimhneas. Bhíos bailithe go leor ag fágaint na páirce, ach
cad a bhí le déanamh. Dúrt liom féin go mbeadh lá eile ag an bPaorach.

10

Tá Jab Fachta Agam

*A*r a naoi a chlog an oíche sin a sheol an *Naomh Pádraig* amach ón gCaladh Thuaidh. Dá bhfeicfeá an toirt a bhí sa bhád bán, a dhuine! Bhí sí chomh leathan le sráid mhór an Daingin agus má bhí sí troigh bhí sí trí chéad ceann, nó sin mar a taibhsíodh dhomhsa í. Bhí iontas orm conas a shnámhfadh aon rud chomh mór sin nó chomh trom léi ar uisce.

Ba dhóigh leat go raibh muintir na hÉireann ar fad ag tréigean a ndúthaí ar an slua a bhí ar an mbád an oíche sin. D'fhiafraíos de dhuine des na mairnéalaigh an mbíodh slua chomh mór san acu gach oíche.

'Bíonn an samhradh ar fad mar seo,' a dúirt sé.

'Ó, go bhfóire Dia orainn ní bheidh éinne fágtha in Éirinn má leanann sé seo,' arsa mise liom féin. Bhí daoine ins gach áit. Bhíodar ar an ndeic agus bhíodar thíos staighre. Dá dteastódh bunc ó dhuine bhí sé le fáil ar phunt breise ach chuir duine éigin ar mo shúile dhom nárbh fhiú ceann a fháil. Nuair a bhí an cuan amach curtha di aici bhí slua mór ar an ndeic agus iad ar fad ag féachaint laistiar díobh ar Bhinn Éadair agus ar an gcuid eile de thalamh na hÉireann a bhí os a gcomhair amach agus é ag sleamhnú uainn sa dorchadas. Bhí daoine ansiúd agus ciarsúirí lena súile agus gach aon bhéic ag gol acu.

'Ó mhuise,' a dúrt liom féin, 'nach orainn a chuir an Fear in airde an chros ná féadfaimis slí bheatha a bhaint amach inár ndúthaigh féin.'

Tháinig ualach bróin ar mo chroí féin. Shiúlaíos timpeall an bháid chun an scailp bróin a chur díom agus shiúlaíos síos an staighre. Bhí tae agus ceapaire le fáil thíos agus deochanna nach iad dá mbeadh spalladh ort. Bhí fear istigh i gcúinne agus ceol breá meidhreach á sheinm aige. Fuaireas amach ina dhiaidh san gur ó áit éigin sa Ghaillimh ab ea é agus mise dá rá leat go raibh poirt aige. Bhí slua bailithe timpeall air agus maidí pint ag mórán acu agus é de dhealramh orthu ná raibh cíos, cás ná cathú orthu. Bhíodar ag slogadh go tiubh agus nuair ná rabhadar ag slogadh bhí gach aon phocléim acu leis an gceol. Nuair a bhíodh fear an cheoil ag tógaint sos d'ardaíodh duine éigin suas scol amhráin. Shuíos síos ar mo shuaimhneas agus bhaineas sult as an gcráic. Bhí ciorrú bóthair – nó ar cheart dom farraige a rá – ag baint leo. Canadh roinnt amhrán ná raghadh síos rómhaith le Banríon Shasana dá mbeadh sí i láthair. Dúirt fear éigin tar éis tamaill go raibh cósta na Breataine Bige buailte linn. Iadh an beár agus dúradh linn prapáil le dul i dtír. Bhí daoine sínte ins gach áit ina gcodladh agus daoine lúbtha de dhroim na rálach ag cur súp na gcaolán amach le breoiteacht fharraige. Táim eaglach ná raibh aon chosa farraige acu seo. Tharraing sí isteach cois cladaigh agus tugadh ordú do gach duine ullmhú do lucht an chustaim. Ní rabhas-sa chun puinn moille a chur ar fhear an chustaim leis an méid balcaisí a bhí sa chás agam. Ach go sábhála Dia sinn bhí daoine eile ann agus ba dhóigh leat gur thugadar na troscáin agus gach rud eile a bhí sa tig leo. A Mhuire, cad chuige na balcaisí ar fad?

Tar éis dul tríd an gcustam bhordálamair traein a bhí ag feitheamh linn. Thabharfadh an traein lom díreach isteach go dtí Londain sinn gan a thuilleadh útamála. Leanas an slua isteach sa traein agus fuaireas suíochán dom féin. Ní fada a bhíos sa tsuíochán nuair a thiteas i mo chnap codlata agus ní cuimhin liom faic eile gur dhúisigh fear na dticéad mé. D'fhiafraíos de cá rabhamair agus dúirt sé liom go rabhamair i ngiorracht uair an chloig do Londain. Bhaineas amach an leithreas agus dheineas feistiú orm féin.

Agus mé ag féachaint amach trí fhuinneoig na traenach thugas faoi ndeara go raibh na tithe ag dul i bhflúirse de réir mar a bhí an t-am ag imeacht agus is gearr gur rith na tithe isteach ina chéile. Ní bhfuaireas riamh i mo shaol boladh chomh gránna agus chomh stálaithe agus a bhí ag teacht chugam agus an traein ag imeacht léi isteach go cathair Londan. Cheapas go raibh Baile Átha Cliath olc nuair a bhíos ann an lá roimhe sin ach bhí aer breá folláin ann i gcomparáid leis an áit seo.

Is mór fada fairsing í cathair Londan. Ní rabhas i bhfad á fháil san amach nuair a chuas ag cuardach lóistín mo dhearthár. Bhí a sheoladh scríte síos ar shmut de pháipéar agam agus in áit éigin darbh ainm Woodgreen a bhí cónaí air. Is é an tiúb nó an traein faoi thalamh a thug ón stáisiún, Paddington, go dtí Woodgreen mé. Ag imeacht le haibhléis a bhíodar siúd – is iad san na traenacha faoi thalamh – agus raghfá ó cheann ceann na cathrach iontu laistigh d'uair an chloig. Nuair a thánas amach ag stáisiún Woodgreen bhí na sluaite amuigh ar na sráideanna agus fuadar an domhain fúthu, díreach mar a bhí acu i mBaile Átha Cliath. Bhíodar dubh agus buí agus geal ann. Bhí cuid acu

chomh dubh le corcán na dtrí gcos a bhí aige baile againn. Bhí fearaibh
téagartha agus fearaibh loma ann, óg agus aosta. Mná a bhí dathúil
agus mná eile a dhealrófá le moncaithe agus iad ar fad ag baint na gcos *busy*
dá chéile pé áit go raibh a dtriall. D'fhéachas uaim suas an tsráid. Bhí
pictiúrlann le feiscint agam suas uaim ar an dtaobh clé agus clog go
seiftithe ar bharr na pictiúrlainne. Ní raibh sé ach leathuair tar éis a
deich ar maidin. Dá raghainn go lóistín mo dhearthár is dócha go
mbeadh sé imithe ag obair agus chaithfinn mo scéal a mhíniú do bhean
an tí. Tar éis ceistiú agus cuardach bhaineas amach Victoria Road
Uimhir a tríocha a bhí uaim. Thánas go béal an dorais. D'fhéach gach
tig mar a chéile mar is bríc dhearg a bhí ins gach tig ó cheann ceann na
sráide. Luíos ar an gcnaipe a bhí ar fhráma an dorais. Faoi cheann
tamaill chonac an scáth tríd an ngloine ag déanamh ar an ndoras. Ag
seasamh os mo chomhair bhí bean íseal leathan agus ceann liath uirthi
agus pus mór leathan.

'*What do you want?*' a dúirt sí go tur. D'insíos di gur deartháir do
Dhónall Ó Sé mé. 'Is dócha go bhfuil sé imithe ag obair.'

Dúirt sí liom go raibh agus í ag féachaint orm go hamhrasach. 'Is ait
liom ná dúirt Dónall faic liom mar gheall ort a bheith ag teacht.'

Dúrt léi ná beadh a fhios aige go rabhas ag teacht in aon chor.

'*Come in,*' ar sí tar éis tamaill.

Chuamair isteach trí halla dorcha go dtí an gcistin. Thug sí aghaidh
ar a staighre.

'*Follow me,*' ar sí.

Ar an gcuma a bhí ar an dtig déarfainn go raibh sé tógtha le cúpla
céad bliain. Thug sí isteach i seomra beag in aice bharr an staighre mé. *cinders*
Bhí ionad tine sa tseomra agus é de chuma air ná feaca sé aon <u>sméaróid</u>
le fada an lá. D'fhiafraíos di cé mhéad a bhí sí ag baint amach as an
seomra, ag caitheamh mo shúl timpeall ag an am céanna. Dúirt sí gur
trí puint sa tseachtain a bhí uaithi agus go raibh an bricfeast ar maidin
agus dinnéar tráthnóna sa mhargadh sin. Chuireas mo láimh i mo
phóca agus shíneas chuici na trí puint. Ní fheadar an amhlaidh a bhog
a croí nuair a chonaic sí an t-airgead ach thug sí síos go dtí an gcistin
mé agus dhein sí muga tae agus ceapaire dhom. Bhí an t-arán beagán
stálaithe ach cé a bheadh ag gearán? Bia ab ea é.

Bhí an lá fós óg agus in ionad a bheith ag éisteacht le ráiméis na
seanamhná úd dúirt liom féin gurbh fhearr dhom dul amach ag lorg
oibre. Cheistíos í ar an áit ba dhóchúla chun dul ag cuardach. Scrígh sí
síos cúpla seoladh dom go raibh monarchain mhóra iontu. Níor mhór
an chabhair a bheith ag lorg oibre lasmuigh an taca sin de bhliain.
D'fhágas slán aici agus bhuaileas liom an tsráid síos i dtreo Woodgreen.
Chuas ar an dtraein faoi thalamh ansin agus ceistíos fear na dticéad ar

cén áit ab fhearr teacht den dtraein agus dúirt liom nuair a thaispeánas an liosta dó go mbeinn i ngiorracht cúpla céad slat don chéad mhonarcha dá dtiocfainn amach i St Paul's Road.

Tar éis teacht den dtraein do thugas m'aghaidh ar an gcéad áit a bhí ar mo liosta. Ach post ná jab ní raibh ann. '*Come back next spring,*' a dúradar liom. Ar m'anam nár mhór an chabhair do Mhaidhc Dainín é sin! Thugas formhór an lae ag dul ó áit go háit ar nós tincéara. Bhí tinneas i mo dhá chois ó bheith a siúl agus mo dhóchas ag tréigean uaim de réir mar a bhí an lá ag dul i ndéanaí. D'fhéachas ar chlog a bhí trasna na sráide uaim. Bhí sé a leathuair tar éis a ceathair cheana.

'Tabharfad m'aghaidh ar an lóistín,' a dúrt liom féin, 'agus bead níos friseáilte amáireach.'

Bhíos díreach meáite ar phreabadh ar bhus nuair a chonac uaim an áit seo thíos i gcúlshráid. Bheartaíos ná cosnódh sé faic orm triail a bhaint as agus b'eo liom síos ina threo. Ghabhas isteach trí dhoras a bhí leathoscailte. Ní raibh an áit chomh beag is a cheapas ar dtúis. Tháinig fear meánaosta i mo threo. D'fhiafraigh sé díom an rabhas ag lorg duine éigin. Bhíos ag smaoineamh ná déanfadh sé aon díobháil beagán aisteoireachta a dhéanamh. Bhíos ag súil leis an bhfreagra céanna ansiúd agus a fuaireas i bhfiche áit eile roimhe sin. Chuaigh sé deacair go leor orm é a thuiscint.

'*Out with it mate,*' ar seisean.

D'fhéachas idir an dá shúil go truamhéileach air. D'fhiafraíos de an raibh aon obair aige. Dúrt leis gur aréir a thána trasna ar an mbád. D'fhéach sé orm agus cheistigh sé mé mar gheall ar an saghas oibre a dheineas in Éirinn. D'insíos an fhírinne dhó, gur bhaineas móin i bportach, gur cheanglaíos coirce agus mar sin de. Bhí sé ag machnamh ansiúd ar feadh tamaill. Níorbh aon droch-chomhartha é sin. Dúirt sé liom féachaint uaim suas tríd an monarcha ar an saghas oibre a bhí na fir ag déanamh. D'fhiafraigh sé díom an bhféadfainn *blueprint* a léamh. D'ardaigh mo chroí, mar bhí staidéar déanta agam ar an líníocht mheicniúil ar Cheardscoil an Daingin. Dúrt leis gur thugas dhá bhliain ag foghlaim sa cheardscoil. Thóg sé páipéar mór bán amach as a phóca agus leag sé anuas ar bhord laistigh den ndoras é. Dúirt sé liom féachaint ar an bpáipéar agus go raghaimis suas tríd an monarcha. Shiúlaíomair trí lár na háite gur thánamair chomh fada le triúr fear agus bhíodar siúd ag cur páirteanna difriúla de mheaisín le chéile. D'oscail sé an *blueprint* amach os mo chomhair arís. Phointeáil sé a mhéir ar pháirt den dtarraingeoireacht. D'iarr orm é a thaispeáint dó cá raibh an pháirt sin ar an dtalamh. Gan rómhoill phiocas suas an pháirt agus dúrt gurbh in é é. Tar éis dó bheith ag cuimhneamh ar feadh tamaill dúirt sé liom teacht isteach ar a hocht an mhaidin ina dhiaidh sin. Ghabhas buíochas leis agus chroitheas láimh leis.

B'éadrom é mo choiscéim ag dul i dtreo an dorais. D'imigh an tuirse as na cnámha agus bhíos chomh sásta is dá mbeadh an *sweep* buaite agam.

Nuair a fuaireas mé féin amuigh ar an sráid bhreacas síos seoladh na háite. D'fhéadfá a rá go raibh sciatháin orm agus mé ag dul i dtreo na traenach, bhraitheas chomh héadrom sin. Bhíos ag cuimhneamh ar cad a bheadh le rá ag mo dhearthair Dónall anois.

'Ó a bhuachaill bháin, nach mé atá go neamhspleách,' arsa mise liom féin.

Chuas ar an dtraein agus bhíos ag taisteal timpeall le deich nóimintí sular chuireas aon cheist ar fhear na dticéad. D'fhiafraíos de an rabhas i bhfad ó Woodgreen. Dúirt sé liom dá leanfainn orm ag dul sa treo ina rabhas go mbeinn i bhfad níos sia ó Woodgreen, mar go rabhas ag dul sa treo neamhcheart. Dúirt sé liom teacht amach ag an gcéad stáisiún eile agus dul trasna an droichid. Ó, a Mhuire, ní maith é an t-anbhá in áit stróinséartha.

Bhí sé ag tarraingt ar a sé a chlog nuair a bhaineas amach an lóistín. Ní raibh mo dhearthair tagaithe abhaile fós. 'Sea,' a bhíos ag cuimhneamh, 'níl a bhac orm scríobh abhaile anocht, agus bille chúig puint a chur sa litir. Bogfaidh sin an scéal.'

Bhíos ag dul ag obair lá arna mháireach agus gan fiacha orm ag éinne. Ní raibh aon bheann agam ar De Valera. D'fhiafraigh bean an tí díom an íosfainn mo shuipéar ansin nó an bhfanfainn le mo dhearthair Dónall. Chuireas in iúl di go bhfanfainn leis. Shíneas sa leaba agus má bhí aon duine traochta riamh bhíos-sa traochta an tráthnóna sin. Tar éis ceathrú uaire an chloig d'éiríos aisti mar dá bhfanfainn aon nóimint eile inti do thitfeadh mo chodladh orm. Chaitheas cúpla steall uisce ar m'aghaidh agus chíoras mo ghruaig agus thugas m'aghaidh ar an gcistin. Theastaigh uaim a bheith suite ansiúd nuair a thiocfadh Dónall isteach chun go bhfeicfinn an t-iontas a bheadh air nuair a thiocfadh sé agus mise istigh roimhe. Bhí fear an tí suite cois tine agus chuireas mé féin in aithne dhó. Fear beag lom ab ea é ná raibh róchainteach ach é ansiúd ag baint sásaimh as a ghal tobac. Ach bhí a dhóthain cainte ag bean an tí don mbeirt acu. Bhí sí ansiúd ag leagan an bhoird agus í ag gearán agus ag cnáimhseán ar na comharsain. Chuala an doras tosaigh ag oscailt. 'Is é seo é anois siúrálta,' a dúrt liom féin. Bhraitheas na coiscéimeanna ag teacht isteach an halla. Bhí bean an tí ag teacht isteach ón gcúlchistin le pota prátaí. '*Hello*,' arsa Dónall léi agus é ina sheasamh i mbéal dorais na cisteanach.

'An bhfuil aon *hello* agat domsa, a Dhónaill?' arsa mise.

Thit an caipín a bhí ina láimh ar an dtalamh. 'A Mhaidhc, a dhiabhail! An bhfuilir beo nó marbh nó an bhfuilim ag feiscint púcaí?'

Rugamair greim ar a chéile go daingean.

'Cad as a tháinis? Ó, a Mhuire Mháthair, ní baineadh an oiread geite asam ón lá a lean tarbh Tomáisín Sheáin Bheaglaoich mé fadó.'

Ní rabhas ábalta corraí ag gáirí.

'Dhera go leaga an diabhal tú cad ina thaobh ná scrís?'

'Dá ndéanfainn is mó lá agus oíche go bhfeicfeá mé,' arsa mise.

Dhruid sé siar uaim.

'Ná habair liom é. Ní dúrais leo aige baile go rabhais ag teacht, an ndúrais?'

Shuíos ar an gcathair.

'Bhíos thuas ag an gcluiche leathcheannais i mBaile Átha Cliath agus dúrt liom féin go dtabharfainn geábh anall. Ní bheadh siad ag súil liom ar feadh seachtaine in aon tslí mar dúrt leo go bhfanfainn seachtain i mBaile Átha Cliath.'

Chuimil sé bos a láimhe dá éadan. 'Buíochas mór le Dia na Glóire. Féadair scríobh abhaile anocht agus an scéal a bhriseadh. Ó in ainm Dé…Déanfaidh siad raic.'

Bhí an béile réidh agus shuíomair chun boird.

'Sea,' arsa Dónall, 'caithfeam dul ag soláthar jab duit amáireach.'

Thugas freagra breá neamhspleách air.

'Ní ganntar dúinn é mar tá jab fachta agam cheana.'

Ní mór ná gur thacht an blúire feola a bhí ina bhéal é.

'Mo ghrá deoil tú, cá bhfuairis an jab?'

'Tá an seoladh i mo phóca agam.'

Bhí bean an tí ansiúd agus an dá shúil ag dul amach as a ceann ag iarraidh a dhéanamh amach cad a bhí ar bun againn. Is gearr gur sháigh sí isteach a luach tistiúin.

'*Speak English, you're in England now,*' ar sí.

Más ea, d'fhreagair Dónall go bagrach í. D'fhiafraigh sé di an raibh dlí sa dúthaigh go gcaithfeadh daoine Béarla a labhairt. D'fhéach sé ormsa agus d'iompaigh ar an nGaelainn arís.

'Straip fiosrach is ea í sin.'

Nuair a bhí an dinnéar ite againn chuireamair dínn suas go dtí an seomra agus thug Dónall peann agus páipéar dom.

'Scrígh cúpla líne abhaile in ainm Dé.'

Nuair a bhí an litir scríofa agam bhuaileas bille chúig puint isteach inti agus chuireas an seoladh aige baile uirthi.

'Cad déarfá leis an ndinnéar?' arsa Dónall tar éis tamaill agus smuta gáire ar a aghaidh.

'Ó mhuis, níor chuir sé aon rud i gcuimhne dhom ach an phraiseach a thugaidís dos na muca aige baile.'

'A Mhaidhc, a bhuachaill, chomh luath agus a bheidh sé ar ár gcumas seomra a fháil in áit éigin taispeánfam ár sála don m*bitch* sin.'

'Dá luaithe is fearr, mar ní bheidh aon scamhóga fágtha ag éinne den bheirt againn.'

D'fhiafraigh Dónall díom ar ceistíodh mé mar gheall ar m'aos san áit a fuaireas obair. Dúrt leis ná cuireadh aon cheist mar sin orm. Thug sé tamall ag smaoineamh.

'An-mhaith. Raghadsa go dtí an *Labour* amáireach agus gheobhad cártaí duit. Má cheistíonn éinne sa jab tú abair leo go mbeir naoi mbliana déag ar an dara lá d'Fheabhra. Sin é do lá breithe, nach é?'

Mhínigh sé dom dá gcuirfinn in iúl go rabhas faoi bhun ocht mbliana déag ná faighinn ach pá garsúin.

'B'fhearr duit Baile Ghainnín a thabhairt mar sheoladh in ionad Carrachán, ar eagla go gcaithfeá teitheadh go dtí áit éigin eile.

'An lorgaíonn siad teastas breithe sa *Labour* go deo?'

Dhein sé smuta gáire. 'Ní dheineann go deo mhuis. Téanam ort síos go dtí Woodgreen agus cuirfeam an litir sa phost. Tá stampaí agamsa sa tseomra.'

Shiúlaíomair an tsráid síos go bhfuaireamair bosca poist. Ní fheaca riamh áit a bhí chomh lasta suas le soilse. Bhí soilse in áiteanna agus gan aon ghnó dóibh ach iad ag múchadh is ag lasadh. 'A Mhuire,' a dúrt, 'is maith a theastódh cuid des na soilse sin thiar i bParóiste Múrach is gan acu ach lampa beag íle ar thaobh an fhalla. I ndóthair tá leath an pharóiste ag imeacht caoch de bharr bheith ag léamh an *Kerryman* gan aon tsolas cóir acu chun a léite.'

Bhí cad é ceisteanna ag Dónall. Conas a bhí sé seo? Cad a chaill é siúd? Ní rabhas-sa in aon ghiúmar cóir chun bheith ag freagairt ceisteanna mar bhí tuirse ins gach aon chnámh de mo chorp. Níor dheineamair aon rud ach an litir a chaitheamh isteach sa bhosca agus tabhairt faoin lóistín arís.

'Dúiseoidh bean an tí ar maidin sinn,' arsa Dónall agus é ag tabhairt a aghaidh ar a sheomra féin. Mhúchas an solas agus chomh luath agus a bhuail mo cheann an piliúr thit codladh sámh orm.

11

Tugtar Pat ar gach Éireannach

'*Breakfast ready for steady boarders!*'

Phreabas aniar sa leaba. D'fhéachas timpeall an tseomra.

'Ó sea, ambaiste ach go bhfuilim i Londain.'

Bhaineas searradh asam féin agus bhuaileas mo dhá chois chugam ar an urlár. Chuireas an solas sa tsiúl d'fhonn mo bhalcaisí a aimsiú. Tharraingíos an cás beag a bhí sáite agam faoin leaba chugam amach. Bhuaileas orm seanabhríste a thugas liom faoi bhráid oibre agus chuireas na seanabhróga ina aice le cois na leapan.

Chnagas ar dhoras Dhónaill.

'An bhfuil rásúr agat?'

'Tá sí istigh sa leithreas, in aice leis an mbáisín.'

Chuas isteach go dtí an seomra a dúirt sé liom agus bhearras agus ghléasas mé féin. Ní bheadh aon ghnó agam cuma an tincéara a bheith orm an chéad lá ag obair dom.

Nuair a bhaineas amach an chistin bhí Dónall suite ag an mbord cheana féin. Bhí blúire de bhagún casta agus ubh róstaithe ar an bpláta a bhí curtha ag bean an tí os mo chomhair amach agus má tá aon mhaitheas i ngeir, bhí an bricfeast ag snámh ann. Ach ar m'anam gur itheadh go maith é, mar b'fhearr rud éigin a bheith sa bholg d'obair an lae ná bheith i laigíocht le hocras.

'Beadsa chomh fada le Finnsbury Park leat ar an dtraein,' arsa Dónall, 'agus dhá stop ina dhiaidh sin, tairse amach. Cas ar clé nuair a thiocfair ar barr. Ní bheidh ach siúl dhá nóimint ort ansin.' D'fháisceas m'iallach i mo bhróga agus bhogamair i dtreo an stáisiúin. Dá gcloisfeá an fothram a bhí ag na bróga tairní ag gabháil an pábhaile síos. Ba dhóbair ná tógadh liom ar mo chúl cúpla babhta, mar bhí na tairní sleamhain ag an bpábhaile. paving

'Caithfir péire bróg oibre a fháil go mbeidh bonn rubair fúthu, chomh luath agus a bheidh a bhfiacha agat. Cuirfidh na bróga tairní sin ar fhleasc do dhroma thú nuair a thiocfaidh aimsir sheaca,' arsa Dónall.

Deinim amach go raibh gach éinne a ghaibh tharm ag féachaint ina ndiaidh orm. Dhein fear amháin smuta gáire agus dúirt, '*Welcome to London, Pat.*'

'Cad é an diabhal atá ar siúd?' arsa mise. 'I ndóthair Maidhc an ainm atá ormsa.'

Thosaigh Dónall ag gáirí. 'Tugtar Pat ag gach Éireannach anseo is cuma cad é an ainm cheart atá orthu. Éireannach is ea é siúd agus tá a fhios aige go maith ná beadh bróga mar sin ar aon fhear eile ach duine a bheadh díreach tagaithe i dtír.'

Chuir sin saghas conach orm féin. 'Era go maraí an diabhal é. Ní dócha go raibh siúd riamh thíos i bpoll portaigh.'

Shroiseas an mhonarcha ar a ceathrú chun a hocht, b'in ceathrú uair an chloig sula dtosnódh an obair ann. Dheineas comhartha na croise agus thugas m'aghaidh ar mo chéad lá oibre i dtír iasachta. Bhíos ag seasamh go mífhoighneach ag béal an dorais. Bhí oibrithe ag teacht go tiubh agus iad ag sá cártaí isteach i meaisín éigin. Ghaibh an fear a bhuail liom an tráthnóna roimhe sin isteach agus a chasóig faoina ascaill. Bhagair sé lena láimh orm. Thug sé isteach in oifig mé agus thosnaigh sé am cheistiú. D'iarr sé orm m'ainm agus mo sheoladh agus mo dháta breithe a thabhairt dó. Nuair a bhí an méid sin tugtha agam dó dúirt sé liom dul síos go dtí George Houghton sa líne chóimeála agus a rá leis go mbeinn ag obair in éineacht leis. Chuas síos tríd an monarcha agus taispeánadh dom cá raibh an fear seo George Houghton ag obair. Fear meánaosta ab ea é a rugadh agus a tógadh i Londain. Bhí breis agus scór bliain tugtha ag obair do United Aircoil aige. B'in é an ainm a bhí ar an monarcha seo. Ar a shon gur ó Londain ab ea é ní raibh puinn dua é a thuiscint. Bhí taithí aige bheith ag déileáil le daoine ó áiteanna éagsúla. Dúirt sé liom bheith ag faire air féin agus ar an mbeirt a bheadh ina theannta ag obair agus gach rud a thógaint isteach. Mhol sé dom gan aon imní a bheith orm agus go bhfoghlaimeoinn gach rud de réir a chéile. Dá mbeadh aon cheist agam gan bheith eaglach í a chur. Nuair a fuair sé amach go rabhas ábalta *blueprint* a leanúint bhí sé ana-shásta. Phointeáil sé go dtí beirt a bhí in aice linn agus dúirt sé ná féadfá do dhroim a chasadh nó go mbeadh páirt éigin iompaithe neamhcheart ag an mbeirt sin.

Fuaireas ana-dheacair an chanúint a bhí ag an mbeirt a thuiscint ach chuas i dtaithí ar fhocal amháin a bhí ana-choitianta ina gcuid cainte.

Mise dá rá leat ná húsáidfí inár dtigne aige baile é, mar dá ndéanfaí bheadh unsa gallúnaí curtha isteach i mbéal an té a úsáidfeadh an focal. Chuas i dtaithí chomh maith gur Pat a thugann an Sasanach ar gach Éireannach. Thug George gach cabhair agus cúnamh dom agus d'aithneofá go raibh gafa tríd an saol aige agus tuiscint aige ar dhaoine.

Bhuail cloigín thuas i mbarr na monarchan. D'oscail fear fuinneoig thuas. *'Tea up!'* a bhéic sé.

Stop gach inneall san áit agus seo leis gach éinne i dtreo an cheaintín a bhí oscailte le haghaidh an tae. Dhá phingin an cupa a bhí air agus geallaim duit gurbh fhiú san é. Bhí fear suite i m'aice agus mé ag ól braon tae. Bhí comhrá á dhéanamh aige le fear eile a bhí trasna uaidh.

'Má mhairim beo is Éireannach tú,' a dúrt i m'aigne féin.

Is Sasanaigh is mó a bhí ag obair liom agus is é an locht is mó a bhí á fháil agam orthu ná féadfaidís dhá fhocal a chur le chéile gan an focal gránna san a úsáid. Bhailíos mo mhisneach faoi cheann tamaill agus phiocas an fear a bhí in aice liom. D'fhiafraíos de arbh ó Éirinn é. Ba ó chathair Bhaile Átha Cliath é a dúirt sé liom. Ken Fitzpatrick an ainm a bhí air. Cheap sé ar dtúis gurbh ó Chorcaigh mé féin. Chuireas in iúl dó gur Chiarraíoch mé. Rug sé ar láimh orm agus chuir sé in iúl dom go raibh sé ag obair ar an líne chóimeála agus dá mbeadh aon rud ag déanamh tinnis dom teacht chuige. Bhuel anois, bhí fear ó mo dhúthaigh féin cóngarach dom, moladh go deo le Dia. Bhuail an cloigín arís agus bhí sé in am tabhairt faoin obair. Nuair a bhíomair ag siúl ar ais dúrt le Ken i gcogar gur cheapas go raibh na Sasanaigh ana-cheanúil ar éanlaithe. Phléasc sé amach ag gáirí. Chuir sé in iúl dom gur 'éanlaithe' gan cleití gan sciatháin na 'héanlaithe' go rabhadar siúd ag caint orthu. Ó a dhuine, nach glas a bhíos! Ar ndóigh is mná a bhí i gceist acu, a dúirt Ken liom, agus dá mba mhaith liom bualadh leis am lóin thabharfadh sé tipeanna beaga eile mar sin dom. Gheallas dó go ndéanfainn san. Nuair a bhí sé ag siúl uaim bhí sé ag caint fós, *'Sex is the religion in this country, my boy,'* a dúirt sé liom. Chaitheas am lóin ina chuideachta an lá sin mar bhí a lán ceisteanna eile le cur agam air. Cheistíos é mar gheall ar an gcaitheamh aimsire a bhí ag na hÉireann-aigh i Londain. Bhí ar a laghad chúig halla Gaelach sa chathair dá mbeadh dúil agam i rincí. Scrígh sé síos a seoltaí dom ar pháipéar.

De réir mar a bhí an tráthnóna ag imeacht bhíos-sa ag dul i dtaithí ar an obair. Siar sa tráthnóna thugas faoi ndeara fear agus casóig bhán air ag siúl i mo threo. Ní fheaca an fear seo cheana.

'I'm Frank Linski, they call me the Gov. By the way, do you want to work overtime?'

Dúrt leis ná raibh aon leisce in aon chor orm breis oibre a dhéanamh. Chuir sé in iúl dom go raibh dhá uair an chloig breise le déanamh tráthnóna agus leath an lae Dé Sathairn. Is mise a bhí sásta an méid sin a chloisint. D'fhág sé ansin mé agus chuaigh ag caint le duine éigin eile.

Níor bhraitheas an tseachtain ag imeacht agus sara raibh lár an lae Dé Sathairn ann bhíos dulta i dtaithí go maith ar an monarcha agus ar an obair a bhí le déanamh ann. Ní raibh aon dua agam leis an obair toisc go rabhas ábalta na gormphriontaí a léamh. Cuid acu a bhí ag obair ann is mó an dua a chuiridís orthu féin ag teitheadh ón obair ná mar a bhíodh orthu ag déanamh na hoibre. I ndóthair tá a leithéidí ins gach aird den domhan.

Go luath maidin Dé Sathairn tháinig fear na casóige báine ar ais. Stop sé tamall ag caint le Seoirse. Ansin ghaibh sé chugam féin anall.

'*Keep up the good work,*' a dúirt sé.

Ní dúrt féin faic ach luíos leathshúil air. Níor chás dom a rá anois go raibh post seasmhach agam agus mé istigh ó dhúluachair an gheimhridh. Bhí gach duine ag súil le buille an chloig meán lae Dé Sathairn mar ag an am sin a thugtaí amach an pá. Nuair a buaileas an clog tugadh amach clúdach litreach donn dos gach éinne agus a bpá istigh ann. Cheapas féin ná beadh aon phá le fáil agam an tseachtain sin mar ní rabhas ag obair ann ach ón Máirt. Síneadh clúdach beag amach chugamsa chomh maith le duine agus nuair a chomhairíos an t-airgead a bhí istigh ann bhíos i reachtaibh léimeadh le háthas. Dhera a dhuine, bhí trí puint déag ceathair déag agus réal istigh ann. Thabharfainn mí ag sclábhaíocht sa bhaile ar an méid sin.

Bhí cuid des na hoibrithe ag gearán go raibh an bónas beag a dhóthain an mhí sin. D'fhiafraíos de Sheoirse cad a bhí ar siúl acu. Dúirt sé liom go mbíodh breis airgid á íoc i dteannta an phá gach mí, agus go mbíodh san ag braith ar an méid a bhí curtha amach ón monarcha an mhí sin. D'fhiafraíos de cé mhéad a bhíonn sa bhónas de ghnáth. D'fhéach sé an an mblúire páipéir a bhí istigh lena phá féin agus dúirt gur dhá phunt déag a híocadh an mhí sin agus gur mí ana-chiúin ab ea í. Bhíos féin ag cuimhneamh go mbeadh Dónall ag lorg jab sa mhonarcha i mo theannta nuair a chloisfeadh sé an méid sin. Is dóigh liom go ndúirt sé liom uair éigin ná raibh aige ach naoi bpuint sa tseachtain tar éis sé bliana a thabhairt i gcoláiste. Mairg a raghadh i gcoláiste agus a chroí agus a shláinte a bhriseadh dá réir sin. Sea mhuis, cheannóinn léine nua agus *tie* dom féin as an airgead sin.

Chuas isteach go dtí siopa *Marks & Spencer* ar mo shlí abhaile agus cheannaíos mo léine agus mo thie. Bhaineas lán mo shúl as an éadach breá a bhí ar díol ann agus thugas faoi ndeara go raibh sé saor go maith fairis sin. Dá gceannóinn rud éigin gach Satharn ní fada a thógfadh sé uaim mé féin a ghléasadh ó mo cheann go dtí mo chosa. Rudaí mar sin a bhí ag dul trí mo cheann agus mé ag siúl ó Woodgreen i dtreo Victoria Road.

Bhuaileas le Dónall agus é ar a shlí anuas.

'Cá bhfuilir ag dul?' arsa mise leis, agus mé ag féachaint ar charbhat mór fada a bhí casta timpeall a mhuineál. 'An amhlaidh go bhfuil an slaghdán ort go bhfuilir ag caitheamh an charbhait sin?'

'Táim ag dul go dtí cluiche sacair,' arsa Dónall, 'agus is iad na dathanna atá ar an gcarbhat sin ná dathanna Tottenham Hotspurs.'

'Mhuise, is fada ó sacar a tógadh tú nó cad tá imithe ort ó tháinig tú go dtí an ndúthaigh seo?' arsa mise leis go magúil.

'Má theastaíonn uait dul faram go dtí an gcluiche fanfad leat,' arsa Dónall.

'Ní raghainn trasna an bhóthair ag féachaint orthu,' arsa mise.

'Gheobhair an *bug* fós, fan go bhfeicfir,' a dúirt Dónall.

Tar éis dinnéir do níos agus do scriosas mé féin. Bhíos meáite ar eolas níos fearr a chur ar chathair London. Is minic a chuala trácht ar Hyde Park. Bheartaíos ná raibh aon áit ab fhearr tosnú ná sa pháirc sin. In ionad an traein faoi thalamh a fháil dúrt liom féin go mbainfinn úsáid as bus chun mé a thabhairt isteach go lár na cathrach. Nuair a fuaireas amach cén uimhir bus a thabharfadh isteach faoi lár na cathrach mé chuas chomh fada leis an áit ina bhfaighinn í agus ní fada gur tháinig ceann. Bus dhá urlár a bhí inti agus chuas ar an urlár uachtair chun go mbeadh radharc níos fearr agam. B'éigean dom an bus a shóinseáil dhá uair chun ceann scríbe a bhaint amach agus is amhlaidh a bhí orm seasamh an tslí isteach ar fad mar ná raibh aon tsuíochán folamh le fáil.

12

Thugas an Oíche ag Rince

'Sin léine le dealramh,' a dúrt liom féin nuair a d'fhéachas sa scáthán agus mo léine nua curtha agam orm sa tseomra. Bhíos am ghléasadh féin don rince. Lena linn sin tháinig Dónall isteach.

'Cheapas go raibh duine éigin i do theannta sa tseomra ar an mbús cainte a bhí fút,' arsa Dónaill.

D'fhiafraíos de an mbuaigh an fhoireann.

'Dhera ní bhuafaidís ar Pharóiste an Fheirtéaraigh inniu,' ar sé.

Chuireas snaidhm ar an dtie agus d'fháisceas suas ar mo mhuineál é.

'Cad chuige an cóiriú ar fad?' arsa Dónall ag féachaint orm.

'Ambaiste ach go bhfuilim ag tabhairt faoin rince anocht. An raghair i mo theannta?' *in aonacht.*

Bhain Dónall croitheadh as féin. 'Á ní raghad mhuis. B'fhéidir go raghainn go dtí na pictiúirí.'

Ní raibh aon tsuim ag Dónall sna rincí. Chaithfinn dul ann i m'aonar agus gan aon eolas agam ar cá raibh an rince ar siúl. Gan dabht bhí eolas ag Dónall ar gach aon phóirse timpeall na háite.

'Tá Manor House cóngarach,' a dúirt sé. 'Tóg an traein faoi thalamh ó Woodgreen agus beir ann laistigh de dheich nóimintí.'

Nuair a bhíos glanta scriosta bearrtha agus mo ghruaig lán de ghléas ag *Brylcreem* Dhónaill sheasas os a chomhair amach.

'Anois cad a déarfaidís liom i gCarrachán?'

Thug sé fiarshúil orm. 'Is gearr go mbeidh a fhios agat, nuair a gheobhair litir ón mbaile.'

Chuireas eochair an tí i mo phóca.

'B'fhearr domhsa bheith ag bogadh.'

Nuair a bhíos ag trasnú na sráide go Manor House bhí glór an cheoil le cloisint agam ón halla a bhí ag bun na sráide. D'ardaigh mo chroí agus mé ag déanamh air. Jig breá bríomhar a bhí le cloisint agam.

Ghéaraigh ar mo choiscéim le fonn rince. Chuir sé i gcuimhne dhom na hoícheanta breátha samhraidh nuair a bhínn ag rothaíocht síos Ard na Carraige. Ó b'fhada ó Ard na Carraige anois mé. Cheithre scillinge ab ea an táille chun dul isteach. Bhí an t-urlár dubh le daoine agus iad ag baint smúite as chláracha an urláir. Thugas faoi ndeara go raibh scata fear ina seasamh thuas in aice leis an stáitse. Dheineas mo shlí suas agus shuíos ar stól. Chonac uaim siar ón stáitse seomra ina raibh ceapairí agus cístí milse á ndíol ann.

Faoi mar a bhíodh ag baile bhí na cailíní go léir suite síos ar thaobh amháin den halla agus na fir leo féin ar an dtaobh eile. Aon chailín agus buachaill a bhí le chéile is thuas i seomra an tae a bhíodar, suite chun boird. Chaitheas mo shúil ar na mná breátha a bhí istigh sa halla agus iad suite in aon líne amháin síos ar chliathán an halla. Is é a bhí sa cheann agam ná rince leis an oiread ban agus a d'fhéadfainn. Ba é an diabhal é nó bheadh bean éigin sa halla a bhí ina cónaí gairid do Woodgreen. Ar nós duine a bhíonn ag foghlaim buille snáimh deirtear gurbh fhearr gan dul isteach ródhomhain ar dtúis. Ba é an plean céanna agamsa é, fanacht i gcóngar an tí go dtí go bhfaighinn taithí ar an áit.

Chaitheas mo shúil trasna ar spéirbhean go raibh ceann tógtha agam di. Sea, thosnaigh sean-*waltz*, bhogas de mo stól agus thugas seáp trasna an halla. Bhí ábhar maith daoine ar an urlár cheana. D'iarras uirthi dul ag rince agus deinim amach ná raibh uaithi ach gaoth an fhocail. Scaoileamair faoi amach faoin urlár. Caithfidh mé a rá go raibh sí ar nós an éin ag rince. Tosnú maith leath na hoibre. Nuair a fhiafraíos di cén áit in Éirinn gurbh as di, dúirt sí liom gurbh as Laois di. Bhí dhá bhliain caite i Londain aici agus chuir sí in iúl dom ná thug sí faoi ndeara riamh roimhe sin sa halla mé. Ní raibh aon easpa cainte uirthi ach go háirithe. Dúrt léi gur Dé Luain a thána i dtír i Sasana agus gurbh é sin an chéad rince agam sa tír sin. Eibhlín Ní Chatháin an ainm a bhí uirthi agus ar ndóigh cuireas-sa mé féin in aithne dhi. Chuir sé iontas uirthi nuair a dúrt léi go raibh jab cheana féin agam. Ag traenáil chun a bheith ina banaltra a bhí sí féin in Ospidéal Hackney.

'Cá bhfuil an Hackney seo, nó an bhfuil sé in aon ghiorracht do Woodgreen?' a d'fhiafraíos di.

'Is fuirist aithint ná fuil aon am caite i Londain agat. Is ar an dtaobh eile den gcathair ar fad atá Hackney.'

B'in sin agus d'fhágas slán aici tar éis an *waltz*. B'fhéidir nuair a chuirfinn eolas níos fearr ar an gcathair go bhféadfainn aithne níos fearr a chur uirthi seo. Thugas an oíche ag rince agus ní leis an gcailín céanna a bhí an aon dá rince agam. Faoi dheireadh na hoíche bhíos in amhras ná raibh aon Éireannach baineann ach go háirithe ina cónaí i

Woodgreen ná in aon áit ina chóngar. Ba ar an dtaobh eile ar fad den gcathair a bhíodar ina gcónaí ba chosúil.

Thugas m'aghaidh ar sheomra an tae. Fuaireas cupán tae agus smut de chíste milis agus do shuíos síos ag bord láimh leis an gcuntar. Shuigh triúr eile síos ag an mbord tar éis tamaill, buachaill agus beirt chailíní. Bhíodar ag caint agus ag cadráil eatarthu féin. Timpeall le hocht mbliana déag a bhí an buachaill agus dúirt sé liom gur ó Eochaill ab ea é. D'éirigh mo chroí ar fad nuair a chuir sé na cailíní in aithne dhom. Mar ba ó Lios Póil duine acu agus ó Mhaigh Eo an cailín eile. Thosnaigh *quickstep* tar éis tamaill. D'fhiafraíos d'fhear Eochaille cé hí an cailín a bhí ag rince leis ag súil gurb í bean Mhaigh Eo a bheadh ina theannta mar *'peach'* ceart ab ea an Ciarraíoch mná. Ach fág faois na Corcaígh é nuair a thagann sé chomh fada le scéimh mná. Fágadh bean Mhaigh Eo agamsa agus thugamair ár n-aghaidh ar an urlár.

'An bhfuil an Corcaíoch agus an Ciarraíoch i bhfad ag siúl amach le chéile?' a d'fhiafraíos de bhean Mhaigh Eo agus sinn amuigh ar an urlár. 'Is é seo an chéad dáta acu, i ndóthair níl sé féin i Londain ach le coicís.'

Bhíos ag iascach liom agus níor theastaigh uaim a thabhairt le fios do bhean Mhaigh Eo gur i mbean Lios Póil ba mhó a bhí suim agam.

'Is dócha go bhfuilir féin agus Máire sa lóistín céanna.'

'Nílimid in aon chor. Tá sí siúd tamall amach mar tá sí ag obair i Hackney.'

'A Mhuire, sin í an dara bean a bhuail liom anocht atá ag obair i Hackney. Is dócha gur banaltra í Máire chomh maith?'

Bhí iontas uirthi. 'Conas a fuairis é sin amach? Beidh sí críochnaithe leis an gcúrsa faoi cheann bliana eile.'

Ní raibh an t-ádh liom in aon chor an oíche sin.

'Is dócha go bhfuil cónaí ort féin cóngarach di.'

'Á níl. Is ar an mbád anall ó Éirinn an Nollaig seo caite a bhuaileas léi.'

Bhí an rince ag críochnú faoin dtráth seo. D'fhágamair ionad an rince agus chuamair chomh fada le Tom – b'in é fear Eochaille – agus Máire ó Lios Póil. Thugamair tamall ag comhrá ansiúd.

'Anois an chéad rince eile agus an rince deireanach,' a dúirt mo dhuine ón stáitse. Cad ab fhearr dom a dhéanamh anois? Dhein Tom m'aigne suas dom. Rug sé greim láimhe ar bhean Mhaigh Eo agus d'fhág sé mise agus Máire le chéile. D'fhéachas ar Mháire agus d'fhéach sí orm. 'Bhuel seo linn,' arsa mise. Cheistíos go mion í mar gheall ar cér díobh ab ea í agus cén baile i Lios Póil gurb as í. Tar éis tamaill d'fhiafraíos di cá raibh cónaí ar bhean Mhaigh Eo – Caitlín Joyce an ainm a bhí uirthi siúd.

'In áit éigin i Lordship Lane,' a dúirt sí. Bhíos chomh dall agus a bhíos riamh. Ní raibh aon chuntas ceart ag Máire ar cá raibh Lordship

Lane agus ba lú ná sin an cuntas a bhí agamsa. Nuair a bhí an rince críochnaithe bhíomair ag faire amach don mbeirt eile.

'Féach thíos i mbéal an dorais iad,' a dúirt Máire tar éis tamaill. Bhí misneach ag teacht chugam faoin dtráth seo.

'An mbeidh sibh anseo arís Dé Sathairn?' arsa mise le Tom, mar dhea.

'Beadsa anseo, ach go háirithe,' arsa Caitlín.

D'fhéach Tom ar Mháire.

'Cogar, an bhfuilir saor Dé Sathairn seo chugainn, a Mhichíl?' ar sé liomsa.

Dúrt leis go mbeinn ag obair go dtína haon a chlog.

'Cogar, ar ithis riamh dinnéar i gceann de na bialanna?'

Dúrt leis nár dheineas sa dúthaigh sin.

'Tráthnóna Dé Sathairn seo chugainn dá mbuailfeadh an ceathrar againn le chéile b'fhéidir go dtástálfaimis ceann éigin de na bialanna galánta.'

Do scríos síos an seoladh don mbialann ina gcasfaí ar a chéile sinn.

13

Uaigneas i lár Slua

B'fhada a thaibhsigh an tseachtain ina dhiaidh sin dom. Lá fada oibre agus ansin teacht abhaile go dtí an lóistín gan aon rud romham ach fallaí fuara agus bia leathlofa. Bhí Dónall ag caint fós ar dhul ag lorg seomra le gléas cócaireachta ann ach ní raibh aon duine de lán na beirte againn ag luí orainn féin á lorg. Bhímis róthraochta tar éis an lae oibre chun bogadh amach arís. Agus mé i mo luí ar mo leaba tar éis lá fada oibre bhíos ag cuimhneamh ar na mílte daoine a d'fhág cósta na hÉireann chun slí bheatha a bhaint amach i ndúthaigh iasachta. Daoine a rugadh le saoirse na ngleannta agus na sléibhte. Ceol na n-éan agus briseadh na dtonnta i gcoinne na haille fágtha ina ndiaidh acu. Gan aon radharc le feiscint i gcathair mar Londain ach foirgnimh mhóra bríce. Dath dubh tagaithe orthu seo ag smúit na tionsclaíochta. Torann na n-inneall agus griothal na ndaoine, ach fós uaigneas i lár slua. Bhíos ag smaoineamh ar m'athair agus mo mháthair agus iad suite ansiúd cois na tine, an phíp i mbéal m'athar agus bús deataigh á bhaint aige aisti.

Bhíos ag déanamh amach dá dtabharfainn bliain ag obair i Londain leis an airgead a bhíos ag tuilleamh go mbeadh costas Mheiriceá déanta agam go rábach agus ábhar airgid ina theannta.

Tháinig Dónall isteach óna sheomra féin.

'Bhíos ag rith tríd an bpáipéar ar thóir seomra le háis chócaireachta. Tá áit thíos in aice le Brewers' Grove. B'fhéidir ná déanfadh sé aon díobháil féachaint air.'

Chuireas mo dhá láimh laistiar de mo cheann agus do shearras mé féin.

'Tráthnóna amáireach b'fhéidir.'

Ní raibh Dónall sásta. 'Téanam ort nó beimid sáite sa pholl seo an chuid eile dár saol.'

88

D'éiríos aniar. 'Cá bhfuil Brewers' Grove? Tá súil agam ná fuil sé ar an dtaobh eile den gcathair?'

'Níl, níl sé ach cúpla míle ón áit seo. Tá sé cóngarach do Pháirc Tottenham Hotspurs.'

Bhí eolas maith ag Dónall ar an gcathair. Cad ina thaobh ná beadh agus é ann le tamall de bhlianta? Thógamair an bus agus níor chosain sí ach réal orainn. Nuair a d'éiríomair amach d'fhéachas i mo thimpeall. Bhí a sé nó a seacht de shiopaí móra in aon líne amháin.

'Tá an-chuid tráchta anseo timpeall. Ní thitfidh aon néal codlata orainn más anseo atá an seomra.'

'Breá socair,' arsa Dónall, 'caithfeam Elmhurst Road a bhaint amach ar dtúis.'

Shiúlaíomair timpeall cheithre chéad slat suas an tsráid agus chasamar ar clé.

'Is í seo an tsráid anois,' arsa Dónall. 'Nach sráid deas chiúin í seo.'

D'aimsíomair an tig agus chnag Dónall ar an ndoras. D'fhreagair fear beag lom caite an chnag. D'fhiafraíomair de an raibh seomra le ligean ar cíos aige. D'oscail sé isteach an doras agus d'iarr orainn é a leanúint. Bhí cuma ghlan sheiftithe ar an dtig. Bhí an halla isteach breá geal agus d'aithneofá go raibh duine éigin ina fheighil i gcónaí. Leanaíomair suas an staighre é agus isteach i seomra i mbarr an staighre. Sea, bhí sé ansin os comhair ár súl seomra breá fairsing aerúil. Páipéar deas geal ar na fallaí a thógfadh do chroí nuair a shiúlófá isteach. Bhí dhá leaba shingil ann agus iad ag féachaint ana-chompórdach. Fiafraíodh de cé mhéad sa tseachtain a bhí an seomra agus dúirt sé linn gur dhá phunt deich scillinge in aghaidh na seachtaine a bhí sé. D'fhéach Dónall ormsa agus labhair as Gaelainn.

'Dá mbeimis ag lorg go deo níorbh fhéidir margadh níos fearr a fháil. Cad déarfá?'

'Tógfam é, mar go sábhála Dia sinn má bhíonn orm éisteacht i bhfad eile leis an straip de *landlady* caillfead an ceann.'

Thugamar cíos seachtaine d'fhear an tí agus dúramair leis go mbeimis ar ais Dé Sathairn.

'Cé déarfaidh leis an mbean thuas go bhfuilimid ag fágaint?'

Dhein Dónall smuta gáire. 'Fág fúmsa é, mar tá cúpla rud eile agam le rá léi chomh maith.'

Shiúlaíomair abhaile agus thógas comharthaí chun go mbeinn ábalta mo shlí a dhéanamh ar ais ann. Bhí leath lae oibre ormsa an Satharn dár gcionn agus shocraíos le Dónall go mbuailfinn leis san árasán ós rud é go raibh an lá saor aige siúd.

Ar mo shlí abhaile dhom ó obair Dé Sathairn bhíos ag smaoineamh ar mo dhearthráir Dónall agus conas a d'éirigh leis. Bhíos ag súil go raibh gach rud a bhain linn aistrithe go dtí an seomra nua aige. Bhí súil le Dia agam go raibh mar nár theastaigh uaim aghaidh an *landlady* siúd a fheiscint an lá úd ach go háirithe. Shroiseas Elmhurst Road tar éis péire nua bróg a cheannach ar mo shlí abhaile. Bhí an doras oscailte sa tseomra agus boladh breá rósta ag teacht anuas an staighre i mo choinne.

'Cad tá ar an b*pan*?' a dúrtsa.

'*Chops*, a bhuachaill.'

'Cén saghas *chops* iad?'

Thosnaigh sé ag gáirí. 'Caoireoil is ea na *chops* seo.'

'An bhfuilir deimhneach nach smut de sheanamhadra é?'

Chuir sé síos dom ar eachtraí na maidine. 'Ó a Mhuire, dá gcloisfeá an *landlady* nuair a dúrt léi go rabhamair ag imeacht. Rinc sí timpeall an tí le drochmhianach. Tar éis an méid a dhein sí dúinn a dúirt sí, agus gurb in é a buíochas anois.'

D'itheamair ár mbéile go breá socair agus ba mhór an sólás gan a pus muice siúd a bheith trasna an bhoird uainn.

Timpeall a cúig a chlog an tráthnóna sin tar éis mé féin a sciosadh agus a ghléasadh thugas m'aghaidh ar thig Chaitlín ar Lordship Lane. Bhíomair le bualadh le Máire agus le Tomás ar a seacht a chlog.

Bus a tríocha naoi a thógamair ó Bhrewers' Grove isteach go lár na cathrach. Bhaineamair amach an bhialann tar éis beagán cuardaigh. Ansiúd i mbéal an dorais bhí Tomás agus Máire ag feitheamh linn. Chuamair isteach agus bhí beár laistigh ina raibh gach saghas dí ar díol. Bhí piúnt beorach ag Tomás agus saghas éigin fíona ag na mná. Buidéal oráiste a bhí agam féin. Cuireadh in iúl dúinn go mbeadh orainn feitheamh tamaillín. Bhíomair ag caint agus ag cadráil d'fhonn an t-am a mheilt. Shiúlaigh duine de na freastalaithe inár dtreo ar deireadh. Chuir sí in iúl dúinn go raibh ár mbord réidh. Bhí saghas éigin mífhoighne ar Thomás.

'Ní chaitheas riamh feitheamh aige baile mar seo,' a dúirt sé.

Shuíomair chun boird.

'Ó a Mhuire,' a dúirt Tomás, ag féachaint ar an mbord, 'cad chuige na foirc agus na sceana ar fad? I ndóthair níl ach dhá scian agus forc amháin againne sa tig aige baile.'

'Ná héisteófá,' arsa Máire, 'cheapfadh duine gurb é an chéad uair riamh agat istigh i mbialann é.'

Tháinig aoibh an gháire ar a aghaidh. 'Creid é nó ná creid, ach is é an chéad uair riamh agam in áit mar seo é.'

D'fhéach sé trasna uirthi. 'Treoraigh mé, a chroí, agus ná lig dom asal a dhéanamh díom féin. Cén t-arm go dtósnófar leis?'

Shín sí leabhar an bhídh chuige. 'Tosnaigh amuigh agus oibrigh leat isteach.'

D'fhágamair faoi na cailíní an béile a ordú dúinn. Is mó an dul amach a bhí acu san ar na cúrsaí sin. Is gearr gur cuireadh babhla súip os ár gcomhair.

'Cén saghas súip é seo?' arsa Tomás agus é ag blaiseadh as an spúnóig.

'Súp sicín,' arsa Caitlín.

D'fhéach sé uirthi. 'Ní mór den sicín a chonaic an súp seo. Deinim amach gurb amhlaidh a scaoileadh an t-uisce fiuchaidh tríd an sicín.'

Tógadh na babhlaí uainn nuair a bhíomair réidh leo. Ansin tugadh cheithre cinn de phlátaí móra amach agus deatach ag éirí astu. Bhí stráice beag mairteola ar gach ceann des na plátaí. D'fhéach Tomás ar an bpláta agus d'fhéach sé orainn.

'Cheapas go mbuailfí cliathán bó ar an mbord chugam. I ndóthair ní bhainfeadh an méid seo an t-ocras de chat.'

Seo chugainn an freastalaí arís agus cheithre cinn de phlátaí beaga aici. Dhá chriochán de phráta ar gach ceann acu. Ní túisce a bhuail an pláta an bord in aice le Tomás ná gur sháigh sé an forc a bhí ina láimh go feac i gceann des na prátaí.

'*Bring them in, they're boiled!*' arsa Tomás. An blúire feola a bhí i mbéal Mháire shéid sí amach as a béal é le teann gáire. Cheap Tomás gur chun na prátaí a thástáil a bhí an dá phráta ar an bpláta beag.

'Sin é do chuid anois, a bhuachaill,' arsa Máire ag pointeáil go dtí an dá phráta. 'Ní sa bhaile atánn tú in aon chor anois.'

Ansin a thosnaigh sé ag caitheamh thairis.

'*God be with the days when the pig's head sat with its ears cocked in the middle of the table staring out with those two beady eyes as if it was pleading "eat me, eat me." Then my mother capsizing the big corcán next to it and the heap of spuds with the steam rising so high out of them that I couldn't see my father at the other end of the table.*'

Níl aon bhaol ná gur bhreá an cainteoir Tom. Tugadh isteach babhla glasraí agus seo linn ag ithe. D'itheamair an béile ar ár suaimhneas is geallaim duit nach ag brúchtáil a bhí Tomás ag críochnú an bhéile dó. Nuair a bhí an bord glanta sheas Tomás agus a dhá ghéag lasnairde dá cheann.

'Ó mhuis is é seo an chéad turas a d'itheas i mbialann agus deirimse leat go mbeidh tamall arís ann sara bhfeicfidh éinne i gceann acu mé. Tá airc ocrais fós orm.'

D'éiríomair den mbord tar éis íoc as an mbille.

'Tá nós sa dúthaigh seo,' dúirt Caitlín, 'is é sin go bhfágtar *tip* don bhfreastalaí.'

Ní róshásta a bhí Tomás leis an gcaint seo. 'Tabharfad mhuis agus mo bholg ceangailte de chnámh mo dhroma fós leis an ocras. Téanaidh, tabharfaimid faoin Round Tower.'

Halla rince é seo a bhí thuas i Holloway Road. Bhí sé beagán luath chun dul go dtí an rince nuair a shroiseamair Holloway Road. Ba é seo mo chéad turas sa pháirt sin den gcathair. Mar sin bhíos ag braith ar an gcuid eile chun mé a stiúrú timpeall.

'Téanam,' arsa Tomás. 'Ragham isteach sa Nag's Head.'

Pub ab ea an Nag's Head go mbailíodh na hÉireannaigh ar fad isteach ann roimh dhul ag rince.

'Má bhíonn tú ar thóir oibre go deo sé seo an paiste,' arsa Máire agus í ag sá an dorais isteach roimpi.

Bhí smúit á bhaint ag duine éigin as bhosca ceoil istigh i gcúinne den mbeár. Thóg an ceol chomh mór mé gur ligeas liú breá Gaelach a chuaigh le rithim an cheoil. Bhain Tomás pramsach as an dtalamh lena sháil. Loirg Tomás piúnt beorach dó féin.

'Seo anois, cad a bheidh agaibh? Ní rómhinic a sheasaím.'

D'fhéach an bheirt chailíní ar a chéile.

'Dhá bhraon póirt,' arsa Máire tar éis tamaill.

'Agus tusa a Mhichíl?'

'Buidéal *lemonade*. Ní bhlaiseas an stuif eile riamh.'

D'fhéach Tomás orm. 'Bhuel, caithfir tosnú uair éigin.'

Bhíos ag cuimhneamh ar feadh tamaill. '*Allright* mar sin. Ólfad pén rud atá á ól agat féin.' ~butterflies~

Tháinig ~cuileanna~ istigh i mo bholg nuair a chuimhníos ar an b*pledge* a thógas lá an easpaig fadó. 'An dtógais aon *pledge* nuair a cuireadh faoi láimh easpaig tú, a Thomáis?'

Dhein sé leamhgháire. 'Thóg an scoil ar fad an *pledge*. Is é mar a bhí ag an sagart inár bparóistene mura dtógfaimis an *pledge* d'fhógródh sé ón altóir sinn an Domhnach ina dhiaidh. Bhíos beagnach sé bliana déag nuair a cuireadh faoi láimh easpaig mé agus ní fada a bhíos gafa amach doras an tséipéil nuair a bhí maide pint faoi mo cheann agam.'

Dá bhfeicfeá an fhéachaint a bhí ag an mbeirt chailíní air. 'Ó go maithe Dia duit do pheacaí, a Thomáis Mhic Cárthaigh, ní bhíonn rí ná rath ag leanúint magadh dá leithéid sin,' arsa Máire.

Thug sé dhá ghloine fíona dos na cailíní agus sháigh sé piúnt beorach i mo threosa.

'Fiche bliain ó inniu, má bhímse i mo stumpa druncaera ag titim agus ag éirí i gcúlshráid shalach éigin agus gan balcais ná bróig orm siúlód go hEochaill cosnochtaithe. Ansin raghad in airde ar an altóir ansiúd agus dearbhód gurbh é Tomás Mac Cárthaigh a rugadh ar an mbaile sin a dhein druncaeir de thúta bocht tuaithe ó Chiarraí,' arsa mise. ~Youghal~

Thógas mo chéad bholgam as an bpiúnt. Bhíodar am fhaire féachaint cén saghas scaimhe a thiocfadh ar m'aghaidh. Ach ar m'anam ná ligeas-sa faic orm ach d'ólas siar é ar nós duine a bheadh ag ól le tamall.

'Mhuise ní fheadar cad ina thaobh an trácht ar fad ar an ndeoch chéanna seo. Níl aon oidhre air ach uisce portaigh.'

'Á ach fan tamall, a Mhichíl, go dtí go raghaidh sé ag obair in airde staighre,' arsa Tomás agus cuma bhreá shásta air.

Bhí fear thíos ar an dtaobh eile den dtig agus é ag baint lasrach as an urlár ag rince leis an gceol.

'Ná dúrais liom go seinneann tú ceol, a Mhichíl?' arsa Caitlín.

'Seinnim, ach tá an bosca in Éirinn agus ní sheinneas port ó thána anseo go Londain.'

Shiúlaigh sí sall go dtí fear an cheoil agus chuir cogar ina chluais. Shiúlaigh sé i mo threo agus an bosca ina láimh aige.

'Deirtear liom go bhfuil cúpla port agat. Seo suigh síos agus cas ríl nó jig. Tabharfaidh sé seans dom piúnt a ól.'

Bheireas ar an mbosca agus thosnaíos ag seinm.

Ní rabhas i bhfad ag seinm in aon chor nuair a bhí dhá phiúnt beorach curtha le hais liom.

'Cé cheannaigh iad sin?' arsa mise le Caitlín.

'Nuair a bhíonn ceoltóir ag seinm sa tig tábhairne seo cuireann an tig suas an deoch.'

Bhíos ana-shásta. 'Féach air sin a dhuine, nach diail an meas atá ar an gceoltóir,' a dúrtsa ag cur an bhosca síos le hais liom.

Tháinig fear an cheoil i mo threo agus rug sé ar an gceol arís.

'An bhfuil aon bhosca ceoil agat féin?' ar sé ag cur na stropaí ar ais air féin.

'Ó níl, ní raibh ach *Hohner* aige baile in Éirinn agam. Nach breá an bosca é sin agatsa. Is dócha go gcosnódh sé cuid mhaith airgid.'

'Tá chúig phuint agus tríocha orthu nua glan. Ach cogar, tá a fhios agamsa fear atá ag díol ceann acu ar phraghas réasúnta agus ní sheinn sé deich bport riamh air.'

Ar m'anam ach gur chuir sin ag smaoineamh mé. Shás mo cheann ina threo. 'Nuair a deir tú praghas réasúnta cén saghas airgid a bheadh i gceist?'

Bhain sé slog breá fada as an bpiúnt. 'Geobhadsa dhuit é ar chúig puint déag, ar choinníoll amháin – go seinnfir i mo theannta sa Round Tower gach oíche Shathairn.'

Phreab mo chroí. 'An bhfuil puinn airgid le fáil as oíche cheoil sa Round Tower?'

Chuir sé a bhéal in aice le mo chluais. 'Chúig puint an fear, agus coimeád chugat féin é.'

An chéad rud a rith trí mo cheann ná go raibh ganntanas ceoltóirí sa chathair. 'An bhfuil mo chuid ceoil maith go leor don halla rince?'

'Era a dhiabhail, ní bheinn ag glaoch ort mura mbeadh. Bí anseo oíche Dé Sathairn seo chugainn agus beidh an bosca agam duit. Cogar, an bhfuilir ag dul go dtí an rince anocht?'

Dúrt leis go rabhas. Theastaigh uaidh a fháil amach cérbh é mé féin. Dúrt leis é. Bheadh sé féin ag seinm ag an rince.

'B'fhéidir go seinnfeá "Ionsaí na hInse" dom anocht. Déanfaidh sé taithí duit.'

Pádraig Ó Máille ó Chontae Mhaigh Eo ab ea é féin. Thosnaigh sé ag seinm arís. Ba bhreá binn an ceoltóir é. Thagadh na poirt ana-shaoráideach air agus gach port acu fite fuaite ar a chéile. Faoin am go raibh na trí pint ólta agam bhíos lán go smig agus faoi mar a dúirt Caitlín ina dhiaidh sin bhíos ag fáil breá meidhreach agus cainteach. Do sheasaíos féin deoch ansin.

'Cogar,' arsa Caitlín, 'sin é an ceathrú piúnt agat agus gan aon taithí agat air. Tóg bog leis é nó beidh do chrúibíní in airde.'

Thógas a comhairle mar bhí saghas eagla ag teacht orm ná beinn i gceart chun "Ionsaí na hInse" a sheinm.

'Téanam,' arsa Máire ag tabhairt an uillinn do Thomás a bhí ag cuimhneamh turas eile a thabhairt go dtí an dtobar. Ghluaiseamair amach. Chomh luath agus a bhuaileas leis an aer fuar amuigh tháinig saghas éigin éadromacht i mo cheann. Bhí fonn ar mo dhá chois siúl ach ní raibh m'inchinn ar aon dul leo. Bhaineamair amach doras an halla ar aon chuma. Nuair a fuaireas mé féin ar an dtaobh istigh den ndoras ní rabhas i bhfad ag baint amach tig an asail. Ní raibh faic i mo cheann ach gaise an fhuail a bhaint amach tiubh te. Bhraitheas mo scamhóga ag luascadh faoi mar a bheadh borradh farraige le linn stoirme ag réabadh i gcoinne na haille. Ní raibh an babhla sa leithreas ach bainte amach agam agus an doras boltálta i mo dhiaidh nuair a chuireas amach na cheithre pint a bhí ólta agam. A Dhia na Glóire, más é seo saol an druncaera nár mhaí Dia ná Muire Mháthair air é. Shuíos ar an suíochán sa leithreas agus fuarallas tríom amach le laigíocht. Sea, tuilleadh an diabhail chugat, a Mhaidhc Dainín. Is le fearúlacht a tharraingís an óspairt seo ort féin. Bhraitheas duine éigin lasmuigh den ndoras.

'An maireann tú, a Mhichíl?' Is é Tomás Mac Cárthaigh a bhí tagaithe ar mo thuairisc.

'Ó mhuise, ní mó ná sin é. Bead amach lom díreach agus go deo arís ní béarfar mar seo orm.'

Tháinig scartadh mór gáire as Thomás. 'Sin é a deir siad ar fad.'

Bhíos ag teacht chugam féin gach soicind as sin amach agus mo scamhóga ag dul chun suaimhnis. Chaitheas steall uisce ar m'aghaidh agus chuas amach i dtreo ionad an rince. Bhí Máire agus Tomás amuigh romham agus iad ag rince *waltz*.

'Téanam ort a rince, a Chaitlín, a chroí.'

D'aithníos go raibh cuma stailciúil ar a haghaidh ach ar a shon sin bhog sí den suíochán. Bhíomair ag rince linn timpeall agus mise a bhí ag déanamh na cainte ar fad. Dúrt léi ná tarlódh a leithéid arís. Bhog sin an scéal beagán. Faid is a bhíomair ag ól braon tae thóg an banna a bhí ar an stáitse sos agus thosnaigh Pádraig Ó Máille ag seinm. Sheinn sé don 'Staicín Eornan' nó an *barn dance* mar a thugtaí i Sasana ar an rince sin.

'Ní fada ná go mbeir ag dul ar na cnaipí,' arsa Tomás. 'Bíonn "Ionsaí na Inse" ina dhiaidh seo i gcónaí.'

D'ólas cupán tae ach dá bhfaighinn Éire ar fad ní fhéadfainn féachaint ar aon rud milis. Conas a fhéadfainn agus an íde a bhí ar mo bholg tar éis an tráthnóna?

'An mbeidh aon imní ort ag dul in airde ar an stáitse, a Mhichíl?' arsa Máire agus í ag féachaint ar Phádraig thuas ar an stáitse ina aonar.

'Cad ina thaobh go mbeadh? Ná fuil trí mhí den samhradh tugtha agam ag seinm ar an stáitse?'

Chríochnaigh an *barn dance* agus d'fhág gach éinne an t-urlár.

Thosnaigh Pádraig ag caint: 'Tá ceoltóir inár measc nár chualabhair fós. Ó Chiarraí, seo chugaibh Micheál Ó Sé.'

Nuair a chuala an slua 'Ciarraí' tháinig ana-bhéic astu.

'Tá Micheál chun "Ionsaí na hInse" a sheinm díbh, mar sin tar anseo aníos chugainn, a Mhichíl.'

Dheineas mo shlí suas ar an stáitse. Chuir Pádraig cogar i mo chluais. 'Polcas is fearr leo don rince seo.'

Tharraingíos chugam an stól ar nós aon chapall treafa. Chuir Pádraig na stropaí aniar orm. Bhí deich bport ag rith trí mo cheann ach cén ceann ab fhearr a d'oirfeadh? Ansin dhúnas mo dhá shúil agus smaoiníos ar Halla na Muirí. Bhí agam. Dhá phort a sheinneadh Muiris Ó Cuinn nuair a bhíodh sé ag seinm do sheit. Ba é an chéad uair riamh é a sheinneas le cúnamh micreafóin. Ó a dhuine, an tsaoráid! Bhuaileas gach nóta i gceart agus d'imíos trí gach port go maith. Bhí liúireach agus léimeadh ann gan bacúint in aon chor le smúit ag éirí as an urlár. Thugas rince breá fada dhóibh agus nuair a stadas ar deireadh thiar thall bhí sé de chuma ar gach éinne go rabhadar lántsásta ar an mbualadh bos a fuaireas. Sháigh Pádraig anall chugam.

'Ardfhear! Agus ná dearmad a bheith sa Nag's Head Dé Sathairn seo chugainn. Beidh an bosca agam duit agus beidh beagán cleachtadh againne le chéile sula dtiocfam anseo.'

Chuas thar n-ais go dtí mo chomhluadar arís. Bhíos i mbarr mo mhaitheasa arís tar éis an méid sin agus seo linn amach ag rince. Do shuíomair síos faoi cheann tamaill. Bhí Tomás ag scéaltóireacht mar ba ghnáth.

'Bhíomair chomh bocht sa bhaile nuair a bhíos ag éirí suas nár chuaigh aon bhróig ar mo chosa go rabhas dosaen bliain. Thóg sé trí mhí orm taithí a fháil orthu. Lá amháin bheidís ag luí ar mo sháil agus nuair a bheadh an craiceann righnithe ansin thiocfadh clog ar mo lúidín.'

Bhain na cailíní ana-shult as seo.

'Ní raibh aon chlog aige baile againn. Ó, is minic a bhíos déanach ag dul ar scoil. Ar m'anam bhí leithscéal i gcónaí agam.'

Labhair Máire ansin. 'Ar nós na leithscéalta a bhíonn agat domsa.'

Dá mbeadh orm scéalta Thomáis ar fad a insint duit thógfadh sé mí orm. Bhí Máire go hiontach chun é a chur sa tsiúl. Ag déanamh siar ar dheireadh na hoíche bhí ciúnú beag tagaithe ar Thomás. Thosaigh Máire ag piocadh ar Thomás arís. Bhí giall saghas casta ar Thomás.

'An ag troid a bhís le duine éigin gur cuireadh do chorrán as alt?' a d'fhiafraigh Máire de.

Seo le Tomás ag cumadh arís. 'Is cuimhin liom go maith an lá a chuamair faoi láimh easpaig. Pén amadántaíocht a tháinig orm féin nár dheineas scartadh gáire nuair a fuaireas an clabhta. D'fhéach an t-easpag go míchéatach orm agus dúirt "Bainfeadsa an leamhgháire sin de d'aghaidh, a leábharaic." Thug sé clabhta eile dom agus ar m'anam ach gur chuir sé mo chorrán trí orlaí as alt le fórsa an bhuille. Mise dá rá leat go raibh a fhios ag gach duine sa tséipéal go rabhas dulta faoi láimh an easpaig. Taibhsíodh dom go bhfeaca an Mhaighdean Mhuire ag imeacht os mo chionn in airde.'

Ba í an bus a thógas féin agus Caitlín abhaile an oíche sin. Níor bhog sí a béal ó fhágamair an halla gur bhaineamair Lordship Lane amach. Shiúlaíomair go béal geata an tí. 'An mbeidh tae agat?' ar sí.

Ba é seo mo sheans. B'fhéidir dá bhfaighinn suite síos ina haonar í go bhfaighinn amach cad a bhí ag déanamh buartha di. 'Níor eitíos braon tae riamh mar atá a fhios agat go maith.'

Nuair a fuaireas mé féin suite cois boird agus braon tae os mo chomhair bhailíos mo smaointe le chéile. Ar eagla go gcuirfinn mo chois ar aon sprioc neamhcheart.

'A Chaitlín, tá rud éigin ag déanamh tinnis duit anocht. An bhfuilir ar buile fós liom toisc gur ólas cheithre pint beorach?'

D'fhreagair sí mé. 'Ó mhuise, a Mhichíl, an dóigh leat gur tusa an t-aon duine riamh a bhí i mo chuideachta agus deocha ólta aige? Bhíos ag smaoineamh go domhain ó mhaidin conas a déarfainn an méid atá agam le rá leat. Nuair a bhíomair ag ithe dinnéir dheineas dearmad ar fad air mar bhí an chraic chomh maith sin.'

Ó a bhuachaill, cad a bhí ag teacht? Conas nuair a bhíonn gach rud ag dul i gceart is cóngaraí atá an duine don dtubaist?

'B'fhearr liom an méid seo a insint duit agus gan bheith ad chur amú ar fad. Bhíos ag smaoineamh go dian le tamall anuas dul isteach i gclochar.' convent

B'ait liom cad a bhíos ag cloisint. 'Cad ab áil leat dul isteach in áit mar sin?'

D'fhreagair sí: 'Á, a Mhichíl, deinim amach go bhfuil an glaoch fachta agam.'

Labhras féin: 'Tá súil agam nár dheineas-sa aon ní a d'iompaigh do cheann.'

'Caithfidh mé triail a bhaint as agus geallaim duit mura mbeadh glaoch níos airde bheith fachta agam bheadh sé deacair sinn a scarúint.'

Cad a bhí le rá agam? Beatha duine a thoil. Ghuíos gach rath uirthi ar an mbóthar a bhí roimpi amach. will

'Fuaireas litir ó chlochar i dtuaisceart Shasana an tseachtain seo. Bead ag fágaint slán ag Londain an tseachtain seo chugainn agus raghad chomh fada leis an gclochar sin.'

Tar éis tamall cainte dúrt go mb'fhearr bogadh. Gheallas di go bhfeicfinn í tráthnóna Dé Máirt. D'fhágas go dobrónach agus thugas m'aghaidh ar an lóistín.

14

An Chéad Nollaig

Sea, is ag flúirsiú a bhí an obair ag United Aircoil agus in ionad dhá uair an chloig breise a bheith á oibriú againn gach seachtain is amhlaidh a tugadh cuireadh dúinn oibriú gach tráthnóna agus dá mba mhaith linn an lá ar fad Dé Sathairn. Ní raibh aon eagla riamh orm roimh obair chruaidh go mór mhór nuair a bhí an pá go maith. Cad ina thaobh ná beadh fonn orm? Bhíos óg lúfar aiclí agus plean i mo cheann ná féadainn a chur i gcrích gan airgead. Bhí an iasacht airgid a fuaireas ó mo sheanachara agus mé ag fágaint an bhaile díolta ar ais agam agus bronntanas maith ina theannta. Is iad na fuinneoga móra ins na siopaí a chuir i gcuimhne dhom go raibh an Nollaig nach mór buailte linn. Cad é soilse agus cuileann falsa ins gach aon fhuinneoig! San Nioclás ag seasamh ag cúinne sráide anseo agus ansiúd, buicéad os a chomhair amach agus é ag lorg síntiús ar na daoine ag dul thar bráid. Leanaí ag dul chuige agus litir i láimh gach duine acu. Ní fheadar ar bhuail racht uaignis mo dhearthár Dónall ach dhein sé a aigne suas ar an spota go raghadh sé abhaile i gcomhair na Nollag. Bhuail an t-uaigneas mé féin chomh maith ach ní raibh ach cheithre lá saor le fáil againn. Nár dheas é a bheith ag baile i gcomhair Lá an Dreoilín, a bhíos ag smaoineamh. Sinn ar fad a bheith timpeall na tine oíche Nollag agus an t-anbhá ar aghaidh mo dhearthár Tomás ag feitheamh le Saintí. Ba é seo an chéad Nollaig go mbeinn scartha ón gclann agus ón dtig ó saolaíodh mé.

Bhíos ag caint le Tomás Mac Cárthaigh seachtain díreach roimh Nollaig. Dúirt sé liom nach mbeadh sé féin ag dul abhaile i gcomhair na Nollag ach an oiread.

'Cogar, beidh Máire ag teacht aníos go dtí an *flat* Lá Nollag. Tá sí chun dinnéar a ullmhú, cad ina thaobh ná tagann tú chugainn agus fanacht linn ar fad an cúpla lá sin?'

B'fhearr aon rud ná bheith sáite istigh i seomra liom féin ag féachaint ar na fallaí. Mheabhraíos do Thomás go bhfanfainn leo ar aon choinníoll amháin, is é sin go ndíolfainn mo shlí ó thaobh an bhídh de agus aon ní eile a bheadh againn chomh maith.

'An dóigh leat go rabhais chun do chosa a thabhairt leat gan faic?' arsa Tomás go hardmheanmach. 'Cogar, tabhair leat an bosca ceoil. Beidh blúire meidhréise againn oíche Nollag.'

Lá roimis na Nollag dúnadh an mhonarcha ar a dó dhéag meán lae. Bhí sé díreach chomh maith mar is amhlaidh a bheadh duine éigin dulta greamaithe i gceann des na hinnill mar bhí buidéal i mála lóin fhormhór na n-oibrithe an lá sin agus ní buidéal uisce ab ea é.

Ar a haon déag chuaigh na saoistí timpeall agus dúradar linn na huirlisí a thógaint agus an t-urlár a scuabadh. Ansin tháinig an piarda mór amach as an oifig agus tráidire mór lán de ghloiní aige. Ina dhiaidh aniar bhí beirt fhear a bhí ag obair san oifig agus dhá chás mhóra beorach acu.

'Ólaigí sláinte an chomhlachta, tá sé tuillte go maith agaibh,' arsa an piarda mór. Níor bhlaiseas féin aon deoir den uisce beatha mar bhí cuimhne na hoíche sa Nag's Head gur ólas cheithre pint beorach úr i mo cheann go fóill. D'ólas buidéal beorach chun a bheith béasach. Chuaigh a lán des na hoibrithe trasna go dtí an tig tábhairne ba ghiorra dhóibh ach níor dheineas-sa, mar bhí éachtaint agam go raibh oíche fhada romham amach. Chuireas díom abhaile go dtí an lóistín agus bhailíos cúpla balcais le chéile. Léimeas isteach i dtobán breá te áit ar fhanas ag bogadh ar feadh fiche nóimint d'fhonn tuirse na seachtaine a bhaint amach as mo chnámha. Sea mhuise, bhí Dónall aige baile i gCarrachán faoin dtráth seo agus é sáite go maith isteach i dtine bhreá móna is dócha. Bheadh dhá chluais ar bior ag m'athair ag éisteacht leis ag cur síos ar an saol i Sasana.

Bhíos ag smaoineamh istigh sa tobán ar an gcéad litir a fuaireas ó mo mháthair. Bhí sí ag gearán sa litir sin mar gheall ar mo litir féin a bheith chomh gearr. Ní raibh inti ach mar a bheadh *telegram,* mar a dúirt sí. Ach bhíodar breá sásta leis an nóta chúig puint a chuireas isteach sa litir. Má bhí fearg orthu chugam níor chuireadar in iúl in aon litir é. Ó mhuise, ba dheas é bheith sa bhaile i gcomhair na Nollag. Ach sin iad na rudaí. Chaitheas bheith lántsásta leis an áit ina rabhas. Dúirt sagart liom uair amháin i mbosca na faoistine ná cuireadh aon duine ar an saol seo chun a bheith sásta.

Chuireas orm bríste a bhí ceannaithe agam coicís roimhe sin agus léine bhán. Ceann des na léinteacha seo go bhféadfá bóna glan a chur air gan an léine a athrú. Bhíodar go mór sa bhfaisean an uair sin agus iad an-áisiúil. Níor chuireas citeal ná taephota ar an dtine ach glas a chur ar an ndoras agus imeacht liom le mo mhála beag ag sileadh le mo ghualainn.

Bhí Brewers' Grove dubh le daoine ag rith an nóimint déanach chun bronntanaisí na Nollag a cheannach. Cheapas go mbíodh a lán daoine sa Daingean fadó i gcomhair siopadóireacht na Nollag ach ní dhéanfaidís paiste don áit úd. Bhíos féin ag lorg bronntanas a thabharfainn do Thomás. Ní fhéadfainn dul go dtí an dtig i gcomhair na Nollag agus mo dhá láimh chomh fada le chéile. Ba shoiléir ná raibh aon easpa airgid orthu. Smaoiníos siar ar mo mháthair agus mná nach í ag ceannach rud éigin sna siopaí a mbíodh sí ag déileáil leo i rith na bliana agus í ag súil le bronntanas beag éigin i gcomhair na Nollag.

Á bhearradh féin a bhí Tomás nuair a shroiseas an *flat*. Bhí sé de chuma ar a dhá shúil ná raibh sé ach éirithe amach as an leaba. Chuir sé fáilte chroíúil romham. Chaitheas mo mhála i gcúl na cisteanach agus bhuaileas cás beorach a bhí tugtha agam liom ar an mbord. D'oscail sé bosca mór a bhí in airde ar an mbord.

'Féach, a dhuine, chuir muintir Mháire chuici é seo. Dhera a dhiabhail, tá sé te fós.'

Tharraing sé stumpa de thurcaí aníos as an mbosca. Nár bhreá an radharc é seachas an fheoil chapaill ba dhóigh liom a bhíomair ag ithe le cúpla mí! Bhí fothram an domhain ag teacht as an seomra leapan.

'An bhfuil Máire istigh sa tseomra, a Thomáis?' arsa mise.

'Éist, éist,' ar sé, ag cur a mhéire in airde go dtína phus, 'sin í an *landlady*. Tagann sí aníos uair sa tseachtain agus glanann sí an *flat* ar fad.'

'Féach air sin anois. An bhfuil sí críonna?' Sean - wise.

Chuir sé in iúl dom go raibh sí timpeall chúig bliana déag ar fhichid agus gur bhaintreach a bhí inti. Is amhlaidh a thit a fear síos an staighre agus maraíodh ar an spota é.

'An bhfuil a fhios ag Máire go nglanann sí an *flat* duit uair sa tseachtain?'

Chuir an méid sin iontas ar Thomás. 'Gan dabht, cad ina thaobh ná beadh a fhios aici? I ndóthair beidh Máire ina codladh ina teannta sa tseomra thíos anocht.'

Tháinig an *landlady* amach as an seomra.

'*That's it now, Tom love*,' a dúirt sí i gcanúint láidir an Cockney. Bhailigh sí léi síos an staighre uainn.

'Sea, *Tom love*' arsa mise go magúil. 'Fan go gcloisfidh Máire é seo mar chúram.'

Ní raibh Tom róshásta. 'Tá rudaí ainnis a ndóthain. B'fhearr é a fhágaint marbh.'

Dúirt Tomás nárbh í Máire a bhí ag déanamh tinnis dó. 'Fan go neosfad duit,' ar sé. 'Ní rabhas ach coicís sa dúthaigh seo.' ceantar.

100

Bhí a fhios agam go raibh scéal maith aige agus do shuigh an bheirt againn síos le hais leis an mbord.

'Ach go háirithe, an dara Satharn a bhíos anseo thugas m'aghaidh síos faoin gcathair ag cuardach siopa bearbóra. Ní fada a chaitheas taisteal in aon chor nuair a bhuail ceann liom. Fuaireas bearradh breá galánta gruaige uaidh agus *shampoo* chomh maith. Tar éis é a dhíol as a chuid saothair sháigh sé dhá phaicéad bheaga isteach i bpóca barra mo chasóige. Bhí Béarla saghas briste aige.

'*They are very good, will come in handy for weekend,*' a dúirt sé.

Ní raibh aon chuimhneamh agamsa ná gur *shampoo* a bhí ann agus ghabhas buíochas leis agus d'fhágas ansin é. Nuair a shroiseas an *flat* anseo thógas as mo phóca iad agus chaitheas in airde ar an seilf os cionn ionad na tine iad. Is é a bhíos ag rá liom féin go dtiocfaidís isteach áisiúil nuair a bheinn ag ní mo chuid gruaige don rince. Cúpla lá ina dhiaidh sin bhí an *landlady* ag glanadh an tseomra agus tháinig sí trasna orthu. Bhíos ag ól braon tae anseo ag an mbord nuair a labhair sí: '*Oh Thomas, you are planning an adventure this weekend!*'

Bhí an dá phaicéad bheaga ardaithe in airde ina láimh aici. Ambaiste ná feadar cad a bhí i gceist aici agus dúrt '*Of course!*'

'Ó a Mhuire, ní maith é bheith glas! Bhailigh sí léi ansin ach fan go neosfad duit, aon uair a bhuail sí liom i rith na seachtaine ní mó ná go mbíodh sí á cuimilt féin dom. Tháinig an Satharn agus mar ba ghnáth léimeas isteach sa tobán ar feadh tamaill agus ansin chuas ag ní mo chuid gruaige. Thugas liom isteach mo chuid *shampoo*, mar a cheapas. Nuair a bhí mo chuid gruaige fliuchta agam d'osclaíos ceann des na paicéidí. Seo liom á bhrú os mo chionn in airde chun a *shampoo* a thabhairt amach as. Rugas ar an dtuáille a bhí crochta laistiar den doras agus thriomaíos an t-uisce as mo shúile go ndéanfainn scrúdú ar an *shampoo*. Shás mo dhá mhéir isteach agus...cad is dóigh leat a tháinig amach?'

Scrúdaigh Tomás m'aghaidh féachaint an raibh aon rian tuisceana agam ar an gcás. Ó níor ghá dó a thuilleadh a rá. Ní fhéadfá gan na gléasanna frithghiniúna úd a fheiscint i Sasana! Dhruid sé a chathaoir siar ón mbord.

'Ní haon iontas ná gur tháinig tochas ar an *landlady* nuair a chonaic sí iad. Ná beadh sé fuar agam bheith á mhíniú di go rabhas chomh neamhthuisceanach nár thuigeas a mhalairt. Bhíodar ansiúd in airde ar an seilf agam agus nár dhóigh le haon bhean gur cuireadh faoin bplaincéad a bhí ann. Tá a fhios agat conas a oibríonn aigne na Sasanach timpeall an chúraim sin.'

Ní rabhas féin ábalta faic a rá leis an racht gáirí a tháinig orm tar éis dom scéal Tom a chloisint.

'Cad a dúirt Máire nuair a chuala sí an scéala,' arsa mise le Tomás.

'Dhera a dhiabhail, níl a fhios ag Máire in aon chor mar gheall air. Cogar, cad a dhéanfása dá mbeifeá i mo bhróga?'

'An uair go raibh súil aici leis ambaiste ach go mbainfinn babhta aisti!' arsa mise le Tomás.

'Ó mhuise ní déarfadh éinne é sin ach Ciarraíoch,' arsa fear Eochaille.

Tharraingíos chugam mo mhála balcaisí.

'Seo rud beag éigin duit i gcomhair na Nollag.' Shíneas chuige é agus bhain sé lán a dhá shúl as.

'Á, léine nua. Nach mór an seans gur thugais dom anois é mar bhíos díreach meáite ar dhul amach chun an tsiopa chun ceann a cheannach.'

Chaitheas in airde ar an mbord blúire stéic a bhí ceannaithe agam, dá mba stéic a thabharfá uirthi. Ní mór duit a thuiscint go raibh an fheoil go hainnis i Sasana na blianta sin. Cad ina thaobh ná beadh mar chuirtí an chuid ab fhearr di go dtí na tithe móra agus ba iad na seanabha a fágtaí ag na sclábhaithe.

'Buail stráice ar an b*pan*,' arsa mise, 'tá mo ghoile ag cnáimhseán.'

Ní raibh aon ghreim ite agam óna seacht a chlog an mhaidin sin. Chuir sé corcán prátaí ar an dtine agus ba ghearr go raibh boladh an róstaithe imithe ar fuaid an tí. Ansin dúirt Tomás gur thug sé cuireadh don *landlady* bheith inár bhfochair an oíche sin.

'Ardbhean is ea í agus níor mhaith liom í a bheith ina haonar oíche Nollag.'

Thosnaíos ag piocadh air ansin nuair a chuala an méid sin. 'Tabharfaidh Máire bata agus bóthar duitse fós má leanann tú ag lapadaíl le mná eile.'

Tar éis bleaist stéice agus prátaí chaitheas mé féin anuas ar an súsa chun seans a thabhairt don mbéile trá. Thug Tomás aghaidh ar an dtobán.

Ar a ceathrú chun a sé bhuail cloigín an dorais. Bhain sé geit an domhain asam. Bhíos ag míogarnaigh agus gan m'aigne ar an saol seo ná ar an saol eile chomh maith. D'osclaíos an doras.

'Ó a Mhichíl, an bhfuilir anseo cheana féin?'

Máire a bhí ann.

Faoi cheann tamaill tháinig Tomás ar an láthair agus é gléasta ar nós prionsa. Dúirt Máire go ndéanfadh sí braon tae dúinn.

'Cad déarfá liom anois?' arsa Tomás agus é beirthe ar an *tie* dearg a bhí curtha aige air in éineacht leis an léine nua a thugas-sa dó. Bhí a ghruaig slíoctha sleamhain ag *Brylcreem*.

'Go sábhála Dia sinn, cé a fhág agat an *tie* dearg?' arsa Máire agus í ag ligean uirthi go raibh iontas uirthi.

'Cuir uaim anois, a Mháire, sin é an dath atá sa bhfaisean,' arsa Tomás. 'B'fhearr duit rith síos, a Mháire, agus féachaint an bhfuil bean an tí ullamh.'

'Ní gá dhom é, mar thugas faoi ndeara í ar mo shlí isteach agus bhí sí beagnach réidh.'

Rugas ar mo bhosca ceoil agus thugamair ár n-aghaidh an staighre síos. Ghlaomair ar an *landlady* ar an slí amach. Bhuel, dá bhfeicfeá an t-éadach a bhí uirthi! Bhí a guaille agus a muineál nocht, gan fiú an stropa chun a gúna a choimeád suas, go deimhin ní mór ná go raibh a brollach ar fad le feiscint. Bhí a dhá shúil ag teacht amach as cheann Thomáis leis an ngliúcaíl a bhí air. B'éigean do Mháire cic a thabhairt san alt dó chun a mheabhair a thabhairt arís dó.

'Cuir do dhá shúil ar ais i do cheann,' arsa Máire. Perfume

Ó ba bhreá an bhean í agus an boladh breá cumhracháin a bhí uaithi! Chuir Tomás in aithne sinn dá chéile. D'fhéach sí faoina fabhraí orm.

'*Hello ducky*,' a dúirt sí liom. eyelash.

15

Ceol sna Cosa

Is go dtí an Elephant and Castle a chuamair an oíche sin. Bhíos ag seinm ann tamall roimhe sin in ionad ceoltóir ó Chontae an Chláir a bhí imithe abhaile ar saoire. Bhí deoch againn ar dtúis i dtig tábhairne in aice leis an halla. Nuair a chuas féin chun an chéad deoch a sheasamh d'fhiafraíos den *landlady* cad a bheadh aici. Deoch nár chuala riamh trácht air go dtí sin a d'ordaigh sí, *Pernod and white*. Thugamair uair an chloig go leith ag caitheamh siar agus ag caint. Deirimse leat go raibh bean an tí ag taoscadh siar. De réir mar is mó a bhí sí ag ól is ea is mó a bhí sí ag teannadh isteach liomsa. Ba chuma liom ach bhí sí críonna a dóthain chun a bheith mar mháthair agam. Ar deireadh thiar thall d'éirigh Máire agus mhol sí dúinn go raibh sé san am cuairt a thabhairt ar an rince. Bhí Tomás righin riamh agus níorbh fhéidir deabhadh a chur leis. Fear ó Shnaidhm i gCiarraí Theas a bhí ag rith an Elephant and Castle an uair sin. Bhíodh sé ag iómrascáil [wrestling] tamall dá shaol, duine de chlann cháiliúil Uí Chathasaigh. Ba chuimhin liom féin iad a bheith ag teacht go dtí *regatta* an Daingin ag rás leis na báid saighne. Ní raibh aon chriú a thiocfadh i ngiorracht scread asail dhóibh. Fir mhóra dhealraitheacha ab ea iad. Bhí an Cathasach ina sheasamh i mbéal dorais an halla, a thóin le cliathán an dorais agus a ghéag sínte trasna go dtí an fráma eile. Paddy ab ainm dó siúd. Bhí caint gharbh láidir aige agus ba dhóigh leat go n-íosfadh sé thú leis an nglam [bark] a dheineadh sé dá mbeadh aon ní ag cur isteach air. Brístí caolchosacha a bhí go mór sa bhfaisean na laethanta sin go mór mhór ag na *teddy boys*. *Drainpipes* a thugaidís orthu. Ní raibh aon namhaid ag Casey ach na *teddy boys* chéanna. Dá dtiocfaidís go dtí an Elephant and Castle ní bheadh sé siúd i bhfad á gcaitheamh amach arís. Bhí beirt acu romhainn isteach an oíche sin. Rug sé ar chúl casóige ar dhuine acu.

'*Go home and tell your mother to buy you a decent suit and I might let you in next week,*' a dúirt sé leis an *teddy boy*, á chaitheamh amach ar an sráid.

Níor chas an fear óg leis air mar dá ndéanfadh bheadh lúbán déanta ag an gCathasach de.

Is í Bridie Gallagher a tugadh anall i gcomhair na Nollag a bhí mar amhránaí an oíche sin. Bhí sí i mbarr a maitheasa an uair sin. Is é an t-amhrán a bhí i mbéal gach éinne ná 'The Boys from the County Armagh'. B'éigean domsa dul ar an stáitse ansin chun cúpla port a sheinm mar go raibh sos á thógaint ag an mbanna ceoil. Nuair a bhíos ag tabhairt faoin stáitse suas labhair an *landlady* i mo dhiaidh, '*Don't be long, ducky.*'

Bhí Tomás lúbaithe ag gáirí agus gach aon 'ha ha' aige.

'Fán fada ortsa, a Thomáis, agus ar do *landlady*,' arsa mise i m'aigne féin.

Nuair a bhí mo chúpla port seinnte agam ar an stáitse agus allas curtha díom agam thána anuas go dtí an mbord arís. Bhí Tomás ag teacht ón gcuntar agus lán tráidire de chupaí aige agus pota mór tae. Chuir sé cogar i mo chluais.

'Ná lig ort faic, a Mhaidhc, táim ag tabhairt fáinne geallta do Mháire níos déanaí. Tá cuireadh tugtha agam do bheagán daoine teacht go dtí an *flat* tar éis an rince.'

Bhíomair ag siúl linn síos cliathán an halla.

'Cad a dhéanfad leis an *landlady*?' a dúrtsa ag tochas mo chinn.

'Bhuel an cuimhin leat cad dúraís liom níos luaithe sa lá?' arsa Tom ag tabhairt sunc sa chliathán dom lena uillinn. 'Era, níl sí sin ach ag piocadh ort chun seoigh.'

Bhí braon tae againn ar fad agus ina dhiaidh sin rinceamair *waltz* le hamhrán breá ó Bhridie Gallagher. Pén rud a dúirt Tomás mar gheall ar an magadh bhí sí siúd, mar is í an *landlady* a bhí agam ag rince, sáite isteach go maith ionam ag imeacht timpeall an urláir. Ar m'anam ach go raibh sé ina fhuarallas tríom amach.

Ar an gcéad rince eile chuas go dtí Máire agus thugas liom amach ag rince í. D'fhágas Tomás agus an *landlady* le chéile. Ar m'anam ach nár chuir seo buairt rómhór ar Thomás. Bhí cad é boghaisíní ag an mbeirt acu suas agus síos an halla.

'An bhfeiceann tú an bheirt?' arsa mise le Máire.

'Dhera nach in é mar a bhíonn na Sasanaigh ar fad. Is dóigh leatsa go bhfuil tú in Éirinn fós. Scaoil leat féin agus bain súp as an oíche.'

Chuir Máire ag smaoineamh mé. 'Is dóigh liom, a Mháire, go bhfuil an ceart agat.'

Má bhí duine amháin sa *flat* an oíche sin tar éis an rince bhí fiche duine ar a laghad ann. Níor tháinig éinne acu tirim ach an oiread. Bhí cásanna beorach agus cásanna pórtair, buidéil fíona agus buidéil fuiscí agus buidéal *Pernod* a thug an *landlady* léi.

'Tarraing chugat an bosca, a Mhichíl, agus seinn cúpla port,' a dúirt duine éigin. Chuireas ceist mar gheall ar na tionóntaithe eile agus an mbeidís ag gearán. Dúradh liom go raibh gach duine acu ag an b*party*. Thosnaíos le cúpla sean-*waltz* agus is gearr go raibh cuid acu agus cad é clis i lár an tseomra acu! Tháinig Máire agus Tomás amach as an gcistin agus tráidire lán de ghloiní acu. Thug sí deoch domsa agus ceann eile don *landlady*. Bhí sí am leanúint fós ambaist agus í suite síos i m'aice. Thóg sé a gloine. Bheireas ar cheann des na gloiní fuiscí a bhí os mo chomhair. Níor mhaith an tosnú é! Ach bhí sé chomh maith agam bheith chomh bogaithe leo.

Nuair a bhí gloine i láimh gach éinne sheas Tomás istigh i lár an urláir. Chuir sé crot air féin go raibh sé chun rud éigin mórchúiseach a rá. Faoi cheann tamaill stop gach éinne ag caint.

'Tá a fhios agaibh go bhfuilim féin agus Máire ag siúl amach le chéile le tamall anuas. Anois mar bhronntanas Nollag di táim chun an fáinne seo a bhronnadh uirthi. A Mháire, tair anseo amach.'

Tháinig Máire amach go lár an urláir agus shleamhnaigh sé an fáinne isteach ar a méir.

'Tá súil agam go nglacfair é seo uaim,' ar sé, ag baint póg aisti. Lig gach éinne liú mór agus bhí cad é pógadh ar siúl ar feadh tamaill. Bheireas féin ar an mbosca ceoil arís agus chuireas amach ag rince iad. Roinneadh an deoch go flaithiúil agus is gearr go raibh gach éinne breá súgach. Is leis an bpórtar a luíos féin tar éis an braon fuiscí a ól. Bhí eagla orm roimis an fuiscí. Dúradh le fear éigin amhrán a rá. Amhrán breá a duirt sé 'The Hills of Glen Swilly'. Fear téagartha ab ea é seo agus léine bhán air go raibh gach cnaipe inti síos go bun a bhoilg oscailte. Bhí a dhá mhuinchille fillte in airde go dtína uillinn aige.

'*Cor blimey*,' arsa an *landlady*, ag cur láimh ar mo ghlúin, '*what a build!*'

Ar a shon go raibh sé bogaithe go maith thug sé an t-amhrán go breá leis. Ina thosach a bhíomair. Mar ina dhiaidh sin bhí a amhrán féin ag gach éinne. Toisc ná raibh aon cheoltóir eile ann ach mé féin do chaitheas luí leis na cnaipí, cé go raibh fonn seite orm féin. Níl aon teora leis an mbraon ceart a bheith faoin bhfiacail. Trí uaire an chloig roimhe sin ní fhéadfá mórán comhrá a bhaint as éinne ach bhí ceol sna cosa anois ag na mná chomh maith leis na fir.

Bhí cuid den gcuideachta ag fáil saghas leadránach agus ní rabhas féin chun deireadh orthu. Bhraitheas mo chuid ceoil ag fáil balbh agus mo mhéireanta ag fáil trom.

'Tá deireadh seinnte agamsa,' a dúrt le Tomás ag bualadh an bhosca uaim sa chúinne. Thug Tomás amach buidéal eile chugam. D'fhiafraigh sé dhíom an mbeadh braon cruaidh agam.

'Anseo,' arsa an *landlady* nuair a chonaic sí an buidéal.

'A Mhuire,' arsa Máire isteach i mo chluais, 'níl aon leagadh uirthi.'

Fuair sí gloine bhreá ghalánta ó Thomás. Thugas faoi ndeara ar Thomás ná beadh sé deacair treascairt a bhaint as. Thosnaigh na daoine ag fágaint agus ní raibh fágtha ar deireadh ach an ceathrar againn, mé féin, Tomás, Máire agus bean an tí.

'Téanam ort go dtí an gcistin,' arsa Máire léi, 'déanfam tae maith láidir.' Is é mo thuairim go bhfeaca sí an *landlady* ag cuimilt a láimh dom.

'A dhiabhail,' arsa Tomás, 'tá agat i gcomhair na hoíche.'

Bhí an oiread sin ólta agam gur chuma dhom ann nó as í. 'An bhfuil an paicéad eile sin *shampoo* agat? Ní fheadarais ná go dtiocfadh sé isteach áisiúil.'

Thug Tomás bos a láimhe thiar sa chúl dom. 'Ha...ha...ha agus dhéanfá, a bhastúin.'

'Éirigh nó beir déanach don Aifreann.' Ba í aghaidh Mháire a chonac nuair a d'osclaíos mo dhá shúil.

'Cá bhfuilim, cá bhfuilim?'

'Ní thiar sa Daingean atánn tú. Bhíos ag an Aifreann luath. Tá an druncaeir eile sínte fós. Seo leat anois, tá sé chomh maith agat dul go dtí an Aifreann mar is í maidin Lae Nollag í.'

Bhí boladh an róstaithe ag teacht ón gcistin. D'éiríos aniar ar an *sofa* agus d'fhéachas isteach sa scáthán a bhí in aice liom. *eyelashes*

'Ó a Mhaidhc, tánn tú ag fáil bháis.'

Bhí mo dhá shúil súite siar i mo cheann agus na fabhraí os cionn na súl ataithe. 'Nach gránna an duine mé ar maidin!'

Chuireas mo dhá chois ar an dtalamh agus chaitheas mo shúil timpeall ag lorg mo bhríste. Tar éis cúpla searradh a bhaint asam féin chuireas orm mo bhalcaisí agus bhaineas amach an leithreas. Fuaireas rásúr le Tomás agus ba leor í siúd chun mé a bhearradh an mhaidin sin.

'Dein deabhadh, tá sé ag titim uaim!' Bhí Tomás beo agus ina shuí. Scaoileas isteach sa leithreas é agus thugas faoin *sofa* arís ach ar m'anam gur lig Máire béic.

'Tá an bricfeast réidh.'

Bricfeast a dhuine, b'fhearr liom go mbeadh sé na mílte uaim mar ná féadfainn féachaint ar bhricfeast tar éis na hoíche. Shuíos chun boird, agus an bhfeadarais, nuair a bhí an chéad chúpla greim ite agam i gcoinne mo thola, tháinig mo ghoile chugam. Thug Tomás faoin mbricfeast faoi mar ná beidh faic le n-ól an oíche roimhe sin aige.

'Bail ó Dhia ort, a dhuine, tá misneach asail agat ar maidin,' ar mise le Tomás ag éirí ón mbord. Tháinig cnag ar an ndoras.

'Tá sé oscailte,' a dúirt Máire.

Is í bean an tí a bhí ann. D'fhéach sí orainn ar fad agus thosnaigh sí ag gáirí.

'Cogar,' arsa mise le Tomás, 'féach a cuid gruaige. Ní chuireann sé aon rud i gcuimhne dhom ach nuair a bhíodh an seanachlúmh ag titim den seanasal aige baile.'

Ní chuala an *landlady* in aon chor mé.

'An bhfuil buidéal breise bainne istigh agaibh?' arsa bean an tí.

Rug Máire ar an gcathaoir agus sháigh ina treo í.

'Tá bagún róstaithe ar an b*pan* agus tá tae sa phota. Suigh síos.'

D'fhéach Tom i mo threo. 'Téanam ort, beidh an tAifreann ag tosnú sara fada.'

Thug Máire comhairle ár leasa dúinn. 'Beidh an turcaí ullamh ar a haon. Ná téigí ar aon spraoi anois.'

Bhí séipéal beag i ngiorracht míle slat don árasán. Ghabhas síos agus suas thairis go minic cheana ach go bhfóire Dia orainn ní mór an ceann a thógas de go dtí seo. Le féachaint ar an dtaobh amuigh de ba dhóigh leat gur ghnáth-thig é. Bhí an sagart tagaithe ar an altóir nuair a chuamair isteach.

'Fanfam in aice an dorais,' arsa Tomás. 'Ní bheadh a fhios agat cén sórt laige a thiocfadh orainn.'

Sagart beag críonna a dúirt an tAifreann agus mura dtug sé faoi chleas an óil agus druncaeirí sa tseanmóir ní lá fós é.

'Am spioradálta den mbliain í seo, agus ní ham í chun a bheith ag tabhairt isteach d'obair an diabhail. Nuair a deirim obair an diabhail tagann ól faoin gcaibidil seo.'

Phioc Tomás mé. 'Is measa é seo ná mo mháthair.'

Le linn é bheith ag tabhairt amach Comaoine d'éirigh Tomás. Cheapas gur suas chun Comaoine a bhí sé ag dul.

'Lean mise,' ar sé.

'Cá bhfuilir ag dul?' arsa mise.

'Táimid ag dul go Lourdes, *for the cure*.'

Bhí iontas ormsa. 'Cá bhfuil Lourdes nó cén neamh-mheabhair atá ag teacht ort?'

Dúirt Tomás liom arís é a leanúint. Ghabhamair síos cúlshráid agus ba ghearr gur chnag Tomás ar dhoras beag. Labhair duine éigin laistigh.

'Cad tá uaibh?' ar sé as Béarla.

'*The cure*,' arsa Tomás. '*Is this Lourdes?*'

Ní foláir nó go ndúirt sé an focal ceart mar d'oscail an doras. Bhí aithne ag fear an tí ar Thomás. D'fhiafraigh sé de cé bhí lena chois agus chuir sé mise in aithne. Shiúlaíomair isteach halla fada dorcha agus ansin trí dhoras. Bhíomair istigh i dtig tábhairne éigin agus ón bhféachaint a thugas timpeall is Éireannaigh ar fad a bhí istigh ann. Ní raibh cuma róshláintiúil ar éinne acu an mhaidin sin ach an oiread linn féin.

'Cogar, a Thomáis, tá a fhios agat go mbeidh an dinnéar ar an mbord aige Máire ar a haon.'

D'fhéach Tomás ar a uaireadóir. 'Tá uair an chloig agus ceathrú againn. Beimid leigheasta go maith faoin dtráth sin.'

Formhór na ndaoine a bhí ann bhí aithne shúl agam orthu ós na rincí ach ní raibh ainm agam dona leath. An chéad bheannú a fuaireas ó bhulcán fir go raibh a thie bogaithe tamall maith amach óna mhuineál aige, '*Where is the box?*'

Fuair Tomás cúpla leathghloine agus shín sé chugam ceann.

'Seo, díreoidh sin do chorrán agus ná bac mo chorránsa mar nach féidir aon díriú a dhéanamh air.'

Bhí ceathrar thíos i mbun an tí agus gathanna nó *darts* á gcaitheamh acu.

'A Mhuire,' a dúirt Tomás ag cuimilt a dhá shúl, 'conas a fheiceann siad na figiúirí in aon chor?' Shuíomair ar ár sáimhín cois cuntair le hais le ceathrar ó Chontae Mhaigh Eo. Cúrsaí oibre a bhí ar bun againn. B'in é an chéad mhaidin a fuaireas amach cá dtabharfainn m'aghaidh dá mbeinn ag lorg oibre ar na bildeálacha.

'Féach i do thimpeall,' arsa Tomás. 'Ní íosfaidh a leath acu sin dinnéar na Nollag inniu. Tá a ndinnéar os a gcomhair anois.'

Chroitheas mo cheann le hiontas. Ba dheacair dom a chreidiúint go bhfaigheadh aon daonnaí chomh leachta go dtréigfeadh sé an bia ar mhaithe le dúil agus mian na dí.

'Ó mhuise,' a dúrtsa, 'ní mhaith liom bheith ag braith orthu amáireach chun trinse a thaoscadh. Deireadh m'athair i gcónaí gurb é capall na hoibre an bia.'

Léim Tomás den stól. 'Téanam ort, a dhuine, nó beidh cos an turcaí dóite. Ní bhlaiseas blúire de thurcaí ón Nollaig seo caite.'

D'fhágamair slán ag an gcomhluadar agus scaoileamair faoi amach an cúldhoras arís.

16

Tabhair leat do Shluasaid

'Nuair a théann an gabhar go dtí an teampall, ní stadann sé go dtí go dtéann sé ar an altóir.' Sin é mar adeir an seanfhocal agus creid uaimse gach focal dó. Thugas mí Eanáir agus Feabhra ag obair do United Aircoil. Bhí deich n-uaire an chloig sa ló á n-oibriú agam agus an Satharn chomh maith. Bhí an oiread oibre acu go rabhadar ag smaoineamh ar an nDomhnach a oibriú ach chaitheadar amach as a gceann é sin mar dá mbeadh Sasana ar fad le fáil mar luach saothair ag cuid de na hoibrithe ní thréigfidís a nDomhnach faoin dtor. Ní raibh aon tseachtain ná go raibh fiche punt glan ag dul isteach i mo phóca agus bónas ag deireadh an mhí chomh maith. Ach nach ait an rud é, dá mhéad a bhíonn ag an ndaonnaí bíonn an féar glas níos milse ar an dtaobh eile den gclaí. Is dócha gurb é an t-áirseoir a bhíonn ag obair orainn uaireanta. Ag déanamh ar dheireadh an Mhárta bhí fuacht agus sioc an gheimhridh imithe agus an lá ag síneadh. Ní chloisfeá faic ar siúl ins gach comhluadar ins na rincí agus ins na tithe tábhairne ach ag baint agus ag rómhar ag leagan bunshraith anseo agus bunshraith ansiúd. Cuid eile ag tógaint caisleán san aer. Sea ambaist, foirgníocht agus airgead mór. Mise dá rá leat gur meascadh stroighin ag an gcuntar sa Nag's Head agus is mó troigh faoin talamh a ligeadh é. Is é a dúirt Pádraig Ó Máille a bhí i mo chuideachta oíche Shathairn amháin, 'An gcloiseann tú an chaint i do thimpeall, a Mhichíl? Sin fiabhras a thagann orainn i ndeireadh an earraigh, nuair a bhíonn an lá ag dul i bhfaid agus an aimsir ag bogadh.'

An oíche chéanna a fuaireas an *start* ar a shon ná rabhas á lorg. Bhí fear meánaosta ag dul ó dhuine go duine ag lorg oibre orthu. Bhí caincín an druncaera air agus é de chuma ar a aghaidh gur oscail duine éigin clais nó dhó ann, uair éigin dá shaol.

'Féach air sin,' arsa Pádraig ag cur cogar i mo chluais, 'is mór an t-athrú sa tsaol é. Cúpla bliain ó shin bheadh ort a bheith ag taoscadh dí isteach sa bhfear sin chun freagra a fháil uaidh. Déanfaidh sí ana-bhliain ar fhoirgníocht.'

Ghaibh mo dhuine chugainn tar éis tamaill. Ar an slí a bheannaigh Pádraig agus é féin dá chéile déarfainn nach róbhuíoch dá chéile a bhíodar.

'An bhfuilir ag baint na spearacha des na *rookies* fós, a Liam, nó an bhfuilir ag fáil róchríonna?' arsa an Máilleach.

Chuir mo dhuine scaimh air féin agus thosnaigh sé ag caint liomsa.

'Liam Ó Cíobháin is ainm domsa. Táim ag obair do Murphy's. Tá foirgneamh mór á thógaint againn thíos i gCamden Town. Beidh obair bhliana ann. Má tá an áit sin rófhada ó bhaile uait tá sé ionad eile againn ar fuaid na cathrach.'

Ligeas dó bheith ag caint leis agus ansin nuair a chríochnaigh sé chuireas ceist amháin air.

'An mór in aghaidh na seachtaine a íocann Murphy's?'

Thug sé tamall ag smaoineamh. 'Is fút féin a bheidh. Tasc-obair ar fad atá ann. Is olc an tseachtain ná tabharfá tríocha punt abhaile leat. Táim ag tagairt anois do sclábhaí sluaiste.'

Nuair a chuala tríocha punt sa tseachtain b'in ba ghá dom.

'Caithfead fógra seachtaine a thabhairt san áit go bhfuilim ag obair.'

Bhuail sé a láimh ar mo dhroim. 'Is maith liom fear go bhfuil prionsabail aige.'

Thug sé cárta dhom agus seoladh na háite i gCamden Town air agus chuir sé a ainm féin ar bharr an chárta.

'Dein teangbháil leis an bhfear san oifig agus abair leis gur mise a chur an treo thú.'

Thóg sé m'ainm agus mo sheoladh agus d'imgh sé leis go dtí duine éigin eile. Sháigh Pádraig a cheann i mo threo nuair a bhí mo dhuine bailithe leis.

'A Mhic Uí Shé, beidh léan ort fós nuair a shmaoineoir ar an lá a thógais post ón dtincéir sin.'

Ní dúirt sé a thuilleadh agus ní lú mar a cheistíos-sa é. Ar an slí a bhí mo cheann ag oibriú agus mé ag cur rudaí le chéile ba é an diabhal ar fad é nó sheasfadh an obair i gCamden Town go dtí deireadh an tsamhraidh. Leis an bpá mór bheadh costas Mheiriceá agus beagán ina theannta curtha ar leataobh agam.

Tar éis slán a fhágaint ag United Aircoil an tráthnóna Aoine ina dhiaidh sin cheannaíos péire maith láidir bróg agus barra iarainn amuigh orthu, *steel-tipped,* agus *overalls.* Bhí na balcaisí oibre a bhí agam seanachaite agus crústa orthu ag an íle a bhíodh ar na pípeanna copair. Is é a bhíos ag cuimhneamh ar mo shlí abhaile ar an dtraein go raibh tamall anois ó rugas ar shluasaid. Is dócha gur cloig a bheadh orm an chéad seachtain.

Go luath ar maidin Dé Luain ina dhiaidh sin is ar an mbus a chaitheas m'aghaidh a thabhairt. Dá bhrí sin bhí orm an lóistín a fhágaint leathuair an chloig níos luaithe ná mar ba ghnáth mar bhí na busanna i bhfad níos moille ná an traein. Ní raibh puinn dua agam suíomh na hoibre a bhaint amach mar bhí leath na bhfear a tháinig den mbus i gCamden Town ag treabhadh ar an áit chéanna. Cheistíos fear amháin cá raibh an oifig agus chuir sé siúd sa tslí cheart mé.

'Ansin thall,' arsa sé sin, ag taispeáint bothán beag dom. 'Agus seachain tú féin ar Sweeney. Tá ceann breá air tar éis an deireadh seachtaine.'

Chnagas ar an ndoras.

'Tar isteach! An dóigh leat gur óstán é seo? Sáigh romhat isteach é.'

'A Mhuire,' a bhíos ag cuimhneamh, 'ní fheadar cén saghas muice é seo.' Thógas an cárta amach as mo phóca agus shíneas chuige é. D'fhéach sé ar an gcárta agus d'fhéach sé orm.

'An bhfuil ceard agat?'

'Tá,' arsa mise. 'Is sclábhaí sluaiste mé.'

'Tá oideachas teangan ort chomh maith,' a dúirt mo dhuine. 'Bain amach Colmán Ó Neachtain. Tá sé ag obair ar cheann des na meascairí. Seo dhuit uirlis do cheirde.' Shín sé chugam sluasaid go raibh feac beag gearr uirthi. 'Glan gach tráthnóna í sula raghair abhaile agus ná téadh sé amú ort nó beidh ort díol as cheann nua as do phóca féin.'

Bhogas amach an doras gan a thuilleadh a rá. Do stiúraigh fear dubh a bhí ag obair lasmuigh mé sall go dtí an dtaobh eile den suíomh.

'Tá sé inneall déag ag obair ansin thall,' ar sé. 'Caithfidh go bhfuil Ó Neachtain i bhfeighil ar cheann éigin acu.'

Bhuaileas mo shluasaid ar mo ghualainn díreach mar a bheinn ag dul ag taoscadh ar phrátaí sa bhaile agus thugas m'aghaidh sall trasna na háite. Nuair a d'fhiafraíos de bheirt fhear a bhí ag sluaisteáil isteach i gceann des na hinnill cá raibh Colmán Ó Neachtain thaispeánadar dom inneall ná raibh ach fear amháin ina fheighil. Nuair a shroiseas an t-inneall thógas an tsluasaid de mo ghualainn.

'An tusa Colmán Ó Neachtain?'

D'fhreagair sé mé. 'An tusa an sclábhaí nua? Sea, más tú, tit isteach ar an dtaobh eile díom anseo. Anois cheithre shluasaid grin agus ansin sluasaid stroighne.' Chuireas mo shluasaid i bhfearas.

'Tánn tú ciotach. Oirfimid go maith dá chéile mar is ar deiseal a oibrímse.'

Chuireas mé féin in aithne dhó. Dúirt sé liom coimeád ag obair ar an luas go raibh sé féin ag obair mar gur fada an lá a bhí ann go tráthnóna. Ghabhadh fear le bara chugainn agus líontaí an bara amach as an inneall. D'imíodh siúd agus fuadar faoi suas an cosán a bhí déanta as adhmad nó go mbíodh sé imithe as radharc in airde ar an dara leibhéal.

'Sin obair chruaidh,' arsa Colmán liom agus é ag pointeáil go dtí an bhfear leis an mbara. 'Bhí Sasanach ag obair i mo theannta le coicís. Cheap sé go raibh an obair róchruaidh agus ní fheaca éinne é ó lár na seachtaine. Bheifeá ag sá an bhara cinnte mura mbeadh sin.'

Ní raibh éinne chugainn ná uainn ar feadh tamaill. Is gearr go bhfeaca an fear a labhair liom sa Nag's Head seachtain roimhe sin ag déanamh orm. Bhí gach aon ghlam aige ar cheathrar fear a bhí ag cur formaí adhmaid in airde.

'Féach mo dhuine,' arsa Colmán. 'Sin é an bástairt bligeaird is mó i bhfeighil oibrithe riamh. Ní chuala riamh ag moladh fearaibh é ach ag síorcháineadh.'

Ní fada a bhí orm feitheamh chun fírinne an scéil sin a fháil. D'ordaigh sé don Neachtanach bheith ag sluaisteáil níos mire agus gan 'an fear óg a bheith chomh leisciúil leat féin.' Ach mhol an Neachtanach dom gan ligean orm gur chuala in aon chor é mar ná tiocfadh sé i ngiorracht deich slata dó.

'Dá dtiocfadh,' a dúirt sé, 'gheobhadh sé faobhar na sluasaide anuas sa cheann.'

Ní dúirt féin faic ach mo cheann a choimeád fúm agus a bheith ag oibriú liom. Thug mo dhuine deich nóimintí ansiúd agus a dhá ghéag fillte aige ag faire orainn. Bhí baraí folmha ag teacht agus baraí lána ag imeacht. Ansin thóg sé an bara ó fhear amháin agus chuir sé ar ais faoin inneall arís é. Ní raibh aon spáráil ag Ó Neachtain air mar líon sé an bara suas go béal. D'imigh mo dhuine leis ar luas agus b'eo leis in airde ar an gcosán adhmaid. Bhí fear roimhe in airde agus ba mhall leis é. Lig sé béic dhiamhair as: *'Can you work any faster you lazy bastard? Your mother should have drowned you when you were a baby!'*

'Féach an t-ainniseoir sin anois,' arsa Colmán, 'agus an íde atá tugtha ag an mbligeard sin air. Is é seo an chéad lá ag obair aige. Ó mhuise, tiocfaidh droch-chríoch ar an bhfear sin agus tá súil le Dia agam go mbeidh mé timpeall chun é d'fheiscint.'

Is é bhíos ag smaoineamh ná gur mhór an seans a bhí liom bheith mar pháirtí ag an bhfear breá seo a bhí i m'aice.

Ar a leathuair tar éis a deich ar an sprioc stopadh na hinnill. Bhí fiche nóimint chun tae againn. Nigh Colmán a shluasaid agus dheineas-sa amhlaidh.

'Téanam ort, tá ceaintín anseo thall. An dtugais aon ghreim bídh leat?'

Rugas ar mo chóta. 'Tá cúpla ceapaire i mo phóca.'

Thug mo pháirtí comhairle dhom. 'Tabhair leat do shluasaid nó beidh tú gan í. Ghoidfí an tsúil as do cheann anseo dá mbeadh do dhroim iompaithe agat.'

113

Bhí fáinne gáis istigh i gcúinne an cheaintín. Is gearr gur las Colmán é agus bhuail droim na sluasaide anuas air. Thóg sé punt ispíní amach as mhála beag agus scaip sé na hispíní anuas ar bharr na sluasaide.

'Mairg a cheannódh *frying pan!*' a dúirt Colmán agus aoibh an gháire ar a aghaidh.

'Sea mhuise, chífidh Seán a thuilleadh,' arsa mise liom féin. Níorbh aon ionadh gur ghlan sé an tsluasaid go maith sular tháinig sé isteach.

'Sea anois,' arsa Colmán, 'beir ar leathdhosaen acu sin agus bí ag cogaint leat.' D'iompaigh sé an tsluasaid droim thar n-ais ar bhord beag. 'Le Mícheál anseo a dúrt é,' ar sé agus nuair a d'iompaíos timpeall chonaic beirthe aige ar láimh fir éigin eile a bhí ag sá go dtí na hispíní. Tar éis ár mboilg a bheith líonta againn le hispíní agus le tae láidir scaoileamair faoi amach arís agus is beag an t-ocras a bhí orainn as sin go dtí am lóin.

Thug Liam, an *straw boss*, mórán cuairteanna orainn i rith an lae agus ní chun sinn a mholadh a tháinig sé aon am ach '*Fill your shovel,*' nó rud éigin gan dealramh mar sin a bhíodh ar siúl aige. Is minic an lá sin a tháinig caint Phádraig Uí Mháille ar ais chugam nuair a dúirt sé liom go mbeadh léan orm teacht go dtí an áit sin.

Toisc gan taithí a bheith agam ar obair shluasaide le tamall roimhe sin bhí gach aon chnámh i mo chorp tinn an chéad oíche. Bhí mo dhá láimh lán de chloig chomh maith. Ach ar nós aon rud eile bhíos ag cruachtaint gach lá a thugas ag obair ann agus ba ghearr gur tháinig craiceann cruaidh ar mo lámha agus gur chuaigh mo chnámha i dtaithí ar an obair. Bhíos coicís ag obair ann sula bhfuaireas mo chéad phá. B'fhada liom go bhfeicfinn cad a bhí istigh sa chlúdach beag rua. Ní mó ná sásta a bhíos nuair a chomhairíos amach an t-airgead. Bhí timpeall dhá phunt breise ann ná mar a bhí agam ag obair le United Aircoil. Bhíos ag cuimhneamh gur mhór an stumpa amadáin mé agus an áit chéanna a fhágaint in aon chor. Mise i mo sheasamh in aice innill ó mhaidin go hoíche ag sluaisteáil ghrin agus stroighne isteach ann agus dá mbeadh aon leoithne gaoithe ann ní bheadh aon aithint orm tráthnóna mar bheadh an stroighin greamaithe de mo chuid éadaigh agus de mo chraiceann. Níor mhór dom léimeadh isteach i dtobán uisce te gach tráthnóna nuair a thagainn abhaile chun mé féin a ghlanadh i gceart. Bhí mo dhá láimh scoiltithe agus loiscithe ag an stroighin chéanna.

Thugas an samhradh ar fad ag obair in éineacht le Colmán. Bhíodh fir ag teacht agus má bhíodh, bhíodh deabhadh ar chuid mhaith acu ag imeacht arís. Ní fheaca riamh ina dhiaidh sin jab ar fhág an oiread sin oibrithe é. Níorbh aon chomhartha rómhaith ar na fir a bhí i bhfeighil é sin.

Bhí mí an Mheithimh ana-the an bhliain sin. Is cuimhin liom go maith é mar bhí timpeall le daichead saor bríce ag tógaint agus gan na sclábhaithe ann chun na brící a tharraingt chucu. Ní raibh gá leis na hinnill stroighne ar fad, is cosúil, mar an mhaidin áirithe seo ghaibh an *straw boss* chugainn. Thug sé ordú dúinn gan a thuilleadh stroighne a mheascadh leis an inneall agus nuair a bheadh an bara deireanach tarraingthe amach as, an t-inneall a ghlanadh go maith mar ná beadh sé ag teastáil ar feadh tamaill. Bheadh orainne dul ag tarraingt bhrící go dtí na saoir. Bhíodar san dulta chomh fada leis an tríú hurlár lena gcuid oibre. '*The height might pardon you two lazy bastards,*' an t-asachán a chaith sé linn. Bhí Colmán chun é a bhualadh mura mbeadh gur bheireas ar láimh air. Bhailigh mo dhuine leis gan a thuilleadh a rá.

'Ó mhuise, sula mbeidh an jab seo críochnaithe táimse chun cúl a chinn siúd a bhriseadh i gcoinne falla éigin,' arsa Colmán le racht goimh.

Ghlanamair an t-inneall agus ár sluaiste agus thugamair ar ais iad do fhear an bhotháin. Fuaireamair *hod* an duine. Thug Colmán comhairle dhom smut de phlaincéad a tabhairt liom an lá dár gcionn chun nach mbainfeadh an *hod* an craiceann de mo ghualainn le hualach na mbrící.

An mhaidin dár gcionn d'fhaireas Colmán ag cur na mbrící ar an *hod*. Chuir sé na brící trasna ar a chéile chun ná sleamhnóidís den *hod* nuair a bheadh sé ag dul i gcoinne an aird. Dúirt sé liom é féin a leanúint suas an chéad chúpla babhta agus faire a bheith agam air ag leagadh na mbrící. Bheidís cancrach, na saoir, mura mbeadh gach rud i gceart dhóibh. Má chualais ag cnáimhseán mé cheana mar gheall ar an stroighin a bheith ag dul ceangailte ionam admhaím go raibh rudaí cruaidh ar uairibh ach bhíos féin imithe ina thaithí. Ar m'anam ach sula dtáinig an tráthnóna orm ar mo chéad lá ar an *hod* thuigeas go maith an chaint a bhíodh ag daoine ar saoire mar gheall ar an obair chruaidh a bhain leis an *hod* céanna seo. Bhí colpaí mo chos i reachtaibh pléascadh, mo dhá láimh tinn traochta agus griofadach i mo ghualainn toisc an craiceann a bhí imithe di le meáchain an *hod*. Ceal taithí gan dabht. Is ar éigean a bhíos ábalta ar mo dhá chois a chur thar a chéile an tráthnóna sin agus mé ar siúl ón mbus mar bhí dhá phluic mo thóna lán d'oighear tar éis allas an lae agus iad ana-chéasta dá réir. Tháinig Colmán i gcabhair orm arís. Dúirt sé liom an stuif sin a chuimleofá de d'aghaidh tar éis tú féin a bhearradh a chuimilt de mo thóin agus ná beadh faic orm ar maidin. Níor chuir an fear céanna amú riamh mé.

Chuas isteach go dtí an siopa bearbóra ar mo shlí abhaile agus cheannaíos buidéal den stuif sin uaidh. Rud amháin ná dúirt Colmán liom áfach. Sin é an phian agus an céasadh a thiocfadh orm nuair a chuirfinn an stuif sin orm ar dtúis. Bhíos istigh sa leithreas ag cur na stuife orm nuair a ligeas an bhéic leis an bpian.

'Cad tá ort, a dhiabhail, nó an cruaidh i do bholg atánn tú?' arsa mo dheartháir Dónall ag teacht go dtí doras an leithris. Bhíos-sa faoin dtráth sin ag béicigh agus ag pocléimnigh timpeall an tseomra bhig ar nós duine a bheadh á loscadh istigh i dtine. Tar éis tamaill fuaireas faoiseamh beag éigin. Bhí Dónall fós lasmuigh agus é ag fiafraí díom cad a bhí orm.

'An amhlaidh atá do scornach gearrtha agat leis an rásúr?' a bhí sé ag rá anois.

Á, an fhuascailt. Sea, a bhuachaill, bhí an ceart ag mo dhuine tar éis an tsaoil. Ar m'anam b'fhearr é ná aon luibh leighis a thiocfadh as mhála dochtúra. Nuair a bhí mo thóin i gceart arís fuaireas seanashmut de phlaincéad agus thug an oíche á fhuáil le chéile chun piliúr beag a dhéanamh de a chuirfinn idir an *hod* agus mo ghualainn.

Ar nós gach oibre eile de chuas i dtaithí ar an *hod* agus ní raibh aon bheann agam air tar éis tamaill. Ach bhí trua agam do Cholmán mar ní raibh sé siúd chomh hóg ná chomh haiclí liomsa agus thagadh rudaí cruaidh go maith air. Sa tsórt sin oibre, áfaigh, ní raibh trua don bhfear lag ná don bhfear ná raibh an tsláinte rómhaith aige. Bítear ag iarraidh an méid is féidir a bhaint amach as gach éinne agus mura bhfuilir ábalta ar an obair a dhéanamh níl faic i ndán duit ach bata agus bóthar.

Chun cúrsaí a dhéanamh níos measa fós tháinig brothall millteach i Meitheamh na bliana sin agus lean sé siar isteach go dtí deireadh Lúnasa. Bhíomair chomh róstaithe sin ag an ngrian go raibh ár gcraiceann ruadhubh. Is minic a thógas ceann den *straw boss* a bhí againne. Cé ná raibh aon obair ar siúl aige ach ag caitheamh asachán agus ag liúirigh, bhí allas tríd amach mar a bheadh súlach ar mhuic a bheadh ag róstadh os cionn na tine.

'Féach an t-asal,' a deireadh Colmán, 'sin beoir ag teacht amach tríd.'

Ní raibh an obair ag dul ar aghaidh chomh tapaidh agus ba mhaith leis an gcomhlacht. Bhí teas an tsamhraidh sin neamhghnách agus de bharr an bhrothaill ní raibh na hoibrithe ábalta ar an ngnáthluas oibre a choimeád. Labhair an *straw boss* le Ó Neachtain maidin Luain amháin.

'Ó Neachtain, mura bhfuil tú ábalta coimeád suas leis an gcuid eile acu faigh post éigin eile i dteannta scata ban.' Bhí bolaithe dí ar an *mboss* an mhaidin chéanna. Níor dhein Ó Neachtain faic ach glam a ligean as féin. Bhí sé i mo dhiaidh aniar an chuid eile den mhaidin agus é ag caint leis féin. B'fhuirist a aithint go raibh deireadh na foighne sroiste aige agus níorbh aon ionadh é mar bhí an oiread sin crá croí fachta aige ón mbligeard de bhoss. Bhíos ag iarraidh é a chiúnú ach níorbh aon mhaith dhom é. Chonac é ag scaoileadh uaidh *hod* brící agus scian ina dhá shúil.

Díreach roimh lóin bhíomair ag dul in airde go dtí an dara leibhéal nuair a chualamair an bhéic ó bharr an stáitse.

'Seachain an bhríc,' arsa fear éigin. D'fhéach gach éinne chun go bhfeicfidís cá raibh an bhríc ag titim. Chuala féin cnead ag teacht ó dhuine éigin in aice liom agus nuair a d'fhéachas timpeall bhí fear éigin ina chnocán. Bhí gach duine ag fiafraí cé hé an duine a bhí ar an dtalamh.

'Glaoigh ar dhochtúir agus ar otharcharr! Tá a cheann scoiltithe,' a bhéic fear éigin. Thóg sé cúpla nóimint uainn cuntas a fháil ar cé a bhí ar an dtalamh.

'Is é an *straw boss* atá gortaithe,' arsa duine des na saoir. D'fhéachas ar Cholmán a bhí i m'aice féachaint conas mar a chuaigh an méid sin síos leis. Thabharfainn an leabhar go bhfeaca aoibh an gháire ar a aghaidh. Má bhí féin ní dúirt sé faic le héinne. Ní fada go dtáinig dochtúir agus otharcharr agus fuaireamair ordú dul ar ais ag obair. D'fhiafraíos de Cholmán an bhfeaca sé an bhríc ag titim. Bhí a chaint tagaithe ar ais dó arís.

'Cogar,' ar sé, 'tá cumhacht i láimh Dé fós.'

Bhuail sé an *hod* anuas ar a ghualainn arís agus b'eo leis síos romham agus do cheapfá gur garsún óg ab ea é.

Níor sileadh aon deora mar gheall air siúd a tugadh go dtí an ospidéal. B'fhíor don fhear a dúirt go gcruann croí an duine in aghaidh an tsaoil a chruann é. Ní fheacthas tásc ná tuairisc ar an *straw boss* úd ón lá sin amach. Chuala ó dhuine éigin go dtáinig sé chuige féin ach nár dhein sé lá oibre as sin amach.

117

17

Táimid Curtha Amach

*B*hí an seomra trasna uainn sa lóistín folamh agus fear an tí ag lorg tionóntaí dó. Ní chuireadh an fear céanna chugainn ná uainn agus d'aithneofá ar an gcrot a bhí air ná raibh an tsláinte ar a thoil aige. Dúirt duine des na comharsain liom uair amháin agus sinn ag caint thar balla le chéile gur thug sé na blianta i ngéibhinn le linn an chogaidh i gcampa éigin ag na Gearmánaigh. Do chreideas é sin go maith mar aon uair a bhíos ag caint leis bhraitheas go raibh sé ar bís i gcónaí. Faoi cheann seachtaine bhí tionóntaithe fachta aige don seomra. Bhí sé ana-shásta leis féin. '*Nice Irish Boys*,' a dúirt sé liom a bheadh ag teacht. Sea mhuis, '*nice Irish boys*'. Cnapán bligeaird as Contae an Chláir ab ea duine acu agus bligeard eile ó Shligeach ab ea a pháirtí. Ní raibh aon cheal airgid orthu mar bhíodar ag obair ar líne chábla áit éigin i dtuaisceart na cathrach.

Ní raibh aon tráthnóna a dtángadar isteach ná go raibh braon éigin faoin bhfiacail acu. Bhíodh rud éigin in easnamh i gcónaí orthu san árasán a bhí acu agus bhíodar ag síorlorg orainne. Ba iad an bheirt ba neamhfhiúntaí agus ba dhrochbhéasaí iad a tháinig trasna orm ó thosnaíos ag tuiscint cad is drochbhéasa ann. Ní fheadair éinne ach an fothram agus an gleo a thagadh ón seomra gach oíche agus go luath ar maidin, go mór mhór le linn an deireadh seachtaine. Tháinig deireadh obann leis an suaimhneas a bhí againn ó thánamair go dtí an seomra sin ar dtúis. Ní fhéadfainn a thuiscint conas ná raibh labhartha ag fear an tí leo. Is minic a fhágadar ar bheagán codlata mé.

Oíche amháin agus mé ag teacht abhaile ón rince do chuala an torann agus an gleo agus mé ag déanamh ar an lóistín. Bhí a fhios agam go maith gur i seomra na beirte a bhí an cibéal. Ba é an diabhal é nó chloisfeadh fear an tí an glór ar fad anocht. Nuair a bhíos ag gabháil thar an seomra acu thugas faoi ndeara go raibh an doras leathoscailte agus thugas sracfhéachaint isteach. Ní raibh ach ceathrar istigh, an bheirt fhear agus beirt bhan sráide a déarfainn a bhí ardaithe leo acu ó áit éigin. Bhí buidéal de shaghas éigin i lár an bhoird agus na mná suite ar ghlúine na bhfear. Ní chuala riamh a leithéid de ghleo á dhéanamh ag ceathrar le chéile.

'Caithfimid labhairt le fear an tí,' arsa Dónall nuair a bhaineas an seomra amach. Do shocraíos an t-aláram ar an gclog dona hocht a chlog an mhaidin dár gcionn. Bhí bearradh gruaige le fáil agam agus ansin bhíos ag dul go dtí an dtáilliúir ag triall ar chulaith éadaigh a bhí sé ag déanamh dom. Chuamair isteach sna leapacha ach mo luig! bheadh sé chomh maith againn a bheith díomhaoin. Bhí Dónall chun dul amach agus a rá leo bheith ciúin ach stopas é. An méid a chonacsa dena leithéid sin sna pubanna ní fada a bheidís ag tabhairt súil dhubh duit. Ní raibh uathu ach bruíon agus achrann. B'éigean dom éirí amach as mo leaba ar deireadh agus an solas a lasadh. Tharraingíos chugam páipéar nuachta. Ach is ag dul i méid a bhí an phramhsach ón seomra eile. Dá bhfaigheadh m'athair Dainín Dan greim ar a leithéid ní fada a bheadh sé ag liocú a bplaoisc dhóibh nó ag briseadh cnámh a ndroma. Thugas tamall fada ag léamh an pháipéir agus nuair a d'fhéachas ar an gclog thugas faoi deara go raibh sé ag déanamh suas ar a cúig a chlog ar maidin! Ó mhuis, an dá bhligeard chríochnaithe! D'imigh tamall eile agus ní raibh aon tsuaimhneas ag teacht orthu. Ansin chuala coiscéimeanna ag déanamh ar an seomra eile. D'osclaíos an doras oiread na fríde chun súil a chaitheamh trasna ar sheomra na beirte. Ba é fear an tí a bhí ann agus é ina léine oíche. Ní fhéadfainn a dhéanamh amach cad a bhí sé ag rá leo ach ba chuma dó mar is ag steallmhagadh faoi a bhí an dá bhligeard. Bhí duine acu ag bagairt air le smut de scian nó arm éigin mar sin agus ansin chrústaigh sé an t-arm. Ansin thosnaigh an raic. Bhí an fear bocht ag rá leo an tig a fhágaint ar an bpointe. Ní bhfuair sé de fhreagra ach 'F... *off down where you belong, you effin Polack.*' Lena linn sin bheir an bheirt air agus thógadar glan ó thalamh é agus thug fáscadh ruthaig leis go barr an staighre. Thug duine acu lascadh sa tóin dó agus sháigh uaidh síos an staighre é. D'imigh sé bunoscionn ó bharr an staighre go bun agus cé go ndein sé iarracht breith ar an ráille do shleamhnaigh a ghreim. 'Ó a Mhuire,' a dúrtsa, ag dúnadh amach an dorais go socair. D'fhiafraigh Dónall díom cad a tharla agus mhíníos dó. 'Sea mhuis, cuirimis an glas ar an ndoras anois mar déarfainn go gcífimid pílears faoi mhaidin,' arsa mise ag déanamh ar an leaba.

Dhúisigh an clog mé ar a hocht a chlog ar maidin. Tar éis bricfeast éadrom a ithe dúrt le Dónall go rabhas ag dul amach faoi bhráid bearradh gruaige. Nuair a shroiseas an bearbóir bhí sé faoi lántseol agus triúr ag feitheamh leis. Faoi cheann tamaill ghlaoigh an bearbóir orm chuige sall. Thugas ordú dó mo ghruaig a ní mar go raibh sí lán de stroighin tar éis na seachtaine. Thosnaigh sé ag obair orm agus ní fada go raibh a chuid oibre déanta aige. Nuair a bhí mo ghruaig nite agus triomaithe aige tharraing sé amach buidéal éigin. Is é a bhí sa bhuidéal seo ná stuif chun dreancaidí nó míola a mharú agus deirimse leat go raibh greadadh ag baint leis. Nílim á rá anois go raibh a leithéidí i mo cheann ach bhí an stuif in úsáid an uair sin ar eagla na heagla. Bhí súil agam amach ar an sráid agus radharc agam ar na daoine ag siúl na sráide lasmuigh. Ag teacht anuas cliathán na sráide ar an dtaobh thall chonac figiúir d'fhear beag agus é ar sodar faoi mar a bheadh sé ag rith ó dhuine éigin. De réir mar a bhí sé ag teacht i mo threo samhlaíodh dom gur cheart dom é a aithniúint. Scuab an bearbóir cúl mo chinn le scuaib bheag láimhe. Cheithre scillinge a bhain sé díom as an obair ar fad.

Faoin am seo bhí an fear a bhíos ag tabhairt faoi ndeara trasna díreach ó fhuinneoig an tsiopa. 'Má mhairim beo, sé Dónall atá ann,' a dúrt liom féin. Rith sé trasna na sráide agus d'fhéach sé isteach tríd an bhfuinneoig. Bhí buille saothair air agus aghaidh chomh bán is dá mbeadh sé tar éis duine éigin ón saol eile a fheiscint. Thugas faoin ndoras amach.

'Tá...tá...' Ní fhéadfadh Dónall a thuilleadh a rá leis an mbuille saothair a bhí air.

D'fhiafraíos de cén chúis a bhí orainn. Dúirt sé liom gur tháinig na pílears an mhaidin sin agus gur gabhadh an bheirt sa tseomra eile. Cé go raibh sé croite go maith níor baineadh aon ghortú mór d'fhear an tí tar éis an íde ar fad a fuair sé.

'Chnag duine des na pílears ar an ndoras agus dúirt sé gur thug an fear gur leis an tig ordú an tig a bheith glanta faoi thráthnóna.'

D'fhiafraíos de Dhónall ar chuir sé in iúl don bpílear ná raibh aon bhaint againn leis an eachtra agus dúirt sé liom gur chuir agus go ndúirt an pílear leis go raibh ordú cruaidh cealgánta tagaithe ó fhear an tí gan aon Éireannach a ligean isteach sa tig go deo arís.

'Cad a dhéanfam anois? Tógfaidh sé ar a laghad seachtain uainn chun áit de dhealramh a fháil. An bhfuil i bhfad fachta againn chun glanadh as an seomra?' arsa mise.

'Dhá uair an chloig,' arsa Dónall. 'Dúirt an pílear nár ghá dúinn imeacht ar feadh seachtaine ach ar an gconach a bhí ar fhear an tí bhí sé chomh maith againn bailiú linn tapaidh.' Chuir Dónall a láimh ar mo ghualainn. 'Téanam ort, tá sé chomh maith againn na seanabhalcaisí a chaitheamh le chéile agus glanadh linn in ainm Dé as an áit.'

Shiúlaíomair suas i dtreo an lóistín agus gan focal as éinne de bheirt againn. Tásc ná tuairisc ní raibh ar fhear an tí agus sinn ag déanamh ár slí suas an staighre. Nuair a bhí gach rud i bhfearas againn d'fhéachas timpeall ar an seomra.

'Sea, cá dtabharfam ár n-aghaidh anois?' a dúrt ag tochas mo chinn. [scrath] De gheit bhuail sé mé. 'Téanam ort, tá sé agam!'

D'fhágamair an dá eochair thíos i mbun an staighre in aice lena dhoras siúd.

Nuair a bhíomair ag siúl an tsráid síos labhair Dónall: 'Ní dúrais liom cad é an réiteach atá agat ar an scéal.' [Pavement]

Ligeas mo chás agus an bosca ceoil anuas ar an bpábhaile. 'Anois,' arsa mise, 'cá dtéimse gach Satharn? Go dtí an mbearbóir, nach ea? Tá seomra beag ar chúl an tsiopa aige. Fágfam na cásanna ansin agus beimid ábalta dul ag cuardach seomra ansin gan aon ualach orainn.'

Nuair a bhí na cásanna fágtha inár ndiaidh sa tseomra céanna sin againn dúirt Dónall go mb'fhearr dúinn greim bídh a ithe ar dtúis agus dul tríd an bpáipéar ansin. Tar éis ár mbéile a ithe shíneas an páipéar go dtí Dónall. Dúrt leis gurb é siúd an scoláire agus a shúil a chaitheamh trís na fógraí agus dá bhfeicfeadh sé aon tseoladh oiriúnach é a léamh amach agus go scríbhfinn síos an seoladh. Bhuail sé an páipéar anuas ar an mbord agus seo leis ag rith a mhéire síos tríd. Thug sé timpeall le chúig sheoladh ar fad dom.

'Tá an seomra is cóngaraí dúinn thuas i lár Lordship Lane in aice le Woodgreen, tosnóm ansin.'

Bhogamair chun bóthair.

Dosaen seomra a scrúdaíomair an lá sin. Tamall ag siúl, tamall ar bhus agus tamall sa tiúb. Bhí seomra amháin róthais, seomra eile rómhúchta agus seomra eile rómhór. A leithéid de challshaoth a bhí ag breith orainn agus gan aon leigheas againn air. Ní fhéadfainn an dá bhligeard eile a chur as mo cheann. Ní raibh aon oidhre air seo ach peaca an tsinsir. Leanaigh sé gach éinne ó Ádhamh agus Éabha anuas. D'fhéach Dónall ar a uaireadóir.

'Tá sé leathuair tar éis a ceathair agus gan aon áit fachta againn fós. Cad a dhéanfam?'

Labhras-sa: 'Féach an *pub* trasna na sráide, téimis isteach ann agus ólfam piúnt. Tá mo scornach tirim agus mo chosa trí thine.'

Bhaineas geit as.

'Cathain a thosnaís-se ag ól, a dhiabhail?' Dúrt leis gur chuma dhó ach mé a leanúint. Thóg sé mo chomhairle. Tar éis bolgam maith a bhaint as an bpiúnt beorach labhair Dónall.

'Sea anois, cá raghaidh an fia?'

D'fhiafraíos de Dhónall an raibh puinn airgid curtha ar leataobh aige. Tháinig scaimh ar a aghaidh agus dúirt liom gur ceist ana-phearsanta ab ea í. Dúrt leis nach fiosrach a bhíos ach go rabhas ag iarraidh a dhéanamh amach an raibh costas Mheiriceá aige. Chuir sé in iúl dom go raibh agus ábhar lena chois. 'Tá costas an bhóthair sall agamsa leis. Anois ní fearr dúinn aon rud a dhéanfaimis ná óstán réasúnta a fháil ar feadh seachtaine go gcuirfimis gach rud in ord agus in eagar. Dé Sathairn seo chugainn scaoilfimid faoi siar abhaile agus ullmhóm sinn féin faoi bhráid Mheiriceá.'

Cé nach rómhinic a réitigh Dónall go hiomlán liom réitigh sé liom an turas seo. D'éirigh sé ina sheasamh.

'Téanam ort agus gheobham an bagáiste sula n-iafaidh an bearbóir,' arsa Dónall.

Is in óstán beag thuas in aice le Woodgreen a fuaireamair lóistín an tráthnóna sin. Punt coróin san oíche agus ní raibh ach an bricfeast san áireamh ar an méid sin. Ní rabhamair ach curtha chugainn san óstán nuair a chuaigh Dónall ar a pheann. Níor theastaigh uainn geit rómhór a bhaint astu sa bhaile. Bhí scanradh a ndóthain fachta acu nuair a chuas go Sasana an chéad lá. D'imíos-sa go dtí an Round Tower an oíche sin, áit a rabhas ag seinm. Bheadh orm slán a fhágaint ag mo chairde ar fad an oíche sin. Gan dabht mura mbeadh eachtra na maidine d'fhanfainn i Londain tamall eile. Ach an rud is measa le duine ar domhan ní fheadair sé nár gurb é lár a leasa é. B'fhéidir dá bhfanfainn leathbhliain eile i Londain go bhfaighinn rócheanúil ar an gcathair agus go bhfanfainn ar fad inti.

Maidin Dé hAoine do bhogamair ó stáisiún Paddington ag tabhairt aghaidh trasna na dúthaí arís ag déanamh ar ár mbaile dúchais.

18

I Mo C...
Meiric... ...n

Nuair a tharraing an traein isteach go stáisiún Thrá Lí maidin Dé Sathairn bhí bus an Daingin ag feitheamh léi. Sea bhí an chuid is measa den dturas laistiar dínn agus sinn tuirseach traochta. Bhí an fharraige ana-shuaite agus sinn ag trasnú an oíche roimhe sin. Ina theannta sin bhí dhá thuras fada traenach déanta againn ar dhá thaobh na mara. Gheobhadh ár gcnámha faoiseamh nuair a luífimis siar ar leaba bhreá clúimh aige baile.

Tharraing an bus amach ón stáisiún agus isteach i dtreo an bhaile. Ar a shon gur baile gnóthach é Trá Lí níl ann ach sráidbhaile beag i gcomparáid le Londain. Ghluaiseamair an bóthar amach ó Thrá Lí ar Bhóthar an Daingin. Ba bheag trácht a bhí le feiscint ag teacht isteach ná ag dul amach as an mbaile mór. Bhí ráillí bhóthar iarainn an Daingin ar ár gclé agus na neantóga ag fás dona ndroim. Cad ina thaobh ná beadh, mar nár rith aon traein ar an líne sin ó 1953. An Báisín a bhí in úsáid blianta roimhe sin chun earraí a thabhairt isteach ó Bhá Thrá Lí go dtí siopadóirí agus comhlachtaí nach iad, ní raibh fiú an faoileán ag snámh anois ann.

Droichead Uí Mhóráin go cúng casta romhainn amach. Seo leis an mbus ó Chathair Uí Mhóráin amach trí shléibhte Chiarraí Thiar. Ba bhreá liom i gcónaí súil a chaitheamh ar an mbeann ab airde ag éirí in airde as an bhfarraige agus smaoineamh gurb ar an dtaobh eile de a bhí an paróiste ina rugadh mé féin. Ar ndóigh is é Cnoc Bhréanainn atá i gceist agam.

'Tánn tú ana-chiúin,' arsa Dónall liom agus an bus ag treabhadh ar an gCam.

'Táim ag tógaint isteach radharcanna anois nár thógas ceann dóibh riamh roimhe seo, dá mhéad uaireanta a ghabhas ann.'

123

...hainn amach an chéad droch-chasadh ag droichead an Chama. ...uas dínn droichead ard an bhóthair iarainn. Chloisfinn m'athair ag ...rácht ar uair éigin sular saolaíodh mise gur imigh traein den ndroichead céanna. Bhí sé ráite go raibh muca i gceann des na carráistí agus gur do mhuintir na háite ab fhearr an cúram. Bhí sé ráite ina dhiaidh sin go raibh flúirse cránta agus banbhaí ag cuid d'fheirmeoirí an Chama! B'fhéidir ná raibh aon bhaint ag an dá scéal le chéile.

Aníos Gleann na nGealt do thógfadh an radharc do chroí. Thíos fút tá an gleann talún is deise in Éirinn. Is thíos sa ngleann san a bhí Tobar na nGealt go gcloisinn na seandaoine ag caint mar gheall air. Anuas trí Luachair agus aníos in aice leis an Sliabh Mór a gcuireadh a chuid móna deatach ins gach simné ó Chathair Uí Mhóráin go Lios Póil. A chuid móna chomh maith le haon ghual a tháinig ó Newcastle riamh. Bhí mo láimh faoi mo chorrán agus mo smaointe ag rith le fánaidh síos. Síos isteach go hAbha na Scáil. Is minic a chuala trácht ar an abhainn atá ag rith faoi dhroichead Abha na Scáil. Is mó breác a tharraing ainniseoirí isteach ar a bruacha ná raibh aon tslí eile acu chun scilling a thuilleamh. Ansin isteach sa pháirt den mbóthar ba chumtha ar fad. Cumtha ag an saol agus ag an aimsir. Ardáin agus ísleáin, an chrú chapaill bheag agus an chrú chapaill mhór. Feirmeoirí ag gabháil an bhóthair lena gcapaill agus lena gcartacha is potaí arda lán go maoil le tornapaí. An feirmeoir i ndiaidh an chapaill ag ardú a láimh ag beannú dos gach éinne a ghabhann thar bráid. Ní raibh scamall sa spéir ar shroisint bharr Gharraí na dTor dúinn. Is ansin a bhraitheas i gceart go rabhas ag druidim i gcóngar an bhaile. Túr Bhaile an Ghóilín le feiscint agus an Choill Mhór faoina bhun. B'in mar a raibh Lord Ventry ina chónaí. An foirgneamh go ndeininn an-iontas de nuair a thagainn 'on Daingean cúpla bliain roimhe sin toisc flúirse na bhfuinneog ar fad. Sin é tig Lord Ventry, nó Coláiste Íde inniu.

Bóthar díreach Lios Póil isteach, bóthar na log agus na bpoll. Páirc an ráis le feiscint ag cor Bhaile an tSagairt. Deirtí go bhfuil naoi n-acra agus fiche sa pháirc chéanna sin. Bhí ana-thrácht ar spealadóir i measc na seandaoine a bhain an pháirc sin i hocht lá fichead. Ar m'anam ach go raibh faobhar aige.

'Tánn tú ag féachaint amach an fhuinneoig ó d'fhágais Trí Lí. Ba dhóigh leat gurb é an chéad turas agat ag gabháil an bhóthair seo é,' arsa Dónall, ag tógaint a chasóige anuas den raca ar an mbus.

'Ach, a dhuine, is é seo an chéad uair riamh a thána isteach an bóthar seo agus mo dhá shúil oscailte.'

Ghaibh an bus suas príomhshráid an Daingin agus stad sí lasmuigh de shiopa Atkins. B'in é stad deiridh an lae.

'Féach í féin amuigh,' arsa Dónall, ag pointeáil amach tríd an bhfuinneog. Nuair a d'fhéachas amach chonac gurb í mo mháthair a bhí i gceist aige. Bhí sí ansiúd ag faire go n-osclódh doras an bhus. Scaoileas Dónall romham amach mar rith sé trí mo cheann gurb amhlaidh a dhíreodh sí orm toisc bailiú liom go Sasana gan focal a rá léi féin ná m'athair. D'fháisc sí a dhá láimh timpeall air agus na deora ag titim lena súile.

'Fáilte agus fiche romhaibh abhaile.'

D'fhéach sí ormsa. 'Ó mhuise, a dhiabhail, ba cheart dom an dá chluais a scriosadh anuas duitse. Cad ina thaobh ná dúrais linn go rabhais ag dul sall go Sasana tar éis an chluiche?'

D'fhreagraíos í: 'Dá ndéarfainn bheinn thiar i gCarrachán fós agus mo mhéir i mo bhéal.'

Thógamair na cásanna amach as chúl an bhus.

'Is dócha gurbh fhearr dúinn *hackney* éigin a fháil,' arsa Dónall. Dúirt mo mháthair go raibh ceann curtha in áirithe cheana féin aici agus shiúlaigh sí léi síos i dtreo siopa búistéara Jack Dillon.

'Cogar, a Dhónaill, fág gach rud fúithi siúd mar ní bheadh aon suaimhneas agat,' arsa mise.

Chuamair isteach go siopa búistéara Jack Dillon agus cheannaíomair feoil úr, bagún agus ispíní a bheadh againn nuair a raghaimis abhaile.

Ceisteanna ar fad ab ea mo mháthair ó d'fhágamair an Daingean gur stopamair lasmuigh de gheata an tí. D'fhiafraíos di cá raibh an seanabhuachaill agus sinn ag siúl isteach an pábhaile. B'ait liom ná raibh sé sa doras.

'Bhí sé ag obair thoir i mBaile Ghainnín Beag, ach ba cheart dó bheith aige baile faoin dtráth seo.'

Do shás mo cheann thar tairsigh an dorais isteach. Bhí deatach na pípe ag éirí ina scamall istigh sa chúinne mar ba ghnáth.

'Maróidh an tobac sin thú,' a dúrt agus mé ag siúl isteach i lár na cisteanach. Bhain sé an phíp as a bhéal agus d'fhéach sé ar an mbeirt againn leis na súile géarchúiseacha sin a bhí aige.

'Citeal na stoirme ag teacht chun fothana.' B'in é an beannú a fuaireamair. 'Ar m'anam agus go bhfuil gléas ionaibh ag an bhfeoil chapaill. Dúrt i gcónaí gurbh fholláine í ná an mhairteoil.'

Scaoileas uaim mo chás ar an mbord agus d'osclaíos é. Thógas amach an phíp a bhí curtha agam ar bharr mo bhalcaisí agus shíneas chuige í.

'Seo dhuit píp de dhealramh, agus ná dódh an rúta beag de *stem* atá ar an bpíp sin agat an pus duit.'

Chuir mo mháthair pota an róstaithe ar an dtine agus ba ghearr go raibh béile breá de bhagún agus ispíní os ár gcomhair amach. Ní fada a bhí an béile ite againn nuair a sháigh mo dhearthair óg Tomás go dtí Dónall.

'An bhfuil faic sna cásanna domsa?'

Thosnaigh Dónall ag gáirí. 'Fan go nglanfaidh Mam an bord, b'fhéidir go bhfaighimis rud beag éigin duit.'

Tharraing m'athair an paca caorán a bhí i gcoinne an fhalla chuige agus d'fhadaigh sé ar an dtine. Bhí scéalta le cloisint agus ceisteanna le cur. Chuir sé i gcuimhne dhom an uair a bhíomar ar fad inár bpáistí. Chuirtí síos tine mhór i gcónaí nuair a thagadh Grae isteach chun na scéalta ar fad a bhí aige a eachtraí. Ghlan mo mháthair an bord agus scuab sí an chistin. Bhí Tomás suite ansin go mífhoighneach.

'An osclód do chás anois?' ar sé liomsa i gcogar.

'Tabhair aníos chugam é.'

Ní raibh sé i bhfad ag dul ag triall air! Thosnaíos ag cuardach an bhosca a raibh péire bróg caide istigh ann. Nuair a bhain sé an clúdach de tar éis dom é a shíneadh chuige cheapas go bpreabfadh an dá shúil amach as a cheann.

'*Up Cuas!* Bróga caide, ambaist,' ar seisean.

Ní mór ná gur chuaigh a dhá chois in achrann agus é ag baint de an dá sheanabhuatais a bhí air.

'Ó mhuise,' a dúirt m'athair agus é ag líonadh na pípe, 'gheobhaidh pána na fuinneoige triail mhaith air féin anois.'

Níorbh faic é sin gur shín Dónall chuige caid a bhí ceannaithe aige féin dhó!

Thugamair an oíche suite síos cois na tine agus murar ceistíodh sinn mar gheall ar gach eachtra a tharla dúinn ó imíomair ní lá fós é. Gan dabht ní hinsíodh dóibh ach gach rud níos fearr ná a chéile mar gheall ar Londain. Bhí giotaí beaga eile nárbh fhearr dhóibh a chloisint agus choinníomair chugainn féin iad sin. Is beag a bhí á rá ag m'athair ach ag tógaint gach aon ní isteach. Faoi cheann tamaill bhog sé aniar sa chathaoir agus labhair sé.

'Thugas-sa leathbhliain de mo shaol i Sasana mé féin, agus tuigeadh dom ná raibh creideamh ná coinsias ag leath na ndaoine ann. Fiú amháin na hÉireannaigh bhí a lán acu nár chuaigh i ngiorracht an tséipéil ó cheann ceann na bliana.'

Thug mo mháthair súil air agus ansin d'fhéach sé orainn.

'Bhuel, an bhfuil an dúthaigh chomh hainnis sin?'

D'fhreagair Dónall. 'Bhuel is faoin nduine féin atá sin. Tá séipéal ar gach cúinne agus faoistine gach oíche.'

Scaoil Dainín gal mór fada amach as a bhéal.

'Tá agus an t-áirseoir sa chúinne eile ad mhealladh isteach chomh maith.'

Dheineas-sa scéal thairis ansin. 'An bhfuil deireadh na bprátaí bainte fós agat?'

Dúirt sé liom go rabhadar bainte le seachtain. Ansin thosnaigh Dónall ag ceistiú i dtaobh na gcomharsan. Chaitheas féin tosnú ag gáirí nuair a d'fhiafraigh sé conas a bhí Meex – comharsa é seo go raibh lúidín chasta air ó bheith ag triail na gcearc, nó sin é a bhí ráite ach go háirithe. Ba é an rud a bhí greannmhar mar gheall air, Dónall ag cur a thuairisce agus tuairisc a bháis fachta againn i litir ón mbaile cúpla mí roimhe sin. Labhair m'athair ansin: 'Má bhuaileann tú leis siúd ná fan leis!' Chaith mo mháthair a haprún a chur in airde go dtí a haghaidh le racht gáirí.

'Ó a Dhónaill, chuireas na foirmeacha sin amach go dtí Baile Átha Cliath agus tháinig freagra inné. Caithfir dul faoi bhráid dochtúra seachtain ó Dé Máirt.'

Ansin d'fhiafraigh mo mháthar díomsa an raibh costas an bhóthair curtha i leataobh go fóill agam. Dúrt léi go raibh. D'fhéach m'athair agus mo mháthair orm le hiontas.

'Ní haon amadáinín é Maidhc.' D'éiríos den gcathaoir d'fhonn mo chnámha a bhogadh. 'Líonfadsa amach foirm amáireach,' arsa mise le barr fonn bóthair, 'níl aon ghnó anseo timpeall agam ag tochas mo thóna.'

D'fhill mo mháthair a lámha ar a chéile.

'Ní ganntar duit é. Tánn tú faoi bhun a hocht déag agus is féidir leat dul sall trí phas d'athar.' Cathróir Meiriceánach ab ea m'athair mar gur thug sé deich mbliana thall. Ní raibh le déanamh agam ach glaoch ar Chorcaigh agus dhéanfaidís sin gach socrú dom.

'Is fearr a bheidh sibh i Meiriceá,' arsa m'athair, 'mar beidh sibh ar fad in éineacht le chéile. Níor ghrás riamh Sasana agus ní mholfainn d'aon leaid óg seal a chaitheamh ann.'

Bhíomair ag caint agus ag cadráil go dtí go raibh sé go maith isteach san oíche. Faoi dheireadh bhraitheas mo dhá shúil ag iamh leis an dtuirse agus leis an gcodladh.

'Táimse chun dul faoin bplaincéad,' arsa mise, ag fágaint slán acu agus ag tabhairt faoin leaba.

Thugas an tseachtain ina dhiaidh sin ag máinneáil timpeall na háite. Bhíos dulta ar cuairt go dtí na comharsain ar fad agus mífhoighne ag teacht orm arís. Nuair a bheadh taithí ag duine bheith ag obair gach lá ní bheadh mórán foighne aige díomhaoin. Bhíos gach lá ag faire ar fhear an phoist, ag feitheamh le glaoch go Corcaigh. Tháinig sé an dara seachtain a bhíos sa bhaile. Chaith m'athair dul i mo theannta mar is trína phas sin a bhíos chun dul sall. Nach liom a bhí an t-ádh go ndein sé cathróir de féin nuair a bhí sé thall. Ní raibh moill leathuair an

127

chloig orainn istigh san oifig bheag i gcathair Chorcaí. Níor chaitheas dul trí dhochtúirí ná aon tsaghas ceistiúchán. Ní raibh orm ach m'ainm a shíniú thíos ag bun an phas agus bhíos féin i mo chathróir Meiriceánach chomh maith ar a shon ná raibh cos curtha agam laistigh den dtír sin riamh. D'éirigh go maith le Dónall leis ach b'éigean dó siúd dul go Baile Átha Cliath timpeall na bpáipéar. Ach bhí a chuid páipéar ar fad in ord agus in eagar laistigh de thrí seachtaine. Ansin thug an bheirt againn ár n-aghaidh ar oifig Timmy Galvin sa Daingean chun na ticéid a cheannach. Is don bhfichiú lá de Dheireadh Fómhair 1959 a socraíodh an turas sall dúinn. Bhí eitleán le *Pan Am* ag fágaint na Sionna ar an ndáta sin. Is mé ag pacáil mo cháis is mó rud a rith trí mo cheann. Ní thabharfadh aon phá seachtaine abhaile mé as an áit a rabhas ag dul. Bhí an t-uaigneas le feiscint ar aghaidh mo mháthar agus sinn ag ullmhú chun bóthair. Deich mbliana ar a mhéad a bhí i mo cheann a chaitheamh i Meiriceá. Ní foláir nó go mbeadh feabhas tagaithe ar an saol sa bhaile faoi cheann deich mbliana dá mbeadh aon fheabhas in aon chor i ndán dó. Smaoiníos ar mo dheartháir Seán a bhí imithe ó 1947 agus gan aon turas tugtha abhaile fós aige. Ní rabhas cinnte go raibh an rud ceart á dhéanamh in aon chor agam. I ndóthair bhíos ag tuilleamh mo phá i Sasana agus é sin cóngarach go leor don mbaile. Bhí Pádraig agus Máirín i Meiriceá romham; anois bheimis i bhfochair a chéile. I ndóthair mura dtaitneodh liom d'fhéadfainn dul ar ais go Sasana arís tar éis bliana.

Ba é sceamhaíl mhadra na gcomharsan a dhúisigh mé an mhaidin fómhair úd. An lá a bhí ceaptha dhom féin agus do mo dheartháir Dónall ár seolta a ardú agus ár n-aghaidh a thabhairt ar chathair úd na gaoithe ar a dtugtar Chicago. Is mé am shearradh féin sa leaba smaoiníos ar na daoine romhainn a d'fhág an baile agus mé féin i mo leanbh. Is ar éigean ba chuimhin liom mo dheartháir Seán ag siúl síos bóthar an Chláir go dtí barr Bhóthar an Bhuitsir, áit a raibh gluaisteán ag feitheamh leis. Ní raibh sé ina aonar mar bhí triúr eile de bhuachaillí óga an pharóiste ag dul ar imirce chomh maith. Ba í an bhliain chéanna a d'imigh comharsa béal dorais dúinn, Dave Russell, thar lear. Sé nó seacht de bhlianta ina dhiaidh sin d'imigh mo dheartháir Páid agus an bhliain dár gcionn mo dheirfiúr Máire. Tógann an t-athair agus mháthair an chlann agus díreach nuair atá siad tógtha seo leo an doras tosaigh amach go dúthaigh iasachta éigin agus b'fhéidir gan filleadh abhaile go deo ina dhiaidh sin. Briseadh croí ar a muintir ina ndiaidh. I ndóthair ní dheineann sé meabhair ná ciall.

Chuireas orm mo bhalcaisí agus mo mháthair ag róstadh putóga dubha agus bagún os cionn na tine. Ní mór an goile a bhí agamsa an mhaidin úd, ná ní lú ná sin a bhí goile aige Dónall. Ghlaoigh mo

mháthair chun boird orainn agus d'ordaigh dúinn bricfeast
ithe mar go mb'fhéidir gur fada isteach sa lá go mbeadh aon r
n-ithe againn arís. D'fhéachas romham soir ó dheas ar Chnoc
Cathrach a bhí le feiscint ó fhuinneoig na cisteanach. Rith na smaointe
le sruth arís. Na Domhantaí a thugas ag fiach ar an gcnoc sin. Shiúlaíos
go béal an dorais agus suas go binn an tí. Uaim soir ó thuaidh bhí
Cnoc Bhréanainn ag seasamh go maorga. Ag féachaint dom ó thuaidh
bhí Cuas an Bhodaigh, áit ina sheol Naomh Breandán as agus é ag
tabhairt a aghaidh ar an bhfarraige fiáin agus ar an dtalamh nua a bhí
sé a fheiscint ina chuid brionglóidí. Uaidh sin siar Túr Bhaile Dháith
ag briseadh gach stoirme dá mba thréine í agus ag tabhairt fothana
don bparóiste.

Ghlaoigh mo mháthair isteach arís orm agus dúirt liom rud éigin a
chur i mo bholg mar go raibh lá agus oíche fada romhainn amach.
Chuas isteach agus shuíos chun boird d'fhonn mo mháthair a shásamh.
Bhailigh na comharsain isteach faoi mar ba ghnáth nuair a bhíodh
éinne ag dul ar imirce ón mbaile. Bhí m'athair suite sa chúinne agus
gan focal as. Mhothaíos go raibh sé mós ciúin. Bhí fothram gluaisteáin
ag déanamh orainn.

'Tá Jack Moran amuigh,' arsa mo mháthair ár mbrostú.

Shiúlaíomair chomh fada le béal an dorais.

'Bhuel,' arsa m'athair ag breith greim láimhe orm, 'ní raibh aon
uaigneas orainn an uair dheireanach a d'fhágais, mar ná raibh a fhios
againn go rabhais ag fágaint. An bhfeadrais, b'fhearr liom ar shlí go
ndéanfadh sibh an rud céanna inniu.'

Chuireas díom amach tairsigh an dorais agus tocht ar mo chroí. Is
gearr gur lean Dónall mé. Níor fhéachas soir ná siar ach mo cheann
fúm go rabhas istigh sa ghluaisteán. Sea, má bhí tocht bróin orainne
conas mar a bhí ag an seanalánúin a thóg sinn agus a bhí ag féachaint
orainn ag imeacht anois.

Ag Cuardach an Óir

Eitleán cheithre hinnill le *Pan Am* a thug trasna go Meiriceá sinn. Bhíomair tuairim is dhá uair an chloig déag san aer ach níor mhothaíomair é mar nuair ná rabhamair ag ithe bhíomair ag faire ar scannán. Sea, a bhuachaill, *cinema* in airde sa spéir. Os cionn na sciathán a bhíomair suite agus níor chabhraigh sin rómhór le cúrsaí. Thóg Dónall a phaidrín amach cúpla babhta leis an scanradh a bhí air. Nuair a bhíomair san aer chúig uaire an chloig nó mar sin chuamair isteach i bpaiste drochaimsire. '*Turbulence*' a thug an píolóta air. Ar m'anam ná rabhas-sa i bhfad am chaitheamh féin isteach sa tsuíochán nuair a thosnaigh an suathadh.

'*We hit an air pocket*,' a dúirt duine éigin.

Ar deireadh thiar thall bhreac an lá. Fúinn thíos bhí talamh. Smaoiníos ar an bhfile a scrígh an t-amhrán.

'Chun Meiriceá siar sea do rachas ag sealg i dtús mo shaoil,
Ag cuardach an óir úd faoi thalamh cois sleasa agus ciúis an tslí.'

Ní fheadarsa sa domhan an dtiocfadh aon chuid den ór sin i mo threosa. Is mó mac máthar a thrasnaigh an tAtlantach ag cuardach an óir chéanna agus b'fhearr do chuid acu go bhfanfaidís sa bhaile mar nár dheineadar a leas féin ná leas aon duine eile ach an oiread.

'Braithim i bhfad níos fearr,' arsa Dónall, 'mar go bhfuilimid os cionn talún.'

Gan dabht ní rabhas-sa meáite ar aon fheabhas a chur ar an scéal. 'Ní fheadar,' arsa mise, 'má tá an t-eitleán chun titim b'fhearr liomsa titim sa bhfarraige ná mo cheann a bhí sáite troigh sa talamh istigh i lár Ohio.'

Ní raibh Dónall róshásta leis seo.

'Dhera, caith uait an saghas sin cainte. Ar chualais gur minic a tháinig an magadh go leaba an dáiríre.'

130

Deich chun a haon a labhair an píolóta tríd an ngléas cainte. 'Táimid deich nóimintí ó aerfort Midway. Bíodh gach éinne ag ullmhú chun tuirlingte.'

Bhíos ag féachaint uaim síos ar an gcathair mhór fhairsing faoinár mbun. Sráideanna ag rith chomh díreach le riail ón dtaobh ó thuaidh go dtí an dtaobh ó dheas agus mar an gcéanna siar agus aniar. Ar an dtaobh thoir den gcathair faid do radhairce uait bhí loch mór. B'in í Lake Michigan gan dabht, faoi mar a fuaireas amach gan mhoill ina dhiaidh sin. Ní raibh mórán moille orainn ag dul trís na custaim mar ná raibh an oiread sin bagáiste againn. Bhí radharc amach tríd an bpána gloine ar dhaoine a bhí ag feitheamh amuigh.

'An bhfeiceann tú éinne a bhaineas linn?' arsa Dónall ag glanadh a spéaclaí. Ní fada gur thugamair faoi ndeara mo dheirfiúr Máire agus mo dheartháir Pádraig. Ba bhreá fáilteach gealgháireach an aghaidh a bhí orthu faoinár mbráid. Chomh luath is a thánamair tríd an ndoras, seo linn ceathrar ag cur ár lámha timpeall a chéile. Tháinig deora áthais le mo shúile toisc a bheith ina bhfochair arís. Chuireadar fáilte chroíúil romhainn beirt go Meiriceá agus ghuíodar gach ádh orainn faid a bheimis sa tír sin. Thugadar amach sinn go dtí an ngluaisteán a bhí tugtha leo acu. Bhí iontas ar Dhónall go raibh a ghluaisteán féin ag Pádraig ach dúirt Pádraig go raibh sí aige le breis agus bliain. Gluaisteán breá mór ab ea é mar a bhíonn ag na Meiriceánaigh.

Bhíos á thabhairt faoi ndeara. 'Níor mhaith liom í a thabhairt síos Bóthar Charracháin, chaithfí cor an droichid a leathnú. Cén déantús í?' arsa mise. Bhíomair ag gluaiseacht amach ar an sráid faoin dtráth seo. Dúradh liom gur *Chevvy* ab ea í agus gurb aon locht amháin a bhí uirthi ná go raibh sí ana-throm ar pheitreal.

Ar an dtaobh thiar den gcathair a bhí cónaí ar Pháidí agus ar Mháirín, ar chúinne Washington Boulevard agus Cicero Avenue. Bhí Páidí pósta le breis agus bliain le cailín ó Chontae Mhaigh Eo. Máire Ní Ghráda an ainm a bhí ar a chéile sular phós sí.

'Ó, chualamair an dea-scéal coicís ó shin. Comhghairdeas.' Bhí a fhios agam go raibh iníon óg saolaithe don bheirt acu.

'Ar maidin inniu a bhí an baisteadh,' a dúirt Páidí agus toitín á dheargadh aige.

'Féach, a Dhónaill, an fhaid atá sna toitíní sa dúthaigh seo. Ar mo leabhar ach go bhfuil siad sé n-orlaí má tá siad orlach,' arsa mise ag baint iontais astu.

Bhaineamair amach ceann scríbe.

'Sin é an tig ansin thall,' arsa Máirín ag pointeáil i dtreo tig bríce go raibh dhá leibhéal ann. 'Táimid ag maireachtaint ar an dara leibhéal.'

Suas linn an staighre. Bhí cad é ceol ag teacht chugainn ón árasán agus sinn ag déanamh air. D'fhiafraíos de Pháid cé a bhí ag seinm.

'Ceirnín é sin. Tá cuid dár gcairde tagaithe chun dinnéir. Sin nós a bhaineann leis an dúthaigh seo.'

Bhuel dá bhfeicfeá an t-árasán breá! Bhí trí sheomra leapan ann, seomra suite agus cistin bhreá scóipiúil. Phriocas Dónall.

'Ní hiad seo na púicíní beaga d'árasáin atá i Sasana. Gan trácht in aon chor ar an gcairpéad ó fhalla go falla.'

D'fhreagair Dónall mé. 'O my, is saibhir an dúthaigh í Meiriceá. Céad buíochas le Dia. Tá sé de chuma ar an ndúthaigh seo gur daoine le dealramh a chónaíonn inti.'

Cuireadh in aithne sinn dos na cuairteoirí a bhí tagaithe chun an tí.

'Sea mhuise, ní haon bhaisteadh tirim é seo,' arsa mise le Máirín ag féachaint ar bhord a bhí lán de bhuidéil. Fiafraíodh dínn an mbeadh *shot* againn, mar a deir siad thall, agus síneadh gloine bheag an duine chugainn. Níor ghá dhó a thuilleadh a rá. Bhí gá le deoch againn tar éis an aistir.

'Go maraí do láimh muc,' arsa mise, ag caitheamh siar an bhraoinín.

Síneadh buidéal beorach an duine chugainn chomh maith. Bhí cuid acu inár dtimpeall meidhreach go maith agus é de chuma orthu go rabhadar ag diúgadh an 'chnagaire' le tamall. D'imigh na mná ar fad i dtreo na cisteanach agus fágadh na fir le chéile sa tseomra suite ag caint agus ag cadráil, agus ag diúgadh an fo-bhraoinín. Ní raibh aon easpa ceoil orainn mar nuair a chríochnaíodh ceirnín amháin bhuailtí ceann eile in airde. Ní bheadh ach buidéal folamh agat nuair a thabharfaí buidéal eile amach chugat ón gcistin, agus é fuaraithe san oighreadán. Bhéic bean Pháidín amach as an gcistin tar éis tamaill.

'Tá an dinnéar réidh.'

Sea mhuise, bhí call le greim faoin dtráth sin. D'fhanas féin agus Dónall go raibh an chuideachta suite chun boird.

'Téanam,' arsa Páidí, ag bagairt ó dhoras na cistineach. I lár an bhoird bhí stumpa mór de thurcaí rósta. Má bhí an t-éan sin punt amháin meáchana bhí sé glan chúig puint agus fiche. Ná bí ag trácht ar ghlasraí a bhí ag teacht leis. Bhí dhá bhabhla mhóra 'paindí', mar a thugaimis ar phrátaí bruite agus im orthu, ann chomh maith. Ba mhór an difear a bhí idir an bia seo agus na stráicí d'fheoil chapaill a bhíodh á ithe coitianta againn le bliain anuas.

'Ní haon iontas,' arsa Dónall, agus pláta mór lán de bhia os a chomhair, 'ná go mbeadh plaosc mór feola ar fhormhór na *Yanks*.'

D'itheamair bia agus d'ólamair fíon go dtí go raibh ár ngoile sásta. Ansin cuireadh milseoga agus caifé láidir os ár gcomhair. Dá bhféadfadh duine cúinne compordach a fháil ansin agus luí ann bheadh aige ach ní mar sin a bhí i ndán dúinne. Thug gach duine a n-aghaidh ar an seomra suite arís agus síneadh bosca ceoil chugam féin.

'Seinn cúpla port,' arsa mo dhearthair Páidí, 'go bhfeicfead ar chuaigh aon fheabhas ort.'

Dheineas rud air.

Thiar i ndeireadh an tráthnóna scaip an chuideachta agus shuíos féin, Máirín, Dónall, Páidí agus a bhean timpeall ar bhord na cistineach. Gan dabht bhí ceisteanna an domhain ina thaobh seo agus ina thaobh siúd. An raibh sé seo ag maireachtaint nó an raibh sí siúd caillte.

'Is diail an dúthaigh caifé é seo,' arsa Dónall ag scaoileadh amach cupa eile chuige féin.

'Cogar, a Mháirín, cá bhfuil an fear dearg?'

Mo dhearthair Seán a bhí i gceist agam. Dúradh liom go raibh sé imithe amach go California ag triall ar ualach oráistí. Tiománaí leoraí ab ea Seán.

'Sea,' arsa Páidí, 'agus ní bheidh aon easpa oráistí timpeall Tinley Park an tseachtain seo chugainn.'

'Conas sin?' arsa Dónall chomh saonta le leanbh.

Míníodh go raibh sé de nós ag cuid des na boscaí oráistí titim de chúl an leoraí ag teacht abhaile!

'Sea,' a dúrtsa, 'tuigeann fear léinn leathfhocal.'

Fiafraíodh dínn an mbeimis róthuirseach chun dul amach ag rince an oíche sin. Ní raibh an halla rince ach díreach timpeall an chúinne uainn.

'Táimse chomh friseáilte le breac,' a dúrtsa agus mé ag léimeadh den gcathaoir.

'Ní fheadar,' arsa Dónall, 'ní chodlaíos aon néal ar an eitleán aréir.'

Dúrtsa leis ná beadh sé mar sin dá gcuirfeadh sé uaidh an phaidrín agus cúpla joram fuiscí a chaitheamh siar.

'Ní fearr dhaoibh rud a dhéanfadh sibh anois,' arsa bean Pháidí, 'ná síneadh siar i dtobán te agus bhur gcnámha a thumadh go maith.'

Dheineamair rud uirthi agus an bhfeadarais bhí sé chomh maith le cheithre uaire an chloig codlata dom.

Ar a naoi a chlog bhí gach éinne gléasta glanta faoi bhráid an rince.

'Tabharfam turas ar thábhairne Tommy Naughton ar feadh uair an chloig ar dtúis,' a dúirt Páidí nuair a d'fhágamair an tig. Theastaigh uaidh go gcloisfinnse ceoltóir darbh ainm Paddy Doran ag seinm. Thíos i Pulaski Road a bhí an áit seo i ngiorracht míle nó mar sin don árasán. Éireannaigh is mó a bhíodh siúlach air. Ba é Paddy Doran an fear a bhí ag freastal taobh thiar den mbeár. Chuir sé fáilte chroíúil roimh Pháidí.

'Ní foláir nó gur custaiméir maith tú,' arsa Dónall, 'ar an mbeannú breá a fuairis ón mbuachaill.'

'B'fhéidir go mbím anseo rómhinic uaireanta,' arsa Páidí.

Cuireadh in aithne sinn do mo dhuine agus má deineadh chuir sé deoch os ár gcomhair amach den chéad iarracht.

'An seasaítear duit ins gach tábhairne anseo nuair a thagann tú isteach ar dtúis ann?' arsa mise.

'Ná bíodh aon eagla ort, mar bainfear thiar asat fós é,' arsa Páidí.

Ghlaoigh sé ar Phaddy tar éis tamaill. 'Seinn cúpla port ar an bhfeadóig don dá *greenhorn*.'

Éinne a thagadh go Meiriceá ar dtúis thugtaí *greenhorn* air. Ba bhreá go deo an ceoltóir é siúd. Fuaireas amach ina dhiaidh sin gur ó Chontae Liatroma ab ea é, áit ina raibh scoth na bhfliúiteadóirí riamh. Dúradh leis gur cheoltóir mé féin chomh maith. D'fhiafraigh Paddy díom an raibh an bosca liom agus bhí orm a rá ná raibh. Gheallamair go dtabharfaimis turas air i rith na seachtaine ina dhiaidh sin agus an bosca ceoil linn. Gan mhoill ina dhiaidh sin d'fhágamair slán ag fear Liatroma agus thugamair ár n-aghaidh ar an rince.

Ná bí ag trácht ar shlí. Bheadh daoine ag rá go raibh an Round Tower ar Holloway Road i Londain fairsing ach dá bhfeicfeá an Keyman's Club ní thabharfá ach bothán ar an Round Tower. Is dócha go raibh isteach is amach le míle duine istigh ann. Bhí cailíní ann chomh daite le péint agus púdar nár mhór duit sluasaid a oibriú orthu chun a fháil amach an rabhadar dathúil. Bhí cailíní gan aon phéint ann chomh maith. Bhíodar beag agus bhíodar mór. Gach aon déantús go dtaibhreofá air agus iad chomh tiubh le corrmhíola. Ghlaoigh Máirín orainn sall go dtí bord folamh a chonaic sí.

'Ó, a Mháirín, nach breá an radharc é?' arsa mise.

'Cén radharc?' ar sí.

'Mná, mná, mná,' a dúrtsa.

Lig sí scartadh breá gáire aisti.

'Táimse ag dul go dtí an gcuntar,' arsa Páidí. 'Cad a bheidh le n-ól agaibh?'

D'ordaigh gach éinne againn deoch agus tháinig fonn rince orm féin ag an gceol breá. Bheireas ar Mháirín agus thugas amach ag rince í agus má thugas bhíos ag caitheamh sracfhéachaint ar na mná breátha a bhí amuigh ag rince. Aon fhear a d'fhágfadh an halla sin ina aonar níor chás dó a bheith ag cur an mhilleáin air féin. Bhí ana-bhanna ceoil ann, 'Band Johnny O'Connor,' mar a dúradh linn.

'Fan go gcloisfidh sibh Jimmy Clifford ag seinm don seit láithreach,' arsa duine éigin.

Cuireadh in aithne dona lán daoine sinn an oíche sin. Bhíodar ann ós gach contae in Éirinn ach go háirithe Maigh Eo, Ciarraí agus Gaillimh. Is cosúil go raibh chúig halla ar nós an chinn ina rabhamair i

Chicago agus gach ceann acu lán go doras. Is é an rud a rith isteach i mo cheann agus mé ag féachaint ar an slua dá leanfadh an imirce cúpla bliain eile ná beadh éinne fágtha in Éirinn ach seandaoine. Chuas ag rince le spéirbhean ó Chontae na Gaillimhe. Ach bhíos róthraochta chun dul ceangailte rómhór in aon chailín an oíche sin ach gheallas di go mbeinn sa halla sin arís an Aoine dár gcionn agus dúirt sí liom go mbeadh sí féin ann chomh maith. Bhíos breá sásta leis an méid sin. D'fhágas slán aici agus thugas m'aghaidh ar ais ar an mbeár. Bhí mo dheartháir Páidí ansiúd agus é ag comhrá leis an gceoltóir, Jimmy Clifford, gur deineadh trácht thairis níos luaithe. Tar éis mé a chur in aithne dhó ghaibh Jimmy a leithscéal linn agus chuaigh suas ar an stáitse. Níorbh aon náire dó siúd dul ar stáitse lena bhosca ceoil. Sheinn sé sleamhnáin nár chuala riamh go dtí an oíche sin. Stíl Chiarraí Thuaidh a bhí aige, agus cad ina thaobh ná beadh mar ba ó Oileán Chiarraí ab ea é.

Bhí an mhaidin caite go maith sular bhogas féin agus Dónall as an leaba an lá dár gcionn. Ní raibh aon taithí againn ar an ndifríocht ama idir an dá thaobh den Atlantach, agus bhí smut den *jet lag* orainn cé nár thuigeamair aon rud ina thaobh sin ag an am. Nuair a bhí bricfeast breá croíúil ite againn bheartaíos féin gabháil amach faoin gcathair. Ní raibh leath oiread deataigh sa chathair seo agus a bhí i Londain. Bhí foláireamh tugtha dhom gan siúl in aon áit go mbeadh daoine gorma ina gcónaí ann. Ba bhreá iad sráideanna Chicago tar éis sráideanna cama cúnga London. Bhí gach sráid sa chathair seo díreach leathan. Chuas isteach i gceann des na busanna agus bheartaíos dul go ceann scríbe uirthi. D'aithnigh an tiománaí ná rabhas i bhfad sa chathair agus thug sé léarscáil dom ar a raibh na cúrsaí bus ar fad a d'fhéadfadh duine a dhéanamh sa chathair. Fear ana-chairdiúil ab ea é agus ní raibh leisce air aon eolas a bhí uaim a thabhairt dom. Cheistíos é mar gheall ar chúrsaí oibre sa chathair agus dúirt sé liom gur ar an dtaobh ó dheas den gcathair is mó a bhí na monarchana. Ach ní raibh mórán postanna ag imeacht an t-am sin den mbliain ach b'fhéidir i Montgomery Ward nó Sears Roebuck. Thug sé comhairle eile dhom – dá mbeinn ábalta bus nó leoraí a thiomáint ná beadh aon dua agam post a fháil. I ndóthair is é an rothar an t-inneall is mó a thiomáineas-sa go dtí sin! Thugas an lá sin ar fad ag scrúdú na cathrach, tamall ar bhus agus tamall ag siúl. Ní raibh aon deabhadh orm ach ag tabhairt faoi ndeara. Na tithe sa chathair seo bhíodar ag féachaint i bhfad níos mó agus níos scópúla ná tithe London. Na gluaisteáin bhíodar ana-fhlúirseach agus i bhfad níos mó ná gluaisteáin Shasana. Nuair a bhaineas an tig amach an tráthnóna sin dúrt leo go raghainn ag lorg oibre lá arna mháireach. 'B'fhearr dhuit é a thógaint bog, a bhuachaill, mar beir ag obair an chuid eile de do shaol,' an chomhairle a fuaireas ó Pháidí.

D'éiríos luath an mhaidin dár gcionn agus cúpla seoladh i mo phóca agam, liosta de mhonarchana éagsúla. Níorbh aon chabhair dhom a bheith ag lorg post amuigh faoin aer an t-am sin den mbliain toisc an geimhreadh a bheith buailte linn. Monarcha mhór dhiamhair ab ea Western Electric a thástálas ar dtúis. A leithéid de challshaoth chun post a fháil! Chaitheas glaic foirmeacha a líonadh isteach, agallamh a dhéanamh agus dul faoi scrúdú dochtúra, ach fós níor tairgíodh post dom. Is é an rud a dúradar liom ná go nglaofaidís orm nuair a bheinn ag teastáil. Nuair a cheistíos iad cathain é sin dúradh liom gur uair éigin roimh Nollaig. Níorbh aon chabhair domsa bheith san áit sin. Bhailíos liom as sin agus chuas go dtí Sears Roebuck mar bhí sé cloiste agam go raibh cabhair ag teastáil uathu siúd.

I gceantar ina raibh daoine gorma ina gcónaí a bhí monarcha Sears Roebuck. Ba é an dalladh céanna ansiúd é le foirmeacha ach bhí a fhios agam go rabhadar siúd ag lorg oibrithe ar an bpointe. Bhí an áit lán de dhaoine dubha agus iad siúd ag lorg oibre chomh maith. Tar éis na bhfoirmeacha a líonadh dúradh liom go gcaithfinn dul faoi scrúdú. Dúrt leo ná raibh aon phost oifige uaim ach obair láimhe. Níorbh aon mhaitheas é. Chabhródh an scrúdú liom, a dúradh, dá mba mhaith liom dul chun cinn a dhéanamh. B'éigean dom an scrúdú a dhéanamh agus chun na fírinne a rá ní raibh na ceisteanna ródheacair ar na páipéir a cuireadh os mo chomhair. Thugas mo chuid freagraí scríofa d'fhear éigin agus scrúdaigh sé siúd iad. Dúirt sé liom fanacht lasmuigh i halla eile go nglaofaí orm. Thugas timpeall le huair an chloig ag feitheamh. Glaodh orm ar deireadh agus síneadh clúdach donn chugam. Chaithfinn an clúdach seo a thabhairt go dtí dochtúir éigin a bhí thuas ar an naoú hurlár. Dúradh liom go mbeadh an post agam dá mbeadh gach rud i gceart don dochtúir. Cé mhéad airgid a bheadh á dhíol acu anseo, d'fhiafraíos. Dhá dhollar agus seachtó cúig cent san uair an chloig agus bheadh ragobair ann chomh maith. Ordaíodh dom nuair a thiocfainn isteach ar maidin dul i dteangbháil le Mike McRory, go mbeadh sé siúd ag feitheamh liom dá mbeadh gach rud i gceart leis an ndochtúir.

Chuireas iontas ar Dhónall nuair a thána ar ais go dtí an dtig agus nuair a dúrt leis go raibh post fachta agam i Sears Roebuck. Raghadh sé féin ag lorg oibre orthu amáireach. Dúradh linn go raibh glaoch teileafóin tagaithe ó mo dheartháir Seán agus go mbeadh sé chugainn ar a seacht a chlog. Bheimis go léir ann roimhe agus cad ina thaobh ná beadh. Ní fheaca mo dheartháir Seán ó 1947, nuair ná rabhas ach chúig bliana d'aois.

'Dhera ní gearrcaigh sibh a thuilleadh,' arsa Seán agus é ag baint lán a shúl asam féin agus as Dhónall. Chuireamair fáilte chroíúil roimh a chéile, ní nach ionadh. Is mó rud a cuireadh trí chéile an tráthnóna sin. Ní raibh éinne ó bharr Pharóiste Múrach siar go dtí Imeall Átha ná gur cuireadh síos air an oíche sin. Thosnaigh Seán ag scéaltóireacht ar a óige féin in Éirinn agus ní rabhamairne chun deiridh leis na scéalta ach an oiread. Níor labhradh focal Béarla an oíche sin ach an méid a labhradh le bean Pháidí. Dúirt Seán linn go raibh tig nua fachta aige féin agus ag a bhean chéile coicís roimhe sin. Bhí a bhean gnóthach sa bhaile ag cur na gcuirtíní in airde. Mar sin féin chaithfimis an deireadh seachtaine dár gcionn a chaitheamh leo. Níor bhraitheamair an t-am ag imeacht agus bhí sé tar éis a haon a chlog an mhaidin sin sula bhfágamair slán ag a chéile.

20

I Sears Roebuck

Ar a ceathrú chun a hocht an mhaidin dár gcionn bhaineas amach Mike McRory i Sears Roebuck. Fear lách ab ea Mike agus is é an chéad bheannú a rinne sé ná '*How are they all in the cabbage patch?*'

Nuair nár thuigeas i gceart cad a bhí i gceist thosnaigh sé ag gáirí. Chuir sé in iúl dom gur ó Dhún na nGall é féin. Daichead fear a bhí ag oibriú faoi agus bhí ceathrar acu siúd dubh. Nuair a cheistigh sé mé ar cad a cheapas mar gheall ar a bheith ag obair le daoine dubha dúirt leis ná raibh aon leisce ormsa bheith ag obair le daoine dubha ná aon chine eile dá ndéanfaidís a gcuid oibre i gceart. Thug sé ordú do chailín glaoch isteach ar George Smith. Faoi cheann tamaill tháinig feairín beag dubh isteach. Dúradh leis gur mise a bheadh ina pháirtí oibre aige.

'*Now Mr McRory, some white folk don't like to work with their coloured brethren. You know what happened the last time, man,*' arsa George.

Chuir Mr McRory ar a shuaimhneas é agus dúirt sé gur tuigeadh dó go réiteodh an bheirt againn go maith.

'*Do you mind the colour of my skin?*' arsa an fear beag liomsa.

Dúrt leis nár chuir sé aon mhairg orm. Ansin d'éirigh McRory agus dúirt sé liom imeacht le George agus go múinfeadh sé mo cheard dom. Cheapas go raibh gáire magúil ar aghaidh an Éireannaigh. Ní fheadair éinne ach an chaint a bhí á dhéanamh ag George. Fuaireas deacair a chaint a thuiscint agus dúrt leis labhairt ábhar mall. Ag obair amuigh ar na dugaí a bheimis agus bheadh orainn earraí a thógaint de leoraithe ansin agus cuntas a coimeád orthu. Bhí gach earra ó stocaí ban go reoiteoirí ag teacht ós na leoraithe céanna. Bhí trucailí beaga ceathair-rothacha againn chun na hearraí a iompar ó áit go háit. Ní raibh aon dua agam teacht isteach ar an obair, cé go raibh cuid des na boscaí a bhí ar na leoraithe trom a ndóthain. Ach bhí taithí fachta agam i Sasana ar ardú meáchana. Bhíomair ag gíotáil linn gur ghlaoigh George isteach orm chun tae a ól. Ní raibh cead tobac a chaitheamh amuigh san áit ina rabhamair ag obair ach bhí seomra amháin curtha ar leataobh don gcúram sin. Bhí an seomra lán go doras nuair a chuamair isteach. Shín George chugamsa leath dá cheapaire féin agus shíneas-sa mo bhosca toitíní chuige. Chuir sé cogar i mo chluais agus dúirt gan faic a ligean orm ach go raibh daoine ag faire orainn.

Scaoileamair faoi amach arís tar éis an bhriseadh. Nuair a bhíos ag gabháil an doras amach bhraitheas méir á bualadh ar mo ghualainn. Fear éigin a bhí laistiar dom agus dhein sé comhartha dom gur theastaigh uaidh focal a chur i mo chluais.

'Bead leat faoi cheann cúpla soicind,' arsa mise leis ag breith greim ar chasóig mo pháirtí.

'*If I were you,*' a dúirt an fear seo liom, '*I wouldn't be hanging around with that nigger.*'

Tháinig codladh grífín ó bhaitheas go bonn ormsa. Bhí fear ná feaca riamh roimhe sin i mo shaol ag cur a mheoin féin ina luí orm. Dúrt leis go neamheaglach aire a thabhairt dona ghnó féin agus dá mbeadh a chomhairle uaim go n-iarrfainn í. D'imíos liom amach ansin gan a thuilleadh a rá. Ní dúirt mo pháirtí faic.

Chuas i dtaithí go tapaidh ar an obair. Nuair a chuireas aithne cheart ar George fuaireas amach gur duine bocht le Dia ab ea é agus ná raibh sé ar an saol seo ach chun peaca an tsinsir a chúiteamh. Ba mhaith le George braon *gin,* ceol agus mná. Seo mar a deireadh sé, '*When black man don't look at ladies and drink gin it is time to call in the undertaker.*'

N'fheadair éinne ach an líofacht chainte a bhí aige. Bhí sé pósta agus scartha dhá uair. '*Between marriages and breaking in a young filly,*' mar a chuireadh sé féin é. D'fhéadfainn aon rud a rá leis. Chuireas ceist air aon lá amháin cé mhéad uair sa tseachtain a thagadh fonn air dul go dtí Flori. B'in í a chailín. Trí uaire a dúirt sé liom.

'Ná fuilir beagán aosta anois chun an chraic sin a sheasamh?' arsa mise.

Dúirt sé ná raibh mar go raibh sé ag tógaint *nature pills.* Ní bhfuaireas amach riamh cad é an sórt purgóid é an *nature pill.*

'Conas a dheineann tú an t-aicsean sa tsamhradh nuair a bhíonn an brothall ann?'

Bhí plean aige. '*I wake her up at four in the morning when it is nice and cool. "Flori," I says, "it is excercise time".*' Bhí a dhá shúil ag rince le rógaireacht.

Dhíoltaí sinn am lóin gach Aoine. D'fhéadfá do sheic a shóinseáil i mbanc a bhí ag an monarcha féin dá mba mhaith leat. Ós rud é go mbíodh gach éinne breá sásta gach tráthnóna Aoine agus airgead ina bpóca bhíodh an greann ag teacht go tiubh. Ní raibh mo pháirtíse siar orthu. Tráthnóna amháin d'inis sé scéal dom faoi féin agus Flori, a chailín.

Bhíodar tamall ag dul amach le chéile agus bhí coinne déanta acu lasmuigh de *gin mill* mar a chuir sé é. Ní fada roimhe sin a bhí faisean nua tagaithe isteach i ngúnaí ban. Dá leithne an gúna b'in mar is mó a bheadh sé sa bhfaisean. Ní raibh aon oidhre ar na gúnaí a dúirt George ach gúnaí a chaitheann mná nuair a bhíonn siad ag gabháil aniar. *Moo, moo dresses* is dóigh liom a thugtaí orthu. Nuair a bhuail sé le Flori ar an oíche áirithe seo bhí ceann des na gúnaí seo á chaitheamh aici. Scrúdaigh sé go maith í. '*Flori, is you in style, or is I in trouble?*'

B'in é mar a d'eachtraigh George an scéal.

Níor braitheas an t-am ag imeacht go dtí go rabhamair isteach i mí na Samhna. Is ansin a thosnaigh an obair i gceart ag ullmhú don Nollaig. Mhéadaigh ar an dtrácht a bhí ag teacht isteach agus ar ndóigh ar an dtrácht a bhí ag dul amach. Is minic a bhímis ag folmhú leoraithe go meán oíche díreach roimis na Nollag. Nuair a bhíodh an lá oibre críochnaithe bhíodh orm féin mo shlí a dhéanamh abhaile ar an mbus. Is minic a bhíodh mo chroí i mo bhéal agam ag fanacht leis an mbus céanna mar, mar a dúrt cheana, is i gceantar ina gcónaíodh daoine dubha a bhí monarcha Sears Roebuck. Is minic a thugainn faoi ndeara iad agus mé ar mo shlí abhaile agus drochshúil á chaitheamh acu orm. Bhínn ag siúl na sráide istoíche agus mo dhá dhorn dúnta agam ar eagla go dtabharfaí fúm. Bhí dífhostaíocht, ólachán agus fiú drugaí go mór i réim sa cheantar sin. Dá mbeadh George féin ag dul i mo threosa. B'fhéidir ná cuirfí isteach orm dá mbeadh fear dubh i m'fhochair. Nuair a dúrt an méid sin le George lá amháin thosnaigh sé ag gáirí. Ba chuma dubh nó buí nó geal tú, a dúirt sé, dá mbeadh rud éigin ar bhun do phóca. Is amhlaidh a bhí an chine dhubh ag éirí ana-mhífhoighneach toisc gan cothrom na féinne bheith á fháil acu ón bhfear bán. Bhí oideachas á fháil ag cuid acu anois agus iad ag tuiscint cúrsaí níos fearr. Thuigeadar conas a deineadh sclábhaithe den gcine ghorm ar dtúis agus bhíodar ag lorg cearta sibhialta agus postanna anois. Ach bhí a gcuid achainí ag titim ar chluasa bodhra. Bhí na daoine óga ag imeacht timpeall ag déanamh mioscais. Is minic a chuala faoi ionsaithe a deineadh ar dhaoine go raibh aithne agam orthu.

'Cogar,' a deireadh George, 'is ag tosnú atá rudaí. Mura dtiocfaidh athrú aigne ar na polaiteoirí agus ar na tionsclóirí doirtfear fuil fós.'

Bhí orm géilleadh dona chuid cainte nuair a d'fhéachas timpeall orm. Ní raibh ach triúr den gcine ghorm ag obair sa chúinne ina rabhas féin agus bhí beirt acu sin ag scuabadh an urláir. Bhí os cionn trí fichid fear bán ann agus b'in i gceantar ina raibh daoine dubha ina gcónaí. De réir mar a chuala bhí an scéal céanna ag gach comhlacht.

Ach bhí mo dhóthain de chúram orm féin gan fadhbanna daoine eile bheith ag déanamh tinnis rómhór dom. Mar sin féin ní rabhas róshásta mar gheall ar chúrsaí na bhfear ngorm. Is minic a chuir George síos dom ar cheol agus nósa a chine agus bhaininn ana-shásamh as a chuid eachtraithe. Is minic leis a chuimhníos ar an ngéarleanúint a bhí déanta orainn féin mar chine.

Is mó saghas cine a bhí ag obair ag Sears. Bhíodar ann ón bPolainn, ón Iodáil agus bhí an Giúdach ann. Dream eile a bhí ann ná *hillbillies*, daoine ná raibh mórán oideachais orthu ó áiteanna ar nós Tennessee agus Alabama. Ar a shon is go raibh an meascán sin ann réitídís go maith le chéile. B'fhéidir go mbeadh fo-bhabhta áitimh ann ach ní fheaca éinne ag úsáid na ndoirne ann.

Tamall beag roimis na Nollag ghlaoigh Mike McRory orm isteach ina oifig agus chuir sé in iúl go raibh an comhlacht ana-shásta liom agus go mb'fhéidir go gcuirfí ar an bhfoireann bhuan tar éis na Nollag mé. B'fhéidir, áfaigh, go n-aistreofaí go dtí roinn éigin eile mé.

Gnó poist a bhí á dhéanamh as an ionad a rabhamairne agus díreach roimis na Nollag tháinig maolú ar na horduithe mar nárbh fhiú a bheith ag ordú tríd an bpost róghairid don Nollaig ar eagla ná tiocfadh an t-ordú. Bhí siopa leis ag an gcomhlacht ach is le horduithe tríd an bpost a bhí ár gcuidne den gcomhlacht ag déileáil. I ndóthair bhí seacht gcéad siopa ag Sears Roebuck timpeall Mheiriceá agus nuair a deirim siopa ní hé siopa Chéití Sarah sa Daingean atá i gceist agam. Ach nuair a tháinig maolú ar na horduithe díreach roimis na Nollag ní raibh an obair ann agus bhíothas ag ligean daoine chun siúil. Nuair a thánasa isteach bhí daoine á hireáil chomh tiubh le cuileanna ach anois b'éigean dóibh fágaint arís. Buíochas le Dia bhí geallúint agamsa go gcoimeádfaí mé. Is minic a chonac cúigear nó seisear lasmuigh de dhoras na hoifige agus ní haon dea-scéal a bhí ag fear na hoifige rompu.

Trí lá roimis na Nollag ghlaoigh McRory isteach ina oifig orm.

'Dúrt cheana leat go mb'fhéidir go bhfaighfí áit éigin eile sa chomhlacht. Ní toisc gur Éireannach tú ach toisc an meon oscailte atá agat agus tá gnó de do leithéidí sa chomhlacht.'

Dúradh liom dul go dtí roinn eile sa chomhlacht go dtí fear dubh darbh ainm Mr Wall agus go réiteodh sé cúrsaí dom. Sea, níor ghá dom bheith ag imeacht timpeall ag lorg oibre ar feadh tamaill eile ach go háirithe. Ní chosnaíonn sé faic a bheith sibhialta le daoine.

21

Scoth na gCeoltóirí

Ós rud é go raibh dúil riamh sa cheol agam chuas timpeall na cathrach ag éisteacht le ceoltóirí éagsúla. Bhí cúpla uair an chloig de cheol agus amhráin na hÉireann le cloisint ar an raidió gach maidin Shathairn. Chomh maith leis an gceol thugtaí eolas ar a gclár ar cá mbíodh na seisiúin, an cibeal agus an chraic. Bheadh sé deacair orm uaireanta m'aigne a dhéanamh suas mar gheall ar cén ionad ceoil go dtabharfainn cuairt air mar bhí an oiread sin acu ann. Ach bhí áit amháin seachas aon áit eile go dtugaim cuairt air gach Domhnach. Sin é tig tábhairne Hanley ar an dtaobh theas den gcathair. B'in é an tig tábhairne Gaelach ba mhó i Chicago. In éineacht le mo dhearthair Seán a chuas ann an chéad uair. 'Hanley's House of Happiness', a bhí scríte os cionn an dorais. Bhíodh deichniúr fear ag freastal taobh thiar den gcuntar a bhí ar a laghad leathchéad slat ar fhaid.

Má bhí duine amháin istigh sa tábhairne sin bhí trí chéad ann. Díreach os comhair an chuntair amach bhí urlár rince agus thuas i mbarr an tí bhí stáitse. Ní fada in aon chor a bhíomair ann an chéad oíche nuair a bhuail beirt fhear chugainn anall. Bheannaigh duine acu do Sheán i nGaelainn bhinn bhlasta.

'Ní fheaca éinne leis na blianta thú, a Sheáin,' arsa duine acu.

Dúirt Seán leis ná raibh sé ina chónaí i Chicago féin a thuilleadh ach go raibh sé ina chónaí tamall amach ón gcathair. Ansin chuir Seán an bheirt in aithne dhom. Gearaltaigh ab ea iad aniar ón mBaile Uachtarach, Tomás agus Aindí. D'fhágadar siúd Éire sula dtosnaíos-sa ag bóithreoireacht in aon chor. Bhí Tomás ag fáil mífhoighneach nuair ná raibh an ceol ag tosnú. Ní fada a bhí air fanacht áfach, mar nuair a d'fhéachamair uainn sall bhí seisear ceoltóirí suite ag aon bhord amháin. Bhíodar go léir ag ullmhú a gcuid uirlisí agus ag tiúnáil le chéile.

'Féach an fear leis an ngruaig chatach agus é ag imeacht maol chun tosaigh. Joe Cooley is ainm dó sin. Tá sé chomh cumasach de cheoltóir agus a d'fhág Éire riamh. Suite in aice leis tá a dheartháir Séamas agus fliúit adhmaid ina ghlaic aige. Thánadar sin anonn leis an Tulla Céilí Band sé nó seacht de bhliana ó shin agus d'fhanadar anseo ina ndiaidh.'

Is é Seán a bhí ag eachtraí dom.

Ní túisce an chaint sin ráite ná gur thosnaigh an ceol agus má thosnaigh do stop an chaint. Cheapas nuair a bhíos i Sasana go bhfeaca ceoltóirí ann ná feicfinn a sárú go deo ach má chonac ochtar ceoltóirí cumasacha le chéile riamh bhíodar i dtig tábhairne Hanley an tráthnóna Domhnaigh úd. Bhí Joe Cooley ansiúd agus toitín idir a dhá liopa aige, a mhéireanta ag sníomh trís gach port. Bhí a cheann uaidh siar aige agus a chroí agus a aigne báite sa cheol. I measc na gceoltóirí bhí fear darbh ainm Mike Neary. Fear meánaosta agus stíl mhilis éadrom aige ar an veidhlín. Bhí a dheirfiúr Eleanor ann agus bhí a hainm siúd in airde mar cheoltóir ar an bpianó. Bhíos ag éisteacht le Seán dá n-ainmniú agus bhíos ar mo dhícheall ag iarraidh an ceol a thabhairt liom ag an am céanna. Ar na drumaí bhí Billy Soden, fear eile a tháinig anall le banna ceoil. Ansin shuigh fear eile síos ina gcomhluadar. Dúirt Seán liom gurbh é siúd Kevin Keegan, fear a sheinn i dteannta na Aughrim Slopes go dtí tamall roimhe sin. Nuair a bhíodh siúd i bhfoirm cheart bhainfeadh sé deatach as cuid mhaith ceoltóirí. Bhí beirt deartháir ó dheisceart na Gaillimhe ann, Bertie agus Tomás Mac Mathúna, duine acu ar an mbainseo agus fear eile ar an veidhlín. Anois dá bhféadfainn na ceoltóirí ar fad a áireamh is dócha go raibh ar a laghad chúig cheoltóir agus fiche sa tig tábhairne an tráthnóna sin. Gheobhadh aon duine acu a áit in aon bhanna ceoil in Éirinn bhíodar chomh cumasach sin mar cheoltóirí. Is ansiúd a bhí na ceoltóirí agus an ceol an uair sin agus ní in Éirinn. Nárbh ait an saol é, scoth na gceoltóirí agus chaith gach mac máthar acu a chúl a thabhairt ar a fhód dúchais. Ní raibh an meas céanna ar an gceol agus ar an gcultúr dúchais in Éirinn agus a bhí i Meiriceá. Bhí airgead mór le tuilleamh ag ceoltóirí chomh maith i Chicago. D'fhéadfá a bheith ag seinm in Éirinn ó cheann ceann na seachtaine agus ní bheadh le fáil agat as do chuid saothair ach 'go bhfága Dia do shláinte agat'.

Thugadar an tráthnóna ar fad ag seinm ríleanna agus jigeanna. Is é a bhí ag dul trí mo cheann ná cá bhfuaireadar na poirt bhreátha ar fad. Sheinneadh ceathrar nó cúigear port ar phort i ndiaidh a chéile ar feadh leathuair an chloig nó mar sin. Gan mhoill ina dhiaidh sin do shádh seisear nó seachtar eile isteach sa cheol. Ar a shon go dtáinig na ceoltóirí ó áiteanna éagsúla in Éirinn agus gur rugadh a thuilleadh acu i Meiriceá bhíodar ábalta seinm le chéile gan stró ar bith. Dá mbeadh ar dhuine acu ansin seinm ina aonar is é stíl a chontae féin a tharraingeodh sé air féin. Nuair a cheistíos Joe Cooley uair amháin, is é a bhí le rá aige ná go mbíodh ar gach duine acu géilleadh beagán do stíl an duine eile nuair a bhíodh grúpa ag seinm. *Neutral ground* a thugadh sé air.

Isteach san oíche phrioc Seán mé. D'iarr sé orm mo bhosca féin a thabhairt isteach. Dúrt leis ná tabharfainn mar gurbh fhearr liom éisteacht agus go mb'fhéidir go bhfoghlaimeoinn rud éigin. Ach níor dhein sé siúd ach dul sall chomh fada le Cooley agus cogar a chur ina chluais. Ní fada ina dhiaidh sin go bhfeaca Cooley ag déanamh orm agus ag síneadh a bhosca ceoil féin chugam. Tar éis an cheoil bhreá a bhí seinnte cad a dhéanfadh duine? Dhíríos m'aigne ar dhá 'slide' a bhí foghlamtha i Sasana agam ó fhear a shíolraigh ó Oileán Chiarraí.

'*Up Cuas!*' Is ó lár an urláir a tháinig an liú. Tomás Mac Gearailt a bhí ann ag pramsáil timpeall an urláir leis an gceol. Sheinneas cúpla jig breá saoráideach ansin agus is gearr gur thosnaigh cúpla ceoltóir ag titim isteach liom. D'aithníos ar an mbosca a fuaireas ó Cooley go raibh sé ar an nóta céanna le mo bhosca féin agus ní raibh aon dua agam leis. Tar éis cúpla port eile do bhuaileas uaim an bosca. Tharraing Joe Cooley thiar sa droim orm.

'Beidh clár raidió á dhéanamh láithreach. B'fhéidir go seinnfeá dhá slide, mar níl aon teora le ceoltóir nua.'

D'fhiafraigh bean éigin a bhí suite in aice le Cooley cad é an ainm a bhí ar an bport deireanach a sheinneas. D'fhéach sé orm agus rógaireacht scríte ar a aghaidh.

'Ó a chroí, níl ainm agam ar aon phort.'

Ach ní raibh Cooley i bhfad ag fáil ainm dó. '*Mary hold the candle till I shave the gander's leg!*' B'in é an ainm a chuir Cooley féin air. Ar ndóigh ní raibh fios a mhalairte ag an mbean a chuir an cheist. Ansin rug sé ar an mbosca ceoil agus thosnaigh sé ag seinm agus aghaidh chomh saonta le leanbh air.

Gach Domhnach gan teip thugainn turas ar thig tábhairne Hanley. Fuaireas féin agus na deartháireacha Cooley ana-chairdiúil le chéile. Ní fheadair éinne ach na poirt a fhoghlaimíos uathu agus is mó scéal grinn a d'inis Joe dom mar fear seoigh ceart ab ea é. Deireadh sé i gcónaí go raibh a mhí-ádh féin ag leanúint an cheoil.

'Leanann an t-ól an ceol agus má thógann tú mo chomhairle fan ón bhfuiscí mar cuirfidh sé creathán i do láimh agus scaipfidh sé do mheabhair. Mo léan, is é an ceol céanna a chuir ar an bhfán fir shláintiúla,' a deireadh sé.

Bhí riail amháin i dtig tábhairne Hanley. Aon cheoltóir a chasadh ceol ann chuirtí fuílleach dí faoina cheann. Gloine fuiscí agus buidéal beorach an gnáthól ansiúd. Gan dabht nuair a bheadh cúpla ceann acu seo scaoilte siar ag duine raghadh gach deoch ina dhiaidh siar go breá síodúil. Bheadh gach rud ceart go leor go mbuailfeadh an clog lá arna mháireach! Bhí an t-ádh liomsa ar shlí mar ná téinn ar an dtaobh ó dheas den gcathair ach uair amháin sa tseachtain. Ach formhór na nÉireannach a bhí ina gcónaí sa taobh sin ar a slí abhaile ó obair tráthnóna is ar thig tábhairne Hanley a bhíodh a dtriall. Is olc an suipéar é an deoch. Aon chibeal nó páirtí ná raibh ar chumas na gCooleys freastal chuiridís an gnó sin i mo threosa. Faoi cheann tamaill bhíos gnóthach go maith ar an mbosca.

Tráthnóna amháin tar éis oibre agus mé am shearradh féin sa tobán dúirt mo dheirfiúr Máire liom go raibh glaoch teileafóin tagaithe chugam. Fear darbh ainm Liam Ó Súilleabháin a bhí ar an nguthán. Chuir sé in iúl dom go raibh tig tábhairne aige ar Chicago Avenue, áit a bhí i ngiorracht scread asail don áit ina raibh cónaí orm. Dúirt sé go raibh ceoltóir á lorg aige dos gach oíche Shathairn agus go bhfuair sé m'ainm ó Joe Cooley. Phléamair cúrsaí airgid agus nuair a cuireadh seasca dollar gach oíche faoi mo bhráid ar m'anam ná raibh agam le fiafraí ansin ach cad é an t-am oíche Shathairn a bheinn ag seinm. Dúradh liom go mbeinn ag seinm óna deich a chlog go dtí a trí ar maidin agus go mbeadh micreafón ann chun cabhair a thabhairt dom. Ambaist, ach go raibh gach rud ag dul i gceart dom. I dteannta mo sheachtain pá bheadh seasca dollar eile ar a laghad anuas ar sin. Ní bheadh aon bheann agam bheith ag seinm oíche Dé Sathairn mar bheadh an Domhnach faoin dtor agam. An chéad turas a thugann duine ar aon áit sin é an turas is crua, a deirtear. Sin é mar a bhíos-sa an chéad oíche Shathairn a thugas aghaidh ar thig tábhairne Uí Shúilleabháin. Fear mór dealraitheach ab ea Liam agus níor ghá dhuit ceist a chur air cén áit in Éirinn gurb as é, mar chomh luath agus a d'osclódh sé a bhéal d'aithneofá canúint Charn Tuathail. Chuir sé deoch faoi mo cheann tar éis fáiltiú romham. Thaispeáin dom ansin cá mbeinn ag seinm. Chuirfeadh sé cúpla amhránaí suas chugam i bhfad na hoíche chun faoiseamh a thabhairt dom ón gceol.

'Is dream ón gClár, ón nGaillimh agus ó Chiarraí is mó a thagann anseo isteach. Is maith leo ceol breá mear.'

Níor chuireas an iomad dua orm féin nuair a thosnaíos ar dtúis ach port i mbéal a chéile. Faoin am go raibh meán oíche tagaithe bhí slua maith bailithe isteach agus fonn rince ar chuid acu. Ghaibh seanduine chugam aníos faoi cheann tamaill agus dúirt liom gur chuir fear an tí aníos é chun amhrán a chanadh. Ní fada a bhíos-sa ag síneadh an mhicreafóin chuige. Is minic a chuala amhránaí níos measa ná é agus is minic a chuala amhránaí níos fearr. Rud amháin a tháinig i mo cheann mar gheall ar an bhfear céanna go raibh ar a laghad daichead véarsa san amhrán a dúirt sé má bhí véarsa amháin ann. Thug sé seans maith dom dul go dtí an gcuntar chun deoch a fháil agus bhíos tagaithe ar ais arís agus mé leath slí síos i mo ghloine agus gan an t-amhrán críochnaithe fós aige. Ar a leathuair tar éis a haon tháinig an dream óg isteach tar éis an rince. Thugas a lán de mo chompánaigh féin faoi ndeara ina measc. Bhí cúpla ceardaí ó Oileán Chiarraí ann agus iad súgach a ndóthain.

'Seinn seit,' arsa Mike Scollard a bhí ina measc. Fear é seo gur chuireas aithne air an chéad seachtain a thána go Chicago. Siúd amach le hochtar agus ba ghearr go raibh smúit ag éirí den dtalamh. D'fhéachas uaim isteach ar fhear an tí. Bhí sé ansiúd ag líonadh dí chomh tapaidh agus a fhéadfadh sé agus cuma bhreá shásta air.

Maidhc Dainín Ó Sé, bosca ceoil, agus baill de Bhanna Céilí Hibernian a bhuaigh Corn Uí Néill i 1964, Holiday Ballroom, Chicago.

22

Ná bíodh Deabhadh Ortsa

Gach deireadh seachtaine bhíodh sé de nós agam patrún a ligeas síos dom féin a leanúint. Mar shampla, théinn go dtí an rince gach oíche Aoine sa Keyman's Club a bhí sa chóngar. Cúrsaí airgid a thuilleamh a bhíodh ag déanamh mearbhaill dom gach oíche Shathairn. Thugainn m'aghaidh ar an dtaobh ó dheas den gcathair gach tráthnóna Domhnaigh go luath. Bheinn i gcónaí ag braith ar chara éigin liom chun marcaíocht a fháil abhaile agus dá dteipfeadh sin bheadh orm córas taistil poiblí a úsáid. Fear ar chuireas aithne air gan mhoill tar éis teacht go Chicago ab ea Mike Scollard. Ó Ghleanntán in aice le hOileán Chiarraí ab ea é. Ana-charachtar ab ea Mike, lán de chlis agus de rógaireacht gan díobháil. Bhain sé amach Chicago timpeall an ama chéanna liom féin. Bhí bua na cainte aige agus bhaineadh sé an úsáid cheart aisti. Mar laistigh de mhí sa chathair fuair sé post in aerfort Midway ag obair do chomhlacht United Airlines. Post go dtabharfadh aon Éireannach a láimh dheis air. Isteach is amach le trí chéad dollar sa tseachtain a bhí aige agus an uair sin ní raibh ach timpeall lena leath sin á thuilleamh ag sclábhaí. Níorbh aon iontas mar sin go bhfuair sé gluaisteán gan mhoill. Aon áit a mbíodh a thriall an deireadh seachtaine chuireadh sé in iúl domsa é. Dá ráineodh liom a bheith ag tabhairt m'aghaidh ar an áit chéanna bheadh sé lasmuigh de bhéal an dorais d'fhonn marcaíocht a thabhairt dom. Fear croí mhóir ab ea Mike a chabhródh le haon chara leis. Amhránaí breá binn ab ea é chomh maith. Na seanbhailéidí Béarla bhíodar go flúirseach aige agus nuair a bhíodh aon bhraon faoin bhfiacail aige d'ardódh sé in airde scol amhráin istigh i lár teampaill. Nuair a tháinig go Chicago ar dtúis tháinig sé i gcomhluadar cailín go raibh sé ana-mhór léi aige baile.

Chun gan dul ródhomhain isteach sa scéal is gearr gur thosnaigh sí ag caitheamh le fear eile nuair a fuair sí í féin i Chicago agus d'fhág sí é siúd gan aon mhíniú a thabhairt dó. Thar oíche bhí *hillbilly* éigin pósta aici. Thosnaigh Mike ag diúgadh ansin agus is minic a dúirt sé liom gur chuma leis cén crot a thabharfadh sé air féin mar go raibh a chroí briste. Bhíodh a chairde ar fad á chur ar a leas ach is beag toradh a thugadh sé orthu. Ní bhíodh fonn air dul go dtí rince ná fiú amháin nuair a théadh sé go dtí rince ní bhíodh fonn air dul ag caint le haon chailín. Is ag an mbeár a chaitheadh sé an oíche ar fad.

'Cogar, a Mhike Scollard,' a deirinnse leis, 'an dóigh leat go bhfuilirse ag déanamh aon mhearbhaill di siúd? Caith amach as do cheann í agus féach timpeall. Tá siad os comhair do shúl, cailíní breátha dathúla agus iad ag baint na sál dá chéile ag iarraidh dáta a bheith acu leat.'

Is minic a thugadh sé turas chugam go dtí an árasán i lár na seachtaine agus deinim amach ná raibh uaidh ach duine éigin go labharfadh sé leis. Ní bhíodh aon fhonn air dul go dtí an Keyman's Club mar go mbuailfeadh sé leis an iomad dá mhuintir féin ón mbaile.

'Dhera,' a deirinnse leis, 'ná fuil cúpla halla ar an dtaobh ó dheas den gcathair agus ceann eile ar an dtaobh ó thuaidh.' Ar deireadh thiar thall ghéill sé dom beagán agus d'athraigh sé a bhéasa. Tar éis tamaill chuir sé brón agus buairt an tsaoil taobh thiar de féin ar fad agus bhog sé amach i measc na cuideachtan arís. Is dóigh liom nuair a luas na hallaí eile sa chathair gur chuir sé roimhe dul ó dheas faoin gcathair gach Aoine in ionad dul go dtí an Keyman's Club.

Chuir sé glaoch teileafóin orm tráthnóna Aoine amháin agus chuir sé ceist orm ar mhaith liom dul go dtí Carpenter's Hall ina theannta an oíche sin. Bhí a fhios agam gur páirtí a bhí uaidh agus nár mhaith leis a aghaidh a thabhairt ann ina aonar. Ghaibh sé chugam oíche Dé hAoine agus é glan, bearrtha, sciosta agus culaith nua éadaigh air. Nuair a d'fhéachas air thuigeas go maith go raibh sé ag teacht chuige féin.

'An ndéarfá anois,' ar sé agus cuma bhreá shásta air, 'go bhfuil cailín éigin a thabharfadh grán a croí dhom?'

Dúrt leis go mbeidís ag baint na sál dá chéile ag teacht chuige. Thugamair ár n-aghaidh ó dheas. Nuair a shroiseamair an halla bhí slua maith bailithe ann cheana féin. Chuamair chomh fada leis an mbeár go mbeadh buidéal amháin againn faid a bheimis ag caitheamh ár súl timpeall. Mhol sé dom teacht chuige féin dá mbuailfeadh cailín éigin deas liom agus go mbeadh fonn orm í a thabhairt abhaile. Thabharfadh a ghluaisteán féin go dtí aon áit sa chathair sinn.

Ní fada a bhíomair istigh nuair a dúirt Mike go raibh fonn rince air agus bhailigh sé uaim. D'fhanas féin cois an chuntair ag tabhairt rudaí faoi ndeara agus ag ól gloine beorach. Buaileadh buille thiar sa droim orm agus nuair a d'iompaíos timpeall cé bheadh os mo chomhair amach ach seanapháirtí liom ó mo laethanta ar cheardscoil an Daingin, sin é Jim Choráilí Ó Beaglaoich ó Bhaile na nGall. Bheannaíomair dá chéile agus thosnaíomair ag cur síos mar gheall ar an seanaphaiste agus ar eachtraithe a tharla dúinn agus sinn ag dul ar scoil.

Tháinig Mike ar ais tar éis tamaill agus má tháinig bhí rud éigin ag déanamh tinnis dó. Cailín scéimhiúil a bhí tugtha faoi ndeara aige ach ní raibh sí ina haonar, a dúirt sé. Cheapamair gur fear a bhí i gceist aige ar dtúis ach ní hea. Cailín eile agus comharsa béal dorais di a bhí léi. Ambaiste, má bhí cabhair uaidh gheobhadh sé í. Thosnaigh *foxtrot* mall agus bheartaíomair gurb é seo an t-am ceart chun an bheirt chailíní a thabhairt ag rince. Thaispeáin Mike dom cá raibh an bheirt chailíní agus scaoileas romham é chun go bhfaigheadh sé féin an cailín a bhí uaidh. Thugas-sa an cailín eile amach ag rince liom. De mhuintir Choistealbha ab ea an cailín a bhí ag rince liomsa agus ba ó Chorcaigh ab ea a sin-seanathair. Dúirt sí liom go bhfeaca sí mé sa Keyman's Club an chéad oíche a bhíos ann! Sin rud a rith liom ná an chomhairle a thug Dainín dom uair amháin, is é sin cloí le mo chine féin agus gan bean a rugadh i Meiriceá a phósadh. Dar leis siúd ní fada a bheadh bean Mheiriceánach ag cur aprúin ar an bhfear a phósfadh í agus ní hamháin sin ach gur air siúd a bheadh éirí i lár na hoíche dá dtosnódh éinne des na páistí ag cnáimhseán. Ní róshláintiúil na súile a bhí sí ag cur tríom.

Nuair a bhí an rince críochnaithe chuamair ar ais go dtí an mbeár agus bhí Mike ansiúd romhainn agus an bhean eile ar adhastar aige. D'ólamair deoch agus bhí dhá *highball* ag na cailíní. Thugas faoi ndeara go raibh a chailín féin ag luí isteach ar fad le Mike agus ní raibh an cailín a bhí agamsa rófhada siar le cúrsaí ach an oiread. Chuir Mike cogar i mo chluais.

'Tá muintir…Jeannie…lán d'airgead.' Is í Jeannie a bhí ag rince agamsa. Tuigeadh dom nach ar mhaithe le mo shláinte a bhí Mike in aon chor! B'éigean domsa a chur in iúl do mo chailín féin ná raibh aon ghluaisteán agam ach ná raibh baol orainn mar go dtabharfadh Mike abhaile sinn ina ghluaisteán siúd. Bhogamair chun bóthair roimh an rince deireanach. Bhí sé de leithscéal ag Mike go raibh bóthar fada romhainn ag dul abhaile. Thuigeas-sa go maith cad iad na bóithre a bhí ina cheann aige. Thugamair ár n-aghaidh ó thuaidh, Mike ag tiomáint agus Theresa ceangailte isteach ann. Sa tsuíochán thiar a bhíos féin. Ní déarfaidh mé a thuilleadh faoi sin!

Nuair a shroiseamair an áit ina raibh cónaí ar na cailíní ghlaoigh Jeannie isteach orainn ina tig féin chun go n-ólfaimis tae i bhfochair a chéile.

149

'Tae!' arsa Mike, 'tabhair leat isteach Micheál Ó Sé, a chailín, agus dein tae dó. Déanfaidh Theresa tae domsa.'

Níorbh aon mhaitheas bheith ag áiteamh air siúd. Ansin labhair Theresa. 'Dá raghaimis go léir isteach in aon tig amháin ní bheadh aon chuimhneamh abhaile agaibhse go maidin.'

Nuair a bhí sé ag imeacht uainn isteach sa tig eile bhéic Tomás orm go bhfágfadh sé doras an ghluaisteáin oscailte ar eagla go mbeadh sé féin déanach.

'Agus ná bíodh aon deabhadh ortsa,' a dúirt Mike agus é ag gabháil an doras isteach agus a láimh timpeall go maith aige ar Theresa.

Nuair a chuamair isteach chuir Jeannie buidéal beorach faoi mo cheann agus dúirt liom gloine a fháil dom féin sa churpard. Thosnaigh sí féin ag cleatráil le citil agus sáspain. Déarfainn gur d'aon ghnó a bhí sí á dhéanamh mar is gearr gur chuala an trupall trapall chugam anuas an staighre. Bhí duine éigin eile sa tig agus é dúisithe!

'*Is that you, Jeannie baby?*' arsa an guth.

'*Yes, Daddy dear, come in and meet my boyfriend.*'

Do smaoiníos láithreach ar chomhairle Dainín. Sea, *boyfriend* is gan an chéad chor déanta fós agam! Tháinig seanduine lom agus cuma chráite air isteach agus shuigh sé trasna an bhoird uaim. Thosnaigh sé am cheistiú ar dalladh mar gheall ar mo mhuintir agus gach aon ní a bhain leo. Deirimse leat go rabhas-sa maith mo dhóthain dó agus nach mór den bhfírinne a chuala sé uaimse. Dá bhfaighinn greim anois ar Mhike Scollard, bhainfinn croitheadh maith as mar ba é faoi ndeara an cúram seo ar fad. Tháinig sí féin amach faoi cheann tamaill agus cupán tae agus pláta lán de bhia aici. Chuir sí císte milis i lár an bhoird. Chun na fírinne a insint ní raibh fonn tae ná ithe ná aon fhonn eile fanta orm faoin dtráth sin. Thosnaíos ag ól braon tae agus ag blaisínteacht ar an mbia.

D'imigh uair an chloig ach ní raibh aon chuimhneamh ag mo sheanduine bogadh i dtreo an staighre. Ó Mhuire, dá mbeinn pósta léi siúd agus go mbeadh orm cur suas le mo sheanduine agus é ansiúd os mo chomhair lena *phyjamas* agus a shlipéirí oíche. Sea d'imeodh sé siúd nó mise mar ní bheadh an tsráid fairsing go leor do bheirt againn. D'fhéachas ar m'uaireadóir.

'Ó my, féach an t-am.'

Labhair Jeannie. 'Dhera, tóg bog é. Dad, téir a chodladh anois.'

Ní raibh sé féin róshásta. 'An mbeidh tú *allright* Jeannie, a linbh?'

Ba dhóigh leat air gur mé Jack the Ripper. Thugas m'aghaidh ar an ndoras tosaigh ach má dheineas do lean sí siúd mé. Theanntaigh sí in aice an dorais mé.

'Tóg bog é, beidh sé siúd imithe a chodladh faoi cheann nóimint.'

Ach bhí gach leithscéal faoin spéir agamsa. Dá bhfaighinn mo dhá chois amuigh ar an sráid ba dheacair mé a mhealladh isteach sa tig sin arís. Theastaigh uaithi go gcuirfinn glaoch teileafóin i rith na seachtaine uirthi agus scrígh sí síos an uimhir dom. Bheadh sé chomh maith aici a bheith díomhaoin mar is fada a bheadh sí ag feitheamh le glaoch.

Bhaineas amach an gluaisteán ar deireadh. Gan dabht ní raibh tásc ná tuairisc ar Mhike Scollard. Chuireas comhartha na croise ar m'éadan tar éis doras an ghluaisteáin a dhúnadh i mo dhiaidh. Do shíneas go breá mé féin ar an suíochán deiridh agus bhuaileas mo dhá láimh laistiar de mo cheann mar a bheadh piliúr agam.

'Dúisigh! Ba dhóbair go mbeinn imithe ar do lorg go tig Jeannie.' Mike Scollard a bhí tar éis filleadh ón dtig eile. D'éiríos aniar ar an suíochán agus mé ag méanfach. Sea bhí Casanova fillte óna phluais. Bhí sé de chuma ar an bhfolt gruaige a bhí air gur bheir camfheothan nó a leithéid air.

'Dá bhfeicfeadh do mháthair anois tú!' arsa mise leis agus mé ag síneadh cíor chuige a bhí i bpóca mo thóna. 'Ní foláir nó go rug callshaoth an diabhail ort!'

Cúis mhór suilt ab ea an méid sin do Mhike. 'Táim ag tabhairt turas aníos arís i lár na seachtaine. Conas mar a d'éirigh leat féin?'

Chaithfinn freagra éigin a thabhairt air. 'D'éirigh an seanduine agus do chuir sé faoi scrúdú béil mé. D'ólas braon tae agus faoin am go raibh sé réidh lena cheisteanna bhí an ghaoth imithe as mo sheolta. A Mhike Scollard, ní rabhas riamh i mo shaol i gcúinne chomh holc leis.'

Ligeas orm ansin go rabhas ag tabhairt íde béil air mar gurb é siúd ba chúis ar fad leis. Bheadh sé chomh maith agam a bheith díomhaoin mar ag ramhrú ar an scéal a bhí sé. Nuair a bhí deireadh mo chuid cainte ráite agam chuir sé inneall an ghluaisteáin ar siúl.

'*All part of your education, my son,*' ar sé agus é ag tiomáint leis tríd an gcathair.

23

Na Mílte ó Chicago

*I*s mé féin agus cara liom darbh ainm Frank O'Donnell ag comhrá oíche amháin i dtig tábhairne Val Connolly is é a bhí ar bun againn ná an tionchar a bhíonn ag ragobair ar cholainn an duine. Fear breá socair ab ea Frank a d'ólfadh deoch in éineacht le haon bhuachaill bán agus ná cuirfeadh isteach ná amach ar éinne. Ag plé le hobair thógála a bhí sé ón chéad lá a tháinig sé ag obair go Chicago.

'Is dóigh liomsa,' ar sé, agus é ag cur a ghloine ar ais ar an gcuntar, 'go bhfuil aon duine as a mheabhair a oibríonn thar dhaichead uair an chloig sa tseachtain in aon phost, mar baineann Uncle Sam an bonn uaidh le cáin. Tá an plean ceart agatsa, a Mhichíl, oíche anseo agus oíche ansiúd le do bhosca ceoil agus ag déanamh jabanna beaga eile i rith na seachtaine.'

Bhí Frank féin ag obair dhá uair an chloig déag sa ló agus leath lae ar an Satharn chomh maith.

'Neosfad an fhírinne dhuit, a Frank. Ní thógas dhá lá saoire as a chéile ó thána go Chicago. Tá coicís ag teacht chugam anois agus táim ag smaoineamh dul in áit éigin ar feadh seachtaine ar a laghad chun briseadh beag a bheith agam.'

Ní raibh saoire ag Frank le dhá bhliain roimh sin, a dúirt sé. 'An bhfuil a fhios agat cad a dhéanfam, tabharfaimid beirt faoi áit éigin atá na mílte ó Chicago,' arsa Frank.

'Is é a bhí i mo cheannsa le tamall anuas ná gur dheas liom camchuairt a thabhairt ar na stáit ó dheas agus a fháil amach conas mar a mhaireann muintir na tuaithe. Táim breoite ó bheith sáite istigh i lár cathrach agus mé leathphasálta ag daoine.'

Thug Frank cúpla soicind ag smaoineamh. 'B'fhéidir go bhfuil rud éigin san méid atá ráite agat. Ní rabhas riamh laisteas d'Indiana, agus ní dhéanfadh sé aon díobháil an gluaisteán a oscailt amach beagán.'

Bhí Frank ullamh chun tabhairt faoin mbóthar Dé Luain, ach ní raibh aon socrú déanta agamsa. Chaithfinn socrú éigin a dhéanamh leis an gcomhlacht ar dtúis, agus d'iarr Frank glaoch air an oíche Luain dár gcionn.

'Déanfad dul i dteangbháil le mo dheartháir Seán. Tá a fhios aige sin gach príomhbhóthar ó Chicago go teorainn Mheicsiceo mar bíonn sé á dtaisteal tríd an mbliain ar fad. Déarfaidh mé leis cúrsa a mhapáil amach dúinn.'

Go luath tar éis na hoibre a shroisint an mhaidin Luain dár gcionn thugas m'aġhaidh ar an oifig i Sears Roebuck. Chuas isteach agus lorgaíos coicís saoire ag tosnú an Luan ina dhiaidh sin. Cheapas go mbeadh sé deacair saoire a fháil ar fhógra chomh gairid sin ach ní raibh aon dua agam. Bhí sé de mhí-ádh orm i rith an lae sin agus mé ag caint le páirtí liom darbh ainm <u>Jim Crafton</u> go ndúrt leis cá rabhas ag tabhairt m'aghaidh an tseachtain ina dhiaidh sin. Is amhlaidh a bhíos á cheistiú dáiríre toisc gur ó Alabama é féin. Thaispeánas dó an cúrsa a bhí marcálta ar píosa páipéir ag mo dheartháir Seán dom.

'Beidh tú ag taisteal i ngiorracht cúpla míle do mo bhaile dúchais. Tabharfad an seoladh dhuit. <u>Geobhair galún *hooch* dom uathu.</u> Ní raibh deoch de dhealramh agam le cheithre bliana ó thána go dtí an gcathair seo. Geallaim duit ná scaoilfear abhaile tirim tú féin ach oiread. Abair leo go ndúirt "<u>Little Jim</u>" leat dul á bhfiafraí.'

D'fhéachas ar mo dhuine agus bhí sé trí nó ceathair d'orlaí in éineacht leis na sé troithe!

'Ó sea,' ar sé, 'agus ná dein dearmad póg a thabhairt do mo dheirfiúr óg ar mo shon.'

B'in rud amháin a dhéanfainn, dá mbeinn sa bhád sin.

Is é an clog ag preabarnaigh ar chliathán an churpaird a dhúisigh mé maidin Dé Luain dár gcionn.

'Cas amach an diabhal *alarm* sin,' arsa mo dheartháir Dónall, 'nó an dteastaíonn uait an chomharsanacht ar fad a dhúiseacht?'

Ní bhíodh ar siúd éirí go dtí a haon déag a chlog mar is i siopa na mbróg a bhí sé ag obair sa chomhlacht céanna ina rabhas féin. Ar a leathuair tar éis a sé a chaitheas mé féin amach as an leaba agus bhí a fhios agam go maith ná beadh Frank déanach. Chuireas an citeal ag beiriú agus bhuaileas ubh isteach ann. B'in é an bricfeast a bhíodh agam formhór gach maidin mar níor ghrás riamh pota an róstaithe i rith na seachtaine go mór mhór tar éis éirí moch ar maidin. Chuireamair chun bóthair ar leathuair tar éis a seacht faoi mar a bhí socraithe againn. Is ag dul isteach sa chathair a bhí formhór na tráchta an taca sin de mhaidin agus mar gheall ar sin ní riabh aon mhoill orainne ag glanadh na cathrach amach dúinn. Ar ndóigh bhí an spiorad go hard ag an mbeirt againn.

'Cá mbuailfeam fúinn anocht?' arsa Frank tar éis dhá véarsa de 'Cliffs of Dooneen' a bheith caite thairis aige.

D'osclaíos an mapa den gcúrsa a bhí déanta ag Seán dom agus d'fhéachas ar an chéad bhaile a bhí marcálta aige.

'St Louis, Missouri. Déarfainn go mbeimis ann breá luath tráthnóna i mbun ár suaimhnis.'

Ba mhór an difríocht a bhí idir an mbóthar go rabhamair ag taisteal agus an bóthar ó Dhaingean go Trá Lí. É chomh díreach le riail faid do radhairce agus ar gach taobh dínn páirceanna móra cruithneachtan agus arbhair. Ní raibh cnoc ná maolchnoc le feiscint ach talamh méith mín agus ba dhóigh leat gurbh amhlaidh a bhí sé leibhéalta ag meaisín mór éigin.

'B'fhéarr liom bheith ag féachaint ar aillteacha Mhóthair,' a dúirt Frank tar éis dúinn bheith dhá uair an chloig ag taisteal. Ba dhóigh leat ná rabhamair ag cur aon bhóthair dínn ag na páirceanna móra gan sceach ná tor aitinn le feiscint. Bathlaigh mhóra de thithe adhmaid agus gan aon deatach ag éirí as aon tsimné. De réir mar a bhíomair ag druidim ó dheas bhí na bailte ag fáil fánach. Bhuail an t-ocras sinn isteach sa lá agus bheartaíomair stop ag bialann a bhí le hais an bhóthair. Thógas ceann de go raibh athrú mór tagaithe ar chanúint na ndaoine cheana féin, agus an cailín a bhí ag freastal orainn bhí tuin bhreá fhada aici agus ag cuid des na daoine a bhí ag boird eile. Bhogamair linn arís ar ár suaimhneas agus mise ag tabhairt fo-fhéachaint ar an mapa. De réir mar a dhruideamair ó dheas bhí an talamh ag dul in olcas agus é de chuma ar a lán des na feirmeacha go rabhadar tréigthe. Ansin de gheit arís chífeá gabháltas mór fairsing agus cúirt tí tógtha istigh ina lár. Stoc tirim is mó a bhí le feiscint agus gach toirt iontu ón ngamhain bliana go dtí an stoc a bheadh oiriúnach do scian an bhúistéara.

Bhíomair ag coimeád súil ar chomharthaí bóthair.

'Táimid i ngiorracht céad míle do St Louis,' arsa mise le Frank. 'A Mhuire, ní raibh aon mhoill orainn. Beimid ann roimh a trí. Gheobham lóistín ar dtúis agus ansin tabharfaimid camchuairt timpeall na cathrach.'

An lá dár gcionn chuamair isteach i ndúthaigh na *hillbillies*. Déarfainn go raibh leath des na tithe tréigthe.

'Cé dúirt go raibh Éire bocht?' arsa Frank nuair a chonaic sé seanduine ar thaobh an bhóthair agus a dhá ghlúin ag gabháil amach trína bhríste. Chuamair thar thig cónaithe amháin agus bhí cráin mhuice ag tóch sa gharraí. Thug sé mo chuimhne siar go dtí an seanchráin a bhí ag mo chomharsa béal dorais, Tom Horgan, fadó.

'Ragham go tig tábhairne deas ciúin anocht agus bainfeam an leaba amach go luath,' arsa Frank.

Fuaireamair lóistín tamall beag lasmuigh de bhaile Memphis, Tennessee. Bhí tig tábhairne sa lóistín chomh maith. Chuir bean an tí suipéar breá galánta os ár gcomhair.

'Sea, tá breis misnigh tagaithe dhomsa,' arsa Frank ag suí chun boird. D'itheamair a gcuir sí romhainn ar an bpláta. Bhí sí ag tathant orainn ach bhí breis agus ár ndóthain ar an bpláta. Dheineamair néal codlata tar éis an bhéile agus chuamair isteach sa tábhairne a bhain leis an lóistín ansin. Ní raibh ach seisear suite ag an mbeár. Cuma dheas ghlan air, urlár adhmaid agus cuma *pub* tuaithe air. Chuireamair comhrá ar chúpla duine de mhuintir na háite a bhí suite le hais linn. Ba é mo thuairim tar éis tamall a thabhairt ag caint leo ná gur daoine macánta cneasta ab ea iad gan puinn de mhaoin an tsaoil acu. Rud amháin nár thaitin liom mar gheall orthu, áfach, is é sin gur léiríodar go raibh an ghráin dhearg acu ar an gcine ghorm. Faoi mar a dheineas go minic cheana thosnaíos ag ceistiú agus ag fiafraí des na daoine a bhí sa bheár an raibh cothrom na féinne á thabhairt acu dos na daoine dubha.

'Ó tá,' arsa fear amháin, agus gáire magúil ar a aghaidh. 'Nuair a thaistealaíonn siad ar an mbus cuirimid na hainmhithe sin ar fad siar go dtí deireadh.'

Thosnaíos á gceistiú ansin mar gheall ar nósa mhuintir na háite agus mar gheall ar cárbh as a shíolraíodar. Bhí cuid mhaith Éireannach ina measc, a dúradar, daoine a bhí ag obair ar na bóithre iarainn fadó agus a chuir fúthu sa cheantar agus go raibh a shliocht ann anois. Bhí sin le tuiscint go maith as na sloinnte a bhí ar chuid acu. Siar san oíche bhí slua deas bailithe isteach sa tábhairne agus canúint láidir na *hillbillies* le cloisint ar gach taobh dínn. Mura mbeadh an taithí a bhí agam bheith ag éisteacht leo i Sears Roebuck ní bheadh aon tuiscint agam orthu, a déarfainn, mar bhí focail áirithe acu nár scríobhadh in aon fhoclóir Béarla.

Do shuigh stumpa mór téagartha síos inár n-aice. Hata mór air agus réilthín airgid ar a léine agus gunna ag sileadh lena chliathán.

'*Hello, Sam,*' ar sé leis an bhfear a bhí suite ar an dtaobh eile dhe.

'*Hello, Sheriff,*' arsa an fear eile.

Níor chuir sé aon rud i gcuimhne dhom ach rud éigin a chonac sna seanaphictiúirí *cowboy*. Chuir fear an tí gloine os a chomhair agus líon suas í d'fhuiscí. Rug sé ar an ngloine agus chaith sé siar d'aon iarracht amháin í fiú gan scaimh a chur air féin. Ba dhóigh leat go raibh scaireanna aige sa tig tábhairne mar nár dhein sé aon iarracht íoc as aon deoch a bhí sé ag ól.

'Ní baol go ndéanfar ruathar ar an áit seo,' arsa Frank agus mo dhuine á thabhairt faoi ndeara aige. De réir mar a bhí sé ag ól bhí sé ag fáil cainteach. Ar an méid den gcomhrá do thuigeas bhí raic éigin idir ógánaigh gheala agus ógánaigh ghorma in áit éigin i Memphis an lá roimhe sin. De réir dealraimh maraíodh garsún bocht hocht mbliana déag san eachtra, duine den gcine ghorm. Ní raibh aon fhocal maith ag an sirriam féin dos na *niggers*, mar a thug sé orthu. Ar an rialtas a bhí an chúis á chur aige mar gurb iad faoi ndeara an tranglam a bhí ann faoi láthair. Dúirt sé go rabhadar ag tabhairt airgid in aisce dos na daoine gorma agus iad fuar díomhaoin. Faoi cheann tamaill fuair an fear a bhí ina fhochair seans ar fhocal a chur isteach.

'Conas a dhéileálais leis an *nigger* a maraíodh ar maidin inné?'

'Cuireadh glaoch ar an oifig go raibh trioblóid anseo ó dheas uainn. D'imíos féin agus an *deputy* sa *squad* agus nuair a bhaineamair amach an chúlshráid ina raibh an troid ní raibh duine ná daonnaí le feiscint, ach corp ógánaigh ghoirm agus a bhéal faoi i lár na sráide. Bhuaileas mo bhróig faoina bholg agus d'iompaíos droim ar ais é. Bhí deich n-urchar ina chorp.'

'Ná fuil sé de dhualgas oraibh scrúdú iarbháis a chur ar gach corp anois?' arsa an fear eile.

'Ó tá, agus dheineas. Dúrt leis an *deputy* a bhí i m'fhochair a leabhar nótaí a thógaint amach. D'fhéachas síos ar an gcorp. Is é seo toradh an scrúdaithe. "An cás féinmharaithe is measa a chonac i mo chúig bliana fichead sa bhfórsa dom." '

Do chloisfeá an bheirt ag gáirí lasmuigh de dhoras.

'Ó a Mhuire,' arsa Frank, 'nach ar an nduine gorm a chuir Dia an chros le hiompar. Téanam ort a chodladh, a Mhichíl, a bhuachaill, faid atá sláinte againn.'

24

Hillbillies agus River Rats

Do shroiseamair Birmingham, Alabama, siar go maith sa tráthnóna dár gcionn. Cuma bhocht go maith ar an ndúthaigh ó d'fhágamair Memphis go sroiseamair Birmingham.

'Deirtear go bhfuil daoine sa stát seo ná feaca raidió ná teilifís riamh,' arsa mise.

'Tá, mhuis,' arsa Frank, 'agus daoine san áit seo ná feaca mias uisce riamh.'

Bhí an ceart aige mar bhí sé de chuma ar chuid des na daoine nár níodar a n-aghaidheanna ón lá a rugadh iad. Dá bhfeicfeá na seana-ghluaisteáin a bhí ag cuid acu agus d'fhéachaidís go hamhrasach ar aon stróinséir a ghabhadh thar bráid. Ón nóimint a shroiseamair an áit tháinig saghas casadh aigne orm.

'Ní dóigh liom gur mhaith liom an oíche a chaitheamh ar an mbaile seo anocht. Tá seoladh agam anseo a fuaireas ó James Crofton, *hillbilly* atá ag obair i mo theannta,' arsa mise.

Bhí cheithre fichid míle romhainn ach rud amháin ná raibh a fhios againn, gur cúlbhóthar ar fad a bhí san aistear. I bhfad níos measa ná aon bhóthar anseo in Éirinn. Ní raibh aon chomharthaí bóthair le feiscint. Cheapamair fiche babhta go rabhamair imithe amú. Chuireamair ceist ar fho-dhuine a bhuail linn ach ba dheacair freagra a fháil astu. D'fhéachaidís go hamhrasach orainn agus chuiridís cúpla ceist iad féin sula dtabharfaidís aon chuntas.

Tar éis bheith ag taisteal tamall fada thánamair ar shráidbhaile beag go raibh cuma na scríbe uirthi. Tig tábhairne amháin ann agus siopa beag grósaera. Bheartaíomair buidéal beorach a bheith againn chun ár scornach a fhliuchadh tar éis an aistir. Chaithfimis eolas na slí a fháil chomh maith dá mba mhaith linn dul go dtí muintir Crofton. Ní raibh aon Chríostaí istigh sa tig tábhairne ach an bheirt againn féin agus fear an tí. D'fhéach Frank ar chrot na háite agus d'fhéach sé ormsa. Loirg sé dhá bhuidéal beorach. Bhí an bheoir chomh bog leis an aimsir amuigh. Chuireamair comhrá ar fhear an tí agus d'insíomair ár scéal. Thug sé eolas na slí dúinn mar bhí aithne mhaith aige ar mhuintir mo pháirtí i Sears Roebuck.

Ní fada a thóg sé uainn an áit a shroisint mar ná raibh ann ach an t-aon bhóithrín amháin agus an t-aon tig amháin. Tig adhmaid ná raibh cóir ná slacht air. Seana-*jeep* os comhair an tí amach agus é de chuma uirthi ná déanfadh blúire péinte aon díobháil di. Chnag Frank ar an ndoras ach ní raibh aon fhreagra ag teacht chuige. Cheapas féin go bhfeaca duine éigin laistigh den bhfuinneoig agus sinn ag tarraingt isteach. Chnag sé arís níos bríomhaire an turas seo. D'oscail an doras leath-throigh. Tháinig bairille gunna amach tríd agus buaileadh suas le srón Frank é.

'Ó a Mhuire, maith dhom mo pheacaí,' arsa Frank agus dath an bháis ag teacht air. 'Ní fheadair éinne cá bhfuil fód a bháis agus nár lige Dia gur anseo é, mar ná geobhadh ár muintir tásc ná tuairisc orainn go brách.'

Tháinig seanduine amach agus an gunna dírithe ar Frank fós aige.

'*Are you revenuers?*'

Thosnaíos féin ag caint leis ansin. Chuireas in iúl dó go tapaidh go rabhas ag obair in éineacht le 'Little Jim' i Chicago. Nuair a chuala sé é sin chuir sé uaidh an gunna agus d'oscail sé an doras. Mhínigh sé dúinn cad ina thaobh gur chaitheadar bheith chomh haireach. Ba iad na *revenuers* ná lucht an dlí a bhíodh ina ndiaidh i gcónaí toisc a bheith ag déanamh *hooch* go neamhdhleathach. Tine oscailte a bhí sa tig agus bean an tí ag cócaireacht uirthi. Bhí cailín óg dathúil ag cabhrú léi. Tar éis fáilte a chur romhainn cuireadh inár suí ag an mbord sinn. Chuir fear an tí dhá mhuga os ár gcomhair. Thóg sé próca mór cré anuas de bharr an churpaird agus scaoil sé steall bhreá ghalánta isteach sa dá mhuga as an bpróca.

'Is é seo an braon is fearr a deintear sa cheantar seo,' arsa an seanduine.

'Ó, dála an scéil, dúirt "Little Jim" galún den stuif a thabhairt go Chicago chuige,' arsa mise.

'Ar m'anam nár chaill sé a dhúil ann le cheithre bliana,' arsa an seanabhuachaill.

Bhaineas slogóg as an muga. Ní túisce a dheineas ná gur chaitheas amach as mo bhéal arís é, leis an loscadh a fuaireas uaidh. Ach d'imigh braon beag de síos mo scornach agus chuaigh le m'anáil. Bhraitheas an stuif ag rith síos trí mo chorp go barr lúidíní mo chos ag loscadh a shlí roimhe. Bhain Frank slogóg as a mhuga féin agus má dhein d'aithníos air go raibh sé ag cur dhathanna dhe féin. 'Is é an chéad slog is measa,' arsa an seanduine. 'Ní bhraithfir ag dul síos an chuid eile den dtráthnóna é.'

Tháinig fear óg isteach an cúldhoras. Strapaire ard lom. 'Is é seo mo mhac Ralph. Níl aon *revenuer* i Stát Alabama ná rithfeadh míle uaidh. Bhainfeadh sé an tsúil as phréachán trí chéad slat ó bhaile agus an préachán sin ag eitilt tríd an aer.'

Chroitheamair láimh leis. Bheannaigh sé dúinn go tur. Fuaireamair amach gur Joshua ab ainm don athair agus Lena ab ainm don gcailín óg. Ní fhéadfainn féin ná Frank ár súile a choimeád di agus ar m'anam ach go raibh sí siúd ag cur na súl trínn chomh maith. Ag féachaint timpeall an tí bheadh a fhios ag duine ná raibh puinn teaspaigh orthu, ach ar a shon sin bhí sé deas glan.

'Fanfaidh sibh anseo anocht. Tá seomra folamh againn,' arsa Joshua.

Dúrt féin leis go mb'fhearr linn bheith ag druidim tamall ó thuaidh. Scaoil sé braon eile den stuif chruaidh chugainn agus an babhta seo scaoil sé braon chuige féin agus go dtína mhac.

'Dhera, cá bhfuil ár ndeabhadh ó thuaidh,' arsa Frank ag baint slog eile as an sáspan agus san am céanna ag caitheamh súil ar an gcailín óg.

'Cuir do dhá shúil ar ais i do cheann, a bhuachaill mhaith,' arsa mise i gcogar, 'nó an bhfuil dearmad déanta agat ar an ngunna a bhí faoi do shrón deich nóimintí ó shin. Má thugann tú géan di sin is é an nós atá sa pháirt seo den ndúthaigh an gunna a dhíriú ar chúl do chinn agus tú féin agus í féin a mháirseáil go dtí an altóir.'

Dúradh leis na mná greim bídh a ullmhú dúinn. Bean ana-chiúin ab ea an mháthair nár bhog a béal ó thánamair isteach sa tig. A chuma uirthi go raibh sí gafa trí chruatan an tsaoil. Bhí an braon ag dul síos níos fearr anois agus faoi mar a dúirt an seanduine ní raibh mórán loscadh orainn tar éis an chéad bhraon a bheith ólta. Chríochnaíos féin an dara braon agus mhothaíos breá súgach ina dhiaidh. Ní fada gur cuireadh an bia os ár gcomhair. Corcán dubh i lár an bhoird agus istigh ann bhí meascán éigin ná feacasa riamh roimhe sin. Ar crochadh síos le cliathán an chorcáin bhí spúnóg mhór a d'úsáidtí chun an pláta a líonadh. Ní fada gur líon an seanduine a phláta féin.

'Seo libh, a bhuachaillí! Taosc chugaibh,' arsa seisean, ag tabhairt na spúnóige do Frank.

Chuir Frank taoscán maith ar a phláta agus dheineas-sa amhlaidh ansin. Chonac císte mór aráin ar an mbord. Bheir an seanduine ar seo agus bhain sé canta mór anuas de lena dhá láimh. Níor úsáid an mac an spúnóg in aon chor ach bheir sé ar an gcorcán agus d'iompaigh ar a chliathán é agus lig a chuid bídh amach ar an bpláta. D'itheamair lán ár mboilg agus dhiúgamair an braon cruaidh a bhí sa mhuga.

'Ba é sin an béile ba bhlasta dár itheas riamh,' arsa Frank agus é ag cuimilt a bhoilg. Ghabhamair buíochas leis na mná a d'ullmhaigh an béile dúinn. Níor stad Frank ach ag cur na súl tríd an gcailín óg. Tógadh anuas an próca cré arís.

'Sea, a bhuachaillí, bíodh braon eile againn agus glanfaidh sé síos na scornacha,' arsa Joshua ag ligean streancán amach go dtís gach éinne againn ach amháin na mná. Ar m'anam ach nár eitíomair é an turas seo mar d'fhéadfá a rá go raibh dúil ag teacht againn ann. Thugamair tamall ag caint agus ag cadráil agus faoi dheireadh d'éirigh an seanduine.

'Tair linne...raghaimid chun an tábhairne. Tabharfaimid an seanaleoraí linn mar tá bairille *white mule* á tabhairt agam ann.'

Mhol Frank dom an bosca ceol a thabhairt liom.

'An bhfuil uirlis cheoil libh?' arsa Ralph, nár bhog a bhéal ó dúirt sé '*howdy*' linn nuair a tháinig sé isteach ar dtúis.

Cuireadh mé féin agus Frank inár suí i dtosach na seanathrucaile agus an seanduine agus an cailín laistiar agus bairille den *hooch* eatarthu istigh i mbosca mór adhmaid. Is é an mac a bhí ag tiomáint dá bhféadfá tiomáint a thabhairt air. Bhí grean agus smúit á rúideadh uaithi siar ag an seanaleoraí agus an bhróig curtha síos go dtí an urlár ag an bhfear óg. Ar a shon is go raibh drochstaid ar an mbóthar níor thóg sé rófhada uainn an baile beag a bhí cheithre mhíle ó bhaile a bhaint amach.

'Ní hé seo an treo a thánamair isteach,' arsa Frank agus é ag caitheamh a shúl timpeall an tseanbhaile go raibh cuma na scríbe air. Foirgnimh adhmaid is mó a bhí ann agus é de chuma ar na tithe gur fada an lá gur cuimlíodh aon scuab péinte dhóibh agus bhí fo-thig anseo agus ansiúd go raibh clár adhmaid nó dhó in easnamh iontu. Tharraing mo dhuine suas an trucail lasmuigh de sheanabhathlach mór tí adhmaid. Is minic a chífeá a leithéid de thábhairne sna seanscannáin.

''On diabhal,' arsa Frank agus é de chuma air féin go raibh an *hooch* ag oibriú air, 'ba dhóigh leat gur cheart duit Wyatt Earp a fheiscint ag siúl tríd an ndoras, agus Doc Holliday ag siúl ina dhiaidh agus dhá ghunna ag sileadh le gach duine acu.'

Scaoileamair na Croftons isteach romhainn agus tar éis iad a leanúint isteach thosnaíos ag tabhairt faoi ndeara i mo thimpeall. In aice an chuntair bhí cúigear nó seisear seandaoine suite, duine nó beirt acu ag cogaint tobac agus an súlach ag imeacht síos cliathán a mbéil. Boladh láidir stálaithe beorach agus deataigh san áit agus é de chuma ar an urlár nár scuabadh ar feadh seachtaine é. D'fhiafraigh Frank dínn cad a bheadh le n-ól againn agus bhuail sé nóta fiche dollar anuas ar an gcuntar. Dá bhfeicfeá an fhéachaint a bhí ag na seandaoine ar an nóta. Ní mór ná gur shloig duine acu an blúire tobac a bhí sé ag cogaint leis an anbhá a tháinig air. Chuireas cogar i gcluais Frank ag rá leis gur cheart dó seasamh dos na seandaoine chomh maith. Níor ghá dhom é a rá an dara huair leis. D'ólamair cúpla deoch i bhfochair a chéile agus bhíos féin agus Frank bogaithe go maith tar éis an *hooch* a d'ólamair sa tig agus na deocha a bhí á n-ól anseo againn. Bhíomair ag ól agus ag cadráil linn go dtí déanach go maith san oíche. Tharraing seanduine a raibh hata pollta air veidhlín chuige agus is é siúd a bhain ramsach aisti. Ansin a thosnaigh an spórt agus an scléip ar fad. Ba bhreá go deo an ceol é. *Blue Grass* a tugtar ar a leithéid de cheol. Fuair an fear a bhí ag freastal trumpa béil agus luigh sé isteach ag seinm cheoil le fear an veidhlín.

'Sea anois,' arsa Frank a raibh dhá shúil dhearga go maith aige faoin dtráth seo agus é suite síos le hais leis an gcailín óg de mhuintir Crofton, 'sin ceol de dhealramh agus ní hé an seanadhiabhal cleatráil a bhíonn tusa ag déanamh le do bhosca, a Mhichíl Uí Shé.'

Ba bhreá magúil an gáire a bhí ar a phus.

'Sín chugam an *jug*,' arsa an seanduine a bhí inár gcomhluadar. B'fhéidir go bhfeacais na háraistí cré go dtagadh an fuiscí iontu fadó. Bheir sé ar cheann acu sin agus thosnaigh sé ag séideadh isteach sa pholl a bhí ina bharr agus bhain sé glór éigin ceoil as. Is gearr go bhfeaca Frank ag cur a láimh suas go dtí a shúil agus é ag piocadh uirthi amhail is dá mbeadh cuil nó rud éigin mar sin dulta fúithi.

'Cad tá ort?' arsa mise.

'Priosla tobac a tháinig ón bhfear atá ag seinm leis an bpróca a chuaigh isteach i mo shúil agus deirim leat go bhfuil céasadh ag baint leis an bpriosla céanna,' arsa Frank.

Tháinig roinnt daoine eile isteach i rith an tráthnóna agus thugamair faoi ndeara orthu ná rabhadar ag meascadh linne in aon chor. D'fhiafraíos de Ralph cad ina thaobh ná rabhadar ag teacht isteach sa chomhluadar. Dúirt sé gur *hillbillies* ab ea iad féin agus gur *river rats* ab ea an dream eile a tháinig isteach. Cheistíos é mar gheall ar na *river rats* seo. De réir chosúlachta thánadar ó bhruach abhainn an Mississippi nuair a bhí an cogadh cathartha ar siúl idir Thuaidh agus Theas. Thugadar cabhair agus cúnamh don arm thuaidh agus scéitheadar ar arm Lee. Nuair a bhí an méid sin ráite ag Ralph chaith sé seile amach as a bhéal a chrochfadh páipéar ar fhalla dhuit. Bhraitheas go raibh mearbhall ag teacht i mo cheann faoi dheireadh na hoíche agus maidir le Frank ní raibh sé pioc níos fearr ná balbhán ach bhí an diabhal fós ag iarraidh an cailín óg a ardú leis. Tháinig tinneas uisce orm féin, rud nárbh ionadh tar éis an méid dí a bhí caite siar gan trácht ar an *hooch* in aon chor. D'fhiafraíos dhíbh cá raibh tig an asail agus stiúraíodh amach an cúldhoras mé laistiar den dtig. Bhí a fhios agam cad a bhíos ag déanamh cé go raibh na cosa guagach go maith faoin dtráth sin. Ní mór an leithreas a bhí amuigh ach falla fada bán agus é tarrálta ina bhun. Fuaireas mo dhóthain cúraim ag iarraidh mo chnaipí a oscailt ach ar deireadh bhíos ábalta an gnó a dhéanamh agus láithreach tháinig sruthán breá sláintiúil is d'imigh leis le fánaidh. Á, do bhraitheas an faoiseamh cheana féin. Dar liom nuair a bhí sé san am agam bheith ag dul i ndisc is ag éirí ar an sruthán a bhí. Má bhíos nóimint ansin agus an sruthán ag imeacht le fánaidh bhíos fiche nóimint ann.

'A Mhuire,' arsa mise liom féin, 'ní fheadar arb é an diabhal *hooch* sin a dhóigh *washer* éigin istigh ionam agus ná fuil ar mo chumas stad.'

Chuala glór. 'A Mhichíl Uí Shé, an bhfuil tú titithe i bpoll éigin? Tánn tú imithe le leathuair an chloig.'

Ba é Frank a bhí ar mo lorg.

'Táim ceart go leor; tá poll dóite díreach síos tríom ag an ndiabhal stuif a bhíomair ag ól.'

Shiúlaigh sé anall chugam. 'Léan ort, a stail amadáin! Cas amach an tap uisce atá ag sileadh laistigh duit,' arsa Frank agus é sna trithí.

'Bhuel céad buíochas le Dia! Cheapas go silfinn a raibh i mo chorp!' Ní cuimhin liom mórán eile mar gheall ar an oíche. D'fhágamair slán ag muintir Crofton an mhaidin dár gcionn agus mo cheann ag scoltadh le tinneas cinn. Thugamair ár n-aghaidh ar ais ar Chicago.

25

Galar an Ghrá

D'fhágas halla rince an Holiday Ballroom aon oíche amháin agus na cosa guagach go maith fúm agus mé bailithe go maith de chursaí an tsaoil.

'Sea mhuise, tuilleadh an diabhail chugatsa, a Mhaidhc Dainín. Halla lán de mhná agus ní bhogais do chos ón gcuntar i rith na hoíche ar fad. I ndóthair thug t'athair tamall maith ag plé leis an ndeoch sula dtáinig ciall dó in aois a leathchéad bliain nuair a thóg sé an *pledge*. A Mhuire, cailíní breátha ag gabháil tharam is ag beannú dhom agus gan mise ábalta ar mo dhá chois a stiúrú i gceart. Ar m'anam ach go gcaithfidh sé stad.' B'in iad na smaointe a bhí ag rith trí m'aigne agus mé ag fágaint an halla. Nuair a fuaireas mé féin taobh amuigh ar an sráid stadas ar feadh tamaill agus tharraingíos m'anáil isteach. Bhí solas tráchta díreach ag cúinne an halla, áit a raibh orm féin an tsráid a thrasnú chun bus a fháil ón dtaobh eile a thabharfadh abhaile mé. Faid a bhí an solas glas do bhuaileas mo láimh ar an bpola chun prapa a thabhairt dhom. D'athraigh an solas agus thugas m'aghaidh trasna nuair a fuaireas an trácht stopaithe. Dheineas iarracht an líne bhán a bhí ag gabháil trasna na sráide a leanúint, mar dhea go siúlóinn díreach.

'Hé a Mhichíl!'

D'fhéachas soir agus d'fhéachas siar.

'Thall anseo sa ghluaisteán.'

D'fhéachas sall. Fear ó Chiarraí Thuaidh a raibh aithne agam air ó thána go Chicago a bhí ag caint. 'Tair linne sa ghluaisteán, táimid ag dul i dtreo do thí.'

D'oscail doras cúil an ghluaisteáin. 'Léim isteach a Mhaidhc. *I think you're a bit on the Kildare side.*'

Dheineas rud air agus chuas isteach ar shuíochán deiridh an ghluaisteáin agus bheannaíos do mo chara, Pádraig Ó Conchúir.

Tháinig scartadh breá gáire mná ó thosach an ghluaisteáin. D'aithníos láithreach í.

'An tusa atá ann, a Jeannie Costello?'

Ba í siúd an cailín a thugas abhaile liom oíche agus go mb'éigean dom teitheadh nuair a tháinig a hathair ar an láthair.

'A Mhichíl, ní fhaca tú chomh trom ar deoch riamh,' arsa an Conchúrach.

'Ó, a Phádraig, fear gan bhean gan chlann, fear gan beann ar éinne.'

D'fhéachas ar an gcailín a bhí i m'aice. Ní raibh aon ní á rá aici ach ag tógaint gach rud isteach.

'Is cé hí tú féin nuair a bhíonn tú aige baile?' a dúrtsa agus mé ag iarraidh mo dhá láimh a chur ina timpeall.

D'iompaigh sí orm. 'Coinnigh dó dhá láimh chugat féin,' ar sí, 'mar tá an oíche tugtha ag ól agat.'

Ansin labhair Jeannie ón suíochán tosaigh. 'Caitlín Nic Gearailt ó Oileán Chiarraí is ainm di agus is minic a bhís ag caint léi sa Keyman's Club.'

'O my! Ní maith é an t-ól agus an ragairne.'

Thugas iarracht mo dhá shúil a dhíriú uirthi agus radharc cheart a fháil uirthi, ach ní rómhaith a bhí ag éirí liom. D'fhan sí ansiúd agus í fáiscithe isteach i gcúinne an tsuíocháin agus troigh go leith slí eadrainn.

'Is é inniu lá breithe Chaitlín,' arsa Jeannie. 'Táimid chun braon tae agus blúire den gcíste a bheith againn i dtig Chaitlín sula dtabharfam ár n-aghaidh abhaile. An bhfuil deabhadh ort, a Mhichíl?'

Ní raibh cuid de dheabhadh ormsa. Ag taisteal síos Cicero Avenue a bhíomair faoin dtráth seo.

'Fair amach do Shráid Grace,' arsa Caitlín ag glanadh an cheo d'fhuinneoig an ghluaisteáin. Chas Pat an gluaisteán ar clé suas cúlshráid chiúin agus pháirceáil sé lasmuigh de bhungaló le brící buí ag maisiú an fhalla tosaigh. Léim Caitlín amach as an ngluaisteán ar dtúis agus lean an bheirt eile í. Cheapas gurbh fhearr fanacht san áit ina rabhas ar eagla go dtabharfaí íde béil orm. Bhíodar triúr ag siúl i dtreo an dorais. D'fhéach Caitlín ina diaidh.

'Cá bhfuil Micheál Ó Sé?' ar sí agus iontas uirthi ná feaca sí ag teacht mé. Rith Caitlín ar ais go dtí doras an ghluaisteáin agus d'oscail sí é.

'Era, téanam ort isteach chun braon tae, a Mhaidhc.'

Ní rabhas ag braith rómhaith liom féin faoin dtráth seo.

'Tair isteach agus ná faigh *pneumonia*.'

Leanaíos isteach go breá socair í. Bhí Pat agus Jeannie suite istigh ag an mbord sa chistin agus an diabhal de sciotraíl orthu. Shuíomair go léir chun boird an fhaid a bheimis ag fanacht leis an dtae. Ní fada gur oscail doras tosaigh an tí agus tháinig cailín cinn rua isteach sa chistin agus cé bheadh ina fochair ach mo sheanachara Mike Scollard. Chuir Caitlín in aithne dúinn an cailín deas rua. Ba í a deirfiúr Peig a bhí inti.

'Cad é an saghas cruinniú atá anseo?' a dúirt Mike agus bitsíocht ina ghuth. 'An cruinniú de bhaitsiléirí Chiarraí atá ann?'

Ansin lig sé liú mór as. '*Up Kerry!*'

Chun na fírinne a insint ní dúrt féin puinn mar ní rómhór istigh liom féin a bhíos-sa sa chomhluadar. Cuireadh cupán, pláta agus forc os comhair gach éinne againn. Ansin thóg Caitlín císte mór amach as an reoiteoir agus hocht gcoinnle déag sáite ann. Lasadh na coinnle agus cuireadh iachall ar Chaitlín iad a mhúchadh.

'Cad é an rún a ghuís?' arsa Mike Scollard. 'Is dócha gur fear le leabhar bainc teann atá uait.'

Ní dúirt sí faic ach thosnaigh sí ag gearradh an chíste. Ansin thosnaigh Mike Scollard ag scéalaíocht.

'Is cuimhin liom seachtain sara ndeineas mo chéad Chomaoine. Tháinig an sagart ar scoil chun sinn a cheistiú. An mhaidin chéanna sin fuair seanduine bás ar an mbaile. Láimh le crosaire a bhí cónaí ar an seanduine. Ghaibh an sagart chugam féin anuas. '*Scollard, who died on the Cross?*' an cheist a chuir sé orm. Thugas freagra tapaidh gan smaoineamh. '*The Kaiser*'. B'in é an ainm a bhí ar an bhfear a fuair bás ar maidin.'

Bhí béal Phat O'Connor lán aige leis an gcíste ach leis an racht gáire a tháinig air phléasc a raibh istigh ina bhéal amach ar fuaid an bhoird.

Bhí Caitlín suite i m'aice féin agus í ag baint ana-shásaimh as an gcraic. Tarraingíonn scéal scéal eile agus mar sin a bhí againne an oíche úd. Nuair a d'fhéach duine éigin ar an gclog bhí sé a cúig a chlog ar maidin. Faoin am seo bhí lán mo dhá shúl bainte agam as Chaitlín. Fámaire breá dathúil de chailín ab ea í, ar m'anam. Cad é an diabhal a bhí orm gur ólas an oiread sin ag an rince? Tar éis gach beart a tuigtear.

De gheit léim Peig den gcathaoir. 'An bhfuil aon bhaile ag éinne agaibh?'

'Bogaimis, a fheara, sula raidfidh an bhean rua an chairt,' arsa Scollard. Nuair a bhíos ag déanamh amach ar an ndoras tosaigh bhraitheas Caitlín ag teacht i mo dhiaidh. Nuair a bhí gach éinne ag comhrá lasmuigh de dhoras do chuir sí blúire páipéir isteach i mo phóca. Níor ligeas faic orm ach ghabhas a buíochas agus léimeas isteach i ngluaisteán Phat O'Connor. D'osclaíos an fhuinneog d'fhonn aer a ligean isteach chugam féin. Labhair sí ón dtaobh amuigh.

'Sea,' arsa mise, i m'aigne féin, 'cad é seo?' Dúirt léi go gcuirfinn glaoch teileafóin uirthi i rith na seachtaine.

Is go dtí Aifreann a dó dhéag a chuas lá arna mháireach. Mise dá rá leat ná raibh an cloigeann ar fónamh. I rith an Aifrinn ar fad agus mé ag iarraidh paidir a rá rith eachtraí na hoíche roimhe sin trasna ar m'aigne níos mó ná uair amháin. Faoi mar a bheadh Sátan ansiúd ar a chroí díchill ag tarraingt na bpictiúirí os comhair mo shúl. Thagadh Caitlín Nic Gearailt agus a gúna deas gorm uimpi go soiléir os comhair mo shúl. Ansin chroithinn mo cheann.

'Dhera, a Mhaidhc Dainín, cad é an diabhal atá ort, ná fuil milliún cailín chomh maith léi mórthimpeall na cathrach seo?'

Deirinn paidir eile, nó bhaininn triail as phaidir a rá, ach b'iúd arís í agus í ag cur rud éigin síos i mo phóca. Thosnaíos ag cuardach i bpóca mo chasóige. An póca clé, ní raibh sé ann. An póca deas, ní raibh sé ann. Tásc ná tuairisc ní raibh ar mo bhlúire páipéir. Cheapas ansin gurbh fhéidir gur ag taibhreamh a bhíos nó go raibh mearbhaillí dí orm. B'fhéidir nár bhuaileas lena leithéid de chailín in aon chor. Ach ní folláir nó gur bhuaileas. 'Ó go maithe Dia dhom mo pheacaí agus nach orm atá an cúram i lár an Aifrinn bheannaithe.'

Bhí an dinnéar ullamh ag mo dheirfiúr Máirín nuair a bhaineas an t-árasán amach.

'Cén t-am a bhainis-se amach an baile ar maidin?' ar sí ag caitheamh drochshúil i mo threo.

'Ní fhéadfainn é sin a fhreagairt go cruinn duit ach bhí an lá ag gealadh nuair a bhíos ag cur na heochrach isteach sa doras. Cogar, an bhfuairis aon bhlúire páipéir ar an dtalamh ar maidin?'

Ní róshásta a bhí Máirín le mo gheáitsí. 'An í siúd a choimeád amuigh thú go maidin?'

D'fhreagraíos í go ciotrúnta. 'Cogar anois, tá mo mháthair in Éirinn!'

Chuir an méid sin ag gáirí í. 'Fuaireas an blúire páipéir. Tá sé in airde ansin i muga ar an gcurpard.'

Sea, mhuis, ní rabhas ag taibhreamh tar éis an tsaoil. D'itheas mo dhinnéar agus chuireas an teilifís sa tsiúl. Ach suim dá laghad ní raibh agam ann. Aon rud a dhéanfadh fothram d'fhonn m'aigne a stiúrú ó spéirbhean na hoíche roimhe sin. Ní raibh ar mo chumas suí socair ar feadh deich nóimintí ach ag suí agus ag éirí agus ag siúl timpeall na cistineach. Bheartaíos ar deireadh go nglaofainn ar Chaitlín. Thosnaigh an fón ag bualadh.

'*Hello*, cé leis atáim ag caint?'

D'fhreagair an guth. 'Peig atá anseo, cé tá ag caint liom?'

Dúrt léi cérbh é mé féin. D'fhiafraíos di an raibh Caitlín sa bhaile. Is gearr gur bhraitheas Caitlín ag teacht go dtí an bhfón.

'*Hello*, a Mhichíl, cheapas go raibh deireadh feicthe agam díot nuair a d'fhágais ar maidin.'

Thugas cuireadh dhi dul go dtí an rince faram an oíche sin. Is í siúd a ghlac leis go fonnmhar.

Ba é banna ceoil Johnny O'Connor a bhí ag seinm sa Keyman's an oíche sin. Ní fada a bhí mo chos curtha thar tairsigh agam nuair a bheir Caitlín ar mo láimh agus d'iarr orm dul amach ag rince. Ba é seo an chéad rince riamh againn le chéile. Deirimse leat go raibh sí chomh héadrom le héan ar a cosa.

'Cá bhfoghlaimís do chuid rince, a Chaitlín?' a d'fhiafraíos di.

'I halla beag i Scairteach an Ghleanna cheithre mhíle ó Oileán Chiarraí.'

Seo oíche amháin ná rabhas meáite ar cheithre uaire an chloig a chaitheamh gan bogadh ón gcuntar. Deirimse leat nár mhothaíomair an oíche sin ag imeacht.

Bhíomair amuigh ag déanamh an rince deireanach nuair a bhraitheas buille á bhualadh aniar sna slinneáin orm. D'fhéachas tharam agus is iad Jeannie Costello agus Pat O'Connor a bhí ag rince taobh thiar dínn. Chonac Jeannie ag cur cogar i gcluais Chaitlín. Ansin ghluaiseadar leo arís, Jeannie agus Pat. Duine fiosrach is ea mé, uaireanta, agus d'fhiafraíos de Chaitlín cad a dúirt Jeannie léi. Bhí a dóthain de leisce uirthi ar dtúis freagra a thabhairt dom ach tar éis mórán tathant a dhéanamh uirthi dúirt sí liom.

'Bhí Jeannie ag rá liom gur *one-night stand* thú!'

Nach dóigh leat go bhfuil obair i gcuid des na mná! Ach dúirt Caitlín cúpla abairt ansin a fhanfaidh i mo cheann go deo.

'Tuig rud amháin,' a dúirt sí, 'nílim ad chur isteach i gcúinne in aon chor, más maith leat is féidir leat deireadh a chur leis. Ach mura dteastaíonn sin uait is ormsa a bheidh an t-áthas.'

Sea, ambaist, bhí cion ag an ainnir seo orm.

'Tá a fhios agam go bhfuilid siúd ag priocadh ort, ach déarfainn go bhfuil formad ar Jeannie liom,' arsa Caitlín.

'Anois, a Chaitlín, abair le Jeannie i gcogar eile go bhfuil coinne againn Dé hAoine seo chugainn.'

'Agus an bhfuil?' ar sí.

'Ó tá, agus tógfam oíche sa turas é as sin amach.'

D'fháisc sí chugam. Bhuel, chuaigh mothú éigin trí mo chorp faoi mar a bhéarfainn ar shreang leictreach a bheadh beo. Nuair a bhí an halla á fhágaint againn an oíche sin bhí leath-thuairim agam go raibh galar an ghrá ag luí sna cnámha agam, sea agus ag beirt againn. B'fhéidir go bhfuil mo dhóthain ráite agam anois.

Is dócha go dtagann galar an ghrá aniar aduaidh ar gach éinne. Ní raibh deireadh seachtaine ina dhiaidh sin ná raibh an bheirt againn i bhfochair a chéile. Chuireas in iúl di ná raibh sé meáite agam mo shaol ar fad a chaitheamh in Meiriceá agus dúirt sí siúd go mbeadh sí lántsásta maireachtaint in Éirinn dá mba in a bhí uaim. Faoin am go mbeadh deich mbliana caite sna Stáit ag an mbeirt againn bheadh bonn maith fúinn ó thaobh airgid de.

Do phósas féin agus Caitlín Nic Gearailt ar an ochtú lá fichead d'Aibreán 1962. Toisc mise a bheith ag ceoltóireacht thall agus abhus ar fuaid na cathrach bhí aithne agam ar an saol agus a mháthair agus bhí aithne acusan orm chomh maith. Dá bhrí sin bhí orainn beirt pósadh mór a bheith againn, nó ceann éigin acu, gan éinne bheith sa tséipéal ach mé féin agus Caitlín agus na finnéithe. Sea mhuise, pósadh mór a bheadh againn. 'I ndóthair ní bheimid ag pósadh ach aon uair amháin,' arsa Caitlín. Ba iad Joe Cooley, Séamas Cooley agus Mike Keane an triúr ceoltóirí a hireáladh. Ach bhí cuireadh ag mórán ceoltóirí eile. Tháinig cuid mhaith ann ó cheantar Oileán Chiarraí agus cuid mhaith eile ó Chorca Dhuibhne. Deirim leat nach aon seit amháin a rinceadh an lá sin ach dosaen seit. Faoi dheireadh na hoíche bhailigh na ceoltóirí ar fad isteach in aon chúinne amháin agus ceol níos breátha ní fhéadfá a chlos in aon áit ar domhan leis na stíleanna éagsúla ceoil ag meascadh le chéile. Ní fheadair éinne ach an leisce a bhí orm ag fágaint an oíche sin.

Níor ghaibh aon tseachtain tharainn an bhliain sin ar fad ná go raibh cuireadh go dtí pósadh éigin agam. Chuireamair fúinn in árasán Chaitlín. Bhí sé mór agus saor agus an-oiriúnach. Lean Caitlín ag obair in áit ina bpacálaidís tae, agus mise ag obair i Sears Roebuck, gan trácht ar bheith ag seinm trí oíche sa tseachtain, rud a fhág go raibh bonn an-mhaith fúinn ó thaobh bídh de.

26

I Mo Cheann Roinne

I lár na bliana 1962 ghlaoigh an bainisteoir isteach orm ina oifig i Sears Roebuck. D'fhiafraigh sé díom an mbeadh suim agam bheith i mo Cheann Roinne. Dúrt leis gur cheapas ná raibh mo dhóthain oideachais orm do na cúraimí sin ach dúirt sé liom go raibh gach jab i mo thimpeall ar eolas agam agus gurb é sin an teastas is fearr a d'fhéadfadh a bheith agam. Bheadh pá maith ag baint leis an bpost agus bónas ag deireadh na bliana. Ní nach ionadh thógas an post. Thóg sé tamall uaim teacht isteach ar rudaí áirithe ach fuaireas ana-chabhair ón gcriú a bhí ag obair liom.

Ag déanamh isteach ar dheireadh na bliana 1963 bhí flúirse oibre i Chicago do gach duine a bhí á lorg. Dos na daoine gorma bhí an saol ag athrú leis. Bhí ceannairí óga ag teacht chun cinn ina measc, leithéidí Martin Luther King agus Jesse Jackson agus mórán eile atá imithe as mo chuimhne. Is iad na Democrats a bhí i gcumhacht sa Teach Bán i Washington faoi cheannas fear óg cumasach darbh ainm John Fitzgerald Kennedy. Dlúthbhaint idir é féin agus Martin Luther King agus aon duine a léifeadh na nuachtáin an uair sin bheadh sé le tuiscint aige go raibh an Cinnéideach ar a dhícheall na cearta sibhialta a thug Lincoln don gcine ghorm a chur i bhfeidhm.

Ar an 22 Samhain 1963 bhíos suite istigh i seomra lóin i Sears Roebuck agus céad duine eile ann chomh maith. An raidió sa tsiúl faoi mar ba ghnáth agus gan éinne ag tógaint aon cheann de. Mé féin agus fear darbh ainm Bob Rolver a bhí le chéile agus sinn ag imirt *draughts*. De gheit stop an ceol agus tháinig fear nuachta ar an aer le scéal práinneach.

'Do scaoileadh urchar le hUachtarán Mheiriceá agus é ag taisteal i *motorcade* i nDallas Texas leathuair an chloig ó shin. Tá otharcharr á thabhairt go dtí an ospidéal faoi láthair agus é gonta go holc. Tabharfar cuntas níos cruinne ar ball.'

169

Níor fhan focal ag éinne sa tseomra ach sinn ag féachaint ó dhuine go duine le hiontas. Ar a shon go raibh am lóin thart níor bhog éinne againn ach d'fhanamair ansiúd ag feitheamh lena thuilleadh nuachta faoin gCinnéideach. Faoi cheann deich nóimintí tháinig an scéala go bhfuair Uachtarán Mheiriceá bás ar a shlí go dtí an ospidéal, tar éis urchar a bheith curtha trína cheann. Ní raibh a thuilleadh mar gheall air ansin, agus bhogamair i dtreo ár gcuid oibre. Amuigh ar an urlár, áit ba ghnách le daoine bheith ag rith soir siar, bhí gach éinne beagnach ina lánstad leis an ngeit a baineadh astu. Ní fheaca riamh daoine chomh trína chéile. Bhí an tUachtarán marbh. 'Cad a dhéanfaimid anois?' – sin é a bhí i mbéal gach éinne. Bhíos-sa féin chomh trína chéile mar gheall ar an eachtra agus dá mba mo dhearthhair féin a bheadh ann. Bhí sé de phribhléid agam láimh a chroitheadh leis cúpla bliain roimhe sin agus é ag canbhasáil i Chicago. Anois bhí sé ar shlua na marbh. Ar mo shiúl dom timpeall thána trasna ar chuid de chailíní an chine ghoirm. Bhíodar ansiúd ag sileadh na ndeor. Is é a dúirt duine acu liom, 'Cad a dhéanfam anois, tá sé marbh. Fear a bhí ar a dhícheall d'fhonn cothrom na féinne a thabhairt dár muintir. Ó tá ár nAbe Lincoln marbh.' Sin mar a bhí i gcás John F. Kennedy. Fanfaidh a chuimhne istigh i gcroí na ndaoine faid a bheidh siad ar an saol seo. Seachtain tar éis a bháis bhí gach duine i bhfeighil a ghnótha féin arís agus b'in é mar ab fhearr é.

Lasmuigh des na hÉireannaigh is dóigh liom gur ghoill bás an Chinnéidigh ar an gcine ghorm níos mó ná aon dream eile. Bhí a lán oibre déanta aige ar a son ó thaobh cearta sibhialta de. Níorbh aon iontas gur ghoil Martin Luther King ar a thuama lá na sochraide. Faid a bhí sé ina Uachtarán d'oscail sé a lán póirsí tábhachtacha don gcine ghorm ach fiú leis an dul ar aghaidh a bhí déanta aige bhíodar mífhoighneach fós agus theastaigh uathu postanna a fháil ná raibh aon cháilíochtaí acu dhóibh. Ba iad na daoine óga ba mhó a bhí ag cur brú ón dtaobh sin de.

Sna stáit ó dheas a thosnaigh an raic idir an gcine gheal agus na daoine gorma. Bhí gobharnóir i Stát Alabama an uair sin darbh ainm George Wallace agus dá mbeadh a thoil féin aige thabharfadh sé an íde chéanna ar an gcine ghorm agus a thug Hitler ar na Giúdaigh fiche éigin bliain roimhe sin. Bhí Martin Luther King ag déanamh raic toisc ná raibh sé ceadaithe d'éinne den gcine ghorm clárú in ollscoil sa stát sin. Fiú amháin do sheas George Wallace i mbéal dorais in ollscoil le garda armálta agus dúirt go n-úsáidfí iad dá gcuirfeadh scoláire gorm a chos thar tairsigh na scoile. Taispeánadh na pictiúirí sin ar gach scáileán teilifíse trasna Mheiriceá.

Nuair a thosnaigh na daoine a bhí sáite sna cearta sibhialta ag máirseáil ar dtúis bhí gach rud in ord agus in eagar agus rialta síochánta dá réir. Ach de réir mar a bhíodar ag dul ar aghaidh bhíodar ag ceapadh ná raibh puinn toradh ar a gcuid oibre agus cuid acu ag fáil mífhoighneach dá réir. Ba bheag máirseáil ná leanaíodh trioblóid éigin é. Bhí eagla ag teacht ar a lán den gcine gheal gurbh iad a bheadh thíos leis an gcibeal mar go mb'fhéidir go mbeadh sluaite des na daoine gorma ag tabhairt ruathair isteach ar a gcomharsain gheala.

Is i 1966 a thosnaigh an chíréib ar fad i Chicago. San áit a bhíos féin ag obair in Sears Roebuck ba iad an chine ghorm ar fad a bhí ina gcónaí sa chomharsanacht sin. Chaith Sears Roebuck tosnú ag tabhairt fostaíochta dhóibh agus is gearr gur mó den gcine ghorm a bhí ag obair ann ná den gcine gheal. Samhradh bog brothallach ab ea samhradh 1966 agus níor tháinig teas mar é le blianta fada roimhe sin. Bhí cathair Chicago ar nós gach cathair eile an uair sin mar an áit a bhí comharsanacht bocht ba bheag áiseanna a bhí ann d'ógánaigh faoi bhráid caitheamh aimsire. Ní raibh faic ach árasáin tógtha os cionn a chéile gan páirc ná halla ná ionad spóirt i ngiorracht cúpla míle dóibh.

Tógadh na hárasáin mar leigheas tapaidh ar na mílte daoine a bhí ag teacht isteach go lár na cathrach ag lorg lóistín agus gan lóistín ann dhóibh. Ó stáit eile ab ea na daoine seo agus bhí a bhformhór dubh. Laistigh de chúig nó sé bliana ní raibh faic ach aon *ghetto* mór amháin ó Pulaski Road síos isteach go dtí an áit ina lonnaíodh na *winos* ar fad go dtugtaí *Skid Row* air. Bhí sin mar cheantar buailte suas le Loch Michigan. Bhíodh orm féin tiomáint tríd an áit gach lá ag dul agus ag teacht ó obair. Ní raibh fiú linn snámha amháin sa chomharsanacht ar fad agus nuair a thagadh brothall mór bhaineadh na hógánaigh na clúdaigh de na hiodraint uisce. Gan dabht nuair a bhaintí an clúdach de cheann acu siúd shéideadh sé uisce sa spéir ar nós tobar ola agus d'úsáideadh na hógánaigh é chun iad féin a fhuarú. Ba dheacair iad a mhilleánú mar ná raibh aon áis eile acu agus dá raghaidís isteach go dtí linn snámha i gcomharsanacht bhán bheadh murdal dearg ann.

I mí Iúil 1966 bhí máirseáil i ngach cathair mhór ag na daoine gorma. Bhí círéib agus murdal i gcuid de na cathracha sin, Chicago, Brooklyn, Omaha, Baltimore, San Francisco agus Jacksonville. An teas a bhí i Chicago bhí sé ag dul ó 98 céim go 105. Le Sears istigh i gceartlár an *ghetto* gorm bhíos ag breith chugam féin toisc gur fear bán mé féin. Mar a dúrt bhíodh orm tiomáint trí chomharsanacht dubh agus dá bhrí sin chonac an chuid is measa den dtrioblóid. An tráthnóna áirithe seo a bhfuilim ag tagairt dó bhíos ag tiomáint mo Volkswagen ó thuaidh ar Homan Avenue agus bhí gach hiodrant ar dhá thaobh na sráide oscailte agus an t-uisce ag séideadh ar fuaid na háite. Dá ráineodh go mbeadh dóiteán in aon tig ní bheadh uisce a dhóthain ann chun é a mhúchadh. Pé dream a bhí i bhfeighil an uisce sa chathair chasadar amach ar fad é.

Ansin bhailigh sluaite óganach ins gach cúinne. Thosnaigh sluaite d'ógánaigh ghorma ag briseadh fuinneoga agus ag ardú earraí éagsúla leo as na siopaí. Ainnis a dhóthain a bhí an ghadaíocht ach ba ghearr gur cuireadh na siopaí féin faoi bharr lasrach. Tháinig na póilíní ós gach ceann den gcathair. Is fearr rith maith ná drochsheasamh, a bhíos féin ag cuimhneamh agus chuireas an bhróig síos ar fad sa Volkswagen agus bhogas liom ó thuaidh chomh tapaidh in Éirinn agus a bhí ar mo chumas. Ní raibh riamh an oiread áthais orm mo thig féin a bhaint amach agus a bhí an tráthnóna sin. Ar an gcuma a bhí rudaí ag féachaint ní hé an fear geal is fearr a thabharfadh a chosa slán as an áit úd. Fuaireas amach ó bheith ag faire ar an teilifís an oíche sin gur maraíodh óganach gorm amháin agus go ngortaíodh seisear póilíní. Gabhadh os cionn trí chéad go leith de lucht na círéibe. Chuaigh sluaite d'ógánaigh ghorma isteach sna comharsanachtaí geala a bhí ina n-aice agus dhódar agus loisceadar rompu. Is é an rud is mó a bhí ag déanamh imní domsa ná conas a thabharfainn m'aghaidh ar Sears Roebuck lá arna mháireach mar bhí aon duine den gcine gheal i mbaol a mharaithe faoin dtráth sin. Bhíos féin agus Caitlín suite síos ag ól braon tae an oíche sin agus staid na cathrach á chur trí chéile againn. Is mór an t-athrú a bhí tagaithe ar chúrsaí ó thánamair sa chathair an chéad lá. Bhí rud éigin neamhcheart nuair ná féadfadh daoine a bheith ag obair gan iad a bheith i mbaol a maraithe. Cheapamair gur mhithid dúinn a bheith ag mapáil cúrsa éigin eile.

Ar shroisint an chomharsanacht ghorm dom lá arna mháireach mhoillíos ar luas an ghluaisteáin d'fhonn súil a chaitheamh timpeall. Chonac uaim leoraí airm agus fiche saighdiúir lena ngunnaí i bhfearas ina haice. Ó buíochas le Dia, ní foláir nó gur ghlaoigh Mayor Daly amach ar an nGarda Náisiúnta. Chonac saighdiúirí lena ngunnaí ar tinneall síos ar dhá thaobh na sráide ó Madison go dtí Arthington. Ní raibh gnáthdhuine le feiscint ag siúl na sráide ach gach éinne i ngluaisteán agus iad ag faire go hamhrasach ina dtimpeall. Is dócha go raibh eagla ar dhaoine a gceann a shá thar tairsigh amach tar éis léirscrios na hoíche roimhe sin. Bhí deatach fós ag teacht ó fhoirgnimh a bhí dóite go talamh. An tráthnóna sin tháinig scéala amach ar an nuacht go raibh cruinniú idir Mayor Daly agus Martin Luther King agus bhí toradh fónta ar an gcruinniú sin. Is é an réiteach a deineadh d'fhonn rudaí a chiúnú ná caipíní speisialta a chur ar na hiodraint uisce a scaoilfeadh le cuid den uisce gan an stóras ar fad a chur i mbaol. Ansin thabharfaí isteach linnte snámha plaisteacha in áiteanna áirithe sa chathair agus dhéanfaidís sin an cúram go mbeadh áiteanna seasmhacha curtha ina n-áit. Lorgódh Daly airgead ar an rialtas chun ionaid spóirt a thógaint sna geiteonna.

27

Ag Tabhairt faoi Abhaile

Saolaíodh an chéad duine clainne, mac, dúinne i 1966 agus i lár na bliana 1968 saolaíodh an dara duine clainne dúinn, cailín an babhta seo. Caoimhín a bhaisteamair ar an mac agus thugamair Deirdre ar an gcailín. Bhí sé ráite sa bhéaloideas gur Deirdre ab ainm don chéad bhanríon phágánach a bhí in Éirinn. Thaitin an ainm go mór leis an mbeirt againn mar tuigeadh dúinn gur ainm bhreá Ghaelach é sin.

Bhí isteach agus amach le nócha faoin gcéad des na hoibrithe i Sears Roebuck gorm faoin dtráth seo agus má bhí brú orthu sin mar chine nuair a chuas ag obair ar dtúis ann is orainne a bhí an brú anois. Is dócha go rabhadar ag lorg a gcion féin ar ais. Bhí oibrithe bána agus gorma ag obair faoi mo cheannas-sa. Deireadh cuid des na hoibrithe gorma go rabhas fabhrach leis na hoibrithe bána agus cúpla duine bán ag rá gur *nigger-lover* mé. Ní raibh a fhios agam an rabhas ag teacht nó ag imeacht. Tráthnóna amháin lasmuigh de dhoras Sears Roebuck tháinig beirt fhear ghorma i mo threo. D'fhiafraíodar díom ar mé Micheál Ó Sé. Dúrt leo gur mé.

'Tá cailín amháin ag obair duit agus b'fhearr duit féin gan a bheith róchruaidh uirthi.'

Níor thaitin an saghas seo cainte in aon chor liom agus bhraitheas i m'aigne féin ná féadfainn cur suas a thuilleadh leis mar chúram.

Chomh luath agus a shroiseas an tig an tráthnóna sin dúrt le Caitlín suí síos go labharfaimis le chéile. D'insíos mo scéala di mar gheall ar an bhfoláireamh a fuaireas ón mbeirt.

'Anois, a Chaitlín, tá an saol seo róghairid chun maireachtaint in áit a bhfuil brú mar seo ag teacht anuas sa cheann orm.'

Dheineamair suas ár n-aigne lom díreach go dtabharfaimis ár n-aghaidh ar Éirinn. B'fhearr liom a bheith i mo bhochtán ar thaobh an bhóthair ná bheith ag luí síos faoi aon duine.

An oíche sin bhíos ag caint le mo dheartháir Seán ar an bhfón. Dúrt leis go rabhas ag tabhairt faoi abhaile go hÉirinn chomh luath agus a bheadh cúrsaí curtha ina gceart againn.

'Cá bhfaighir post thiar i gCarrachán?' arsa Seán.

'Nár chualais go rabhadar ag déanamh scannán mór thiar ansin anois?' arsa mise leis.

'Tá taithí agatsa ar a bheith ag déanamh airgead mór anois, tá taithí agat ar ghluaisteáin, ar theilifís agus gach áis eile. Deinim amach go bhfuil tú glan scuabtha as do mheabhair má tá sé sa cheann agat tabhairt faoi abhaile. Cad mar gheall ar an dtaisreacht atá sna tithe thiar ansin agus gan aon teas iontu?'

Thugas freagra air. 'Dhera, mo thrua do cheann! Tá agus teas. An cuimhin leat cad deireadh ár n-athair, "Téigh do thóin le móin an Ghurráin, ní fhéadfá í a théamh le móin níos fearr." Sin teas nádúrtha, a bhuachaill, agus ní hé an *steam heat* atá anseo acu.'

Dúirt Seán liom go mbeimis ar ais taobh istigh de bhliain agus gach pingin caite againn. Sea mhuise, bhainfí triail as ar aon chuma. Dá bhfanfaimis tamall eile i Meiriceá bheadh Caoimhín ag dul ar scoil agus ní bhogfaimis in aon chor. B'fhéidir leis gur isteach san arm a ghlaofaí orm chun mé a sheoladh go Vítneam.

Laistigh de mhí bhí gach rud réitithe againn i gcomhair an bhóthair. Chuireamair fiche éigin beartán dár gcuid éadaigh agus rudaí nach iad romhainn abhaile sa phost. Ar an 19 Márta 1969 chuamair ar bhord eitleáin in aerfort O'Hara. Is gearr gur ardaigh sí isteach sa spéir agus i dtreo na hÉireann. D'fhágas féin, Caitlín, Caoimhín agus Deirdre cathair mhór Chicago laistiar dínn, a cuid trioblóidí agus a saibhreas.

A chríoch san Samhain 25 1985

Ar an leathanach thall:

Thuas: An t-údar agus a chairde ag seinm ceoil tar éis dó teacht ar ais go hÉirinn.

Thíos: Maidhc Dainín ar chlé, T.P. Ó Conchubhair ar dheis, an réalta scannán Ben Kingsley, a bhean chéile agus a gclann.